朱高正

納約自牖

■當代叢書 7

「納約自牖」，語出《周易．習坎卦》，其六四爻辭爲「樽酒，簋貳，用缶，納約自牖，終无咎。」意謂六四值天下坎險之際，宜備一樽之酒、二簋之食、瓦缶之樂等菲薄至約之物，自窗牖奉獻於君。「納約」所以喻六四以至誠上交於九五至尊。窗牖本房屋受明之處，「自牖」所以喻六四欲進善言於君，必自其心之明處，乃能入也。

九十年代雜誌社提供

圖版一：中華民國的憲政體制根本不是總統制，將「總統直選」納入憲法增修條文是民主化過程中的一項重大錯誤決定。如今，政局杌隉不安的惡果已暴露無遺……（〈而今舉國皆沈醉，何處千秋翰墨林—與余英時先生商榷「民主」與「民族主義」〉），頁二九）

九十年代雜誌社提供

圖版二：台灣的變革始於立法院，如今中國大陸的全國人民代表大會也已有議決提案要求國務院執行的成例。一九九五年，全國人大行使人事同意權，結果副總理人選姜春雲只以百分之六十二的選票過關，足見人大的角色已有逐漸活躍的趨勢。假以時日，誰又能斷言人大的角色和功能不會更形重要，而成為真正的監督制衡機構呢？余英時何以就全面排除中國大陸有民主化的可能呢？（同上，頁三五）

圖版三：朱高正個人基本理念未曾改變，卻因黨籍的更替，招致「善變」的責難與質疑的眼光。其實，古今中外均有哲人闡釋「變」的哲學……（〈變的哲學——兼論中西宏觀政治之「變」〉，頁一〇四）

圖版四：鄧小平畢生承擔了中國的苦難，卻又以他的生命智慧給予中華民族對未來的希望與期待。他說：「我是中國人民的兒子，我深情地愛著我的祖國和人民。」這一句話，在千百年後，仍將繼續撼動每一位中國人的心靈。（〈改革開放・和平發展—悼念「中國人民的兒子」鄧小平〉，頁二一一六）

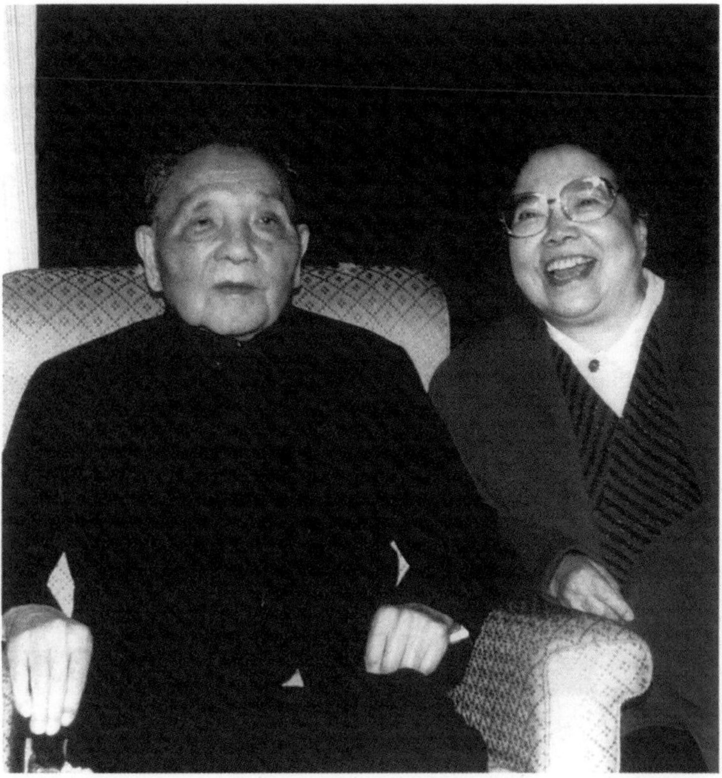

九十年代雜誌社提供

九十年代雜誌社提供

圖版五：這一次的釣魚臺風波，在臺灣民間自動自發的抗議聲浪，遠高於政府囁嚅、曖昧的委屈低調。（〈從歷史上的反日風潮看當前的保釣運動〉，頁二八四）

圖版六：在動用巨帑興建新核能廠之前，我們是不是應該先好好檢討國內的能源使用率偏低的情形，而充分利用現有的資源？連戰在行政院廣場舉行戶外記者會曾說，核四若建成，可在廠內增加機組，所以不考慮再興建新電廠。可見，爲了擴充電力，在原有核能廠內增建機組的做法，是完全可行的。（〈從「核四覆議案」看臺灣能源政策〉，頁二九七）

九十年代雜誌社提供

序

吳大猷

日前朱先生贈我其新作《朱高正作品精選集第四卷》書稿，並囑我為本書作序。

朱高正先生於民國七十四年（值而立之年）獲德國波昂大學哲學博士學位，自翌年當選立法委員以來，在立法院論政議事，迭創新猷。朱先生敢言敢當、擇善固執，尤異於媚俗成習、阿諛成風的台灣政壇。

朱先生除對台灣民主化著有貢獻外，更有鮮為人知的學術成就。民國七十九（一九九〇）年，他在德國出版的學術著作《康德的人權與基本民權學說》，被全球哲學權威刊物《康德研究季刊》（Kant-Studien）評論為研究康德法權哲學的四本必讀著作之一。該書也被——當今英語世界康德倫理學與法權哲學主要著作的權威翻譯——葛雷格教授（Prof. Mary Gregor）在其晚年學術論著中一再引述，並給予最高評價。此外，民國八十四年台灣商務印書館出版朱先生易學專著《周易六十四卦通解》，該書被《書目季刊》評論為現代最佳易學著作，並將之與程傳朱義並列。放眼當代知識份子能兼通康德與《易經》者，實不多見，況朱先生為活躍的政治家，洵屬難得。

朱先生於公餘之暇，著述勤奮，返國十年（即一九八六年到一九九五年），即已出版中、外文著作十餘種，合一百五十萬言，字字珠璣，擲地有聲。民國八十四（一九九五）年選出其中五十萬言，編為《朱高正作品精選集》三卷，發行逾五千套。翌年底由台灣學生書局接手，繼續發行。

最近兩年，可謂為朱先生著述的高峰期。在出版《朱高正作品精選集》三卷之後，朱先生幾乎每兩個月即發表一篇——極夠份量而字逾萬言的——論文在海峽兩岸素有影響力的刊物上。朱先生試圖為海峽兩岸的中國人尋求共同的關懷，並建立對話管道的用心，令人佩服。今特自其中選出十七萬字，編為《朱高正作品精選集第四卷》（一九九六—一九九七），分為四部份：

㈠傳統新詮與文化批判。除收錄朱先生與林毓生、余英時等人的論辯文章外，〈論儒〉發表在中央研究院的學術刊物，朱先生以其獨特豐富的易學知識，為儒家的起源提出新的看法。而〈論黑道〉一文，更可看出朱先生學識淵博、論證雄偉的一面。

㈡中國與中國現代化。原發表在《哲學雜誌》的〈周易與中國現代化〉，以群經之首的周易為例，論述傳統文化的現代詮釋對中國現代化的意義。〈再論「文化主體意識的重建」〉與〈精神文明建設的出路〉兩文則側重在意識型態的討論。此外，還收錄了悼念鄧小平的專文及探討鄧後中國政改的文章。

㈢時事分析與政治評論。這裡收錄的大多為針對時事的短評，舉凡釣魚台、核四、政治獻金等問題的評論。

㈣思想與書香。包括朱先生為自己或他人著作所寫的序、跋，以及為他人著作所寫的書評，其中以評論〈中國可以說不〉與〈腦內革命〉兩文最為膾炙人口。此外，也收錄他人為朱先生著作所寫的書評，分別摘自《康德研究季刊》與《書目季刊》。

朱先生向來以啓蒙哲學家自許，一直是個極具爭議性的人物，本書的出版，應可提供大家第一手的資料。想要了解朱先生這個人，就一定要看他的書；關心國家前途的人，也非看他的書不可。朱先生治學之勤勉，問政之純真，在在使得筆者深信他的思想一定會對二十一世紀的中國產生極大的影響。筆者雖不曾深研政治，但樂於為之作序，藉以略表對其肯定與敬佩之意。

朱高正作品精選集 第四卷

納約自牖

目錄

㈡中國與中國現代化

(三)時事分析與政治評論

(四)思想與書香

從重建「文化主體意識」析論傳統與現代化的關係

——讀林毓生先生「創造性轉化的再思與再認」有感

「應該如何看待傳統文化與現代化的關係」，一直是爲中國找出路的知識分子必須面對的嚴肅課題。自鴉片戰爭以來，中國先後出現過「師夷之長技以制夷」、「中體西用」、「全盤西化」……等主張，晚近則有林毓生教授「創造性轉化」的提法。朱高正也早在一九九〇年正式提出「重建文化主體意識」，做爲檢討當代菁英階層文化意識的基本綱領，同時也是思考傳統文化與現代化關係的一個依據。本文即是朱高正所標舉的「重建文化主體意識」與林毓生「創造性轉化」論的初次對話。

(一)

林毓生教授最近分別於大陸《學術集林》卷六及台灣《歷史月刊》一九九六年四月號中，以〈創造性轉化的再思與再認〉一文綜論他對傳統文化如何與現代化要求相銜接的看法。他之所以提出傳統文化「創造性轉化」的根緣，則是來自對五四「整體性反傳統主義」的反思。中國傳統文化與現代化之間的轇轕，五四運動的風雲及遺緒的確提供我們痛切省思的機會。

關於中國現代化的問題，一直是我求知、論學、問政所關注的焦點，相關的文字輯錄在一九九六年台灣學生書局出版的《現代中國的崛起》一書。我始終認為，中國現代化腳步的顛躓躑躅，其關鍵在於「文化主體意識」的闕如。

一九九〇年台灣大學為紀念「五四」，邀請筆者做專題報告，我特撰寫〈文化主體意識的重建〉一文，做為批判當代菁英階層文化意識的基本綱領。一九九五年七月，為紀念清華大學國學研究院成立七十週年的研討會中，筆者再就各界所深切關注的「精神文明建設」問題，提出以「思想再啟蒙運動」推動文化主體意識的重建。本文擬自重建「文化主體意識」的角度與林毓生教授「創造性轉化」的主張相互切磋。

五四運動，就其淑世改革的熱情與追求進步的強烈意圖來看，無疑是現代中國知識分子所發動的愛國救國啟蒙運動。不幸的是，由於對中國傳統的主流文化採取敵視的態度，對西方文化又流於口號式的狂熱（「民主」！「科學」！），以致理想無所附麗，激情無以寄託，反而延宕了中國現代化的腳步。反觀十八世紀末，康德總結法國大革命前夕的歐洲思潮，而將理性置於一切變革的核心，如同哥白尼將太陽置於天體運行的中心一樣。他雖然同情法國大革命，卻主張：「經由革命固然可以推翻個人的專恣、暴虐，但新的成見將取代舊有的成見，繼續宰控大眾。真正的改革唯有透過思維方式的改變才能完成。」

因此，我嘉許林毓生先生在前述文中所提到的「思想現代化的首要課題是：思想模式的現代化」，但我完全不能同意他將中國傳統主流的思想模式定義為「一元有機式思想模式」，並據而指出：「五四整體性反傳統主義的，意識形態的強勢系統性『動力』，乃是在傳統中國占主流地位的思想模式所提供的。」他指責五四的激進分子「未能從傳統一元有機式思想模式的桎梏中解放出來。」而他所謂的「一元有機式思想模式」，根據他的描述，則是「整體主義式的」（totalistic），「僵化的、封閉的意識形態」。

林文如此片面、過份化約地界定「中國傳統主流思想模式」，並遽視之為現代化運動有待「解放」的「桎梏」，這若不是對中國傳統文化的汙蔑，就是對傳統文化的嚴重誤解。其實也正是類似的誤解導致五四激進分子全盤否定中國傳統文化的價值。

談到「中國傳統主流思想模式」，周易的「太極思維」當之無愧，因為《周易》正是中國傳統文化的大根大本。周易強調「一陰一陽之謂道」，「太極思維」奠基於陰陽互藏、相互制約與對立轉化的思想模式，並以追求一種永恆的、且隨時適變的和諧狀態為終極理想。這樣的思想模式，是「二元」、「多元」，甚至是「全方位」的，絕對不是「一元」、「整體主義」等概括性的語詞所能夠涵蓋的。

自漢武帝建元五年設置五經博士，以迄清光緒三十一年廢除科舉，從而經學教育亦告中斷，前後合計二千零四十年，其間為周易經傳注疏者逾四千家。如果吾人將讀書視為與古聖今賢對話的知性創造活動，則《周易》一書不愧是兩千年來中國歷代知識菁英對話的論壇與焦點。即歐陸大哲萊布尼茨（Leibniz, 1646-1716）亦是在研讀伏羲六十四卦方圓圖之後，受到陰陽觀念的啟發，乃以「零」代表陰爻，以「一」代表陽爻，才有信心發表其有關「二進制算術」的論文，而二進制算術就是今日電腦的理論基礎。

中國傳統文化中有許許多多值得挖掘、可以致用的寶藏，《周易》僅是其中一例。對中國文化排斥、厭棄或否定的人，有些是對傳統文化有成見，絕大多數則是懵然無知。五四人物的挫敗不在其「未能從傳統思想模式的桎梏中解放出來」，而在於他們刻意否定傳統，從而與傳統割裂，茫然無根。在引進外來文化系統時卻又毫無主見，到底要仿效對象是英國還是德國，日本還是俄國，見仁見智，莫衷一是。「文化主體意識」蕩然無存，以致面對挑戰時束手無策，隨波逐流。

我認為當今問題的關鍵乃在重建中國人的「文化主體意識」。因為「文化主體意識」的建立涵括了認知主體對自我的「回顧」（Retention）與「反省」（Reflektion），從而產生「自覺」。將彼時之「自覺」與此時之「自覺」貫串起來就產生「統覺」（Apperzeption），而「統覺」正是一個人「人格」（Persoenlichkeit）的顯現，捨棄「統覺」，人格的發展與自由的實踐均無法想像。唯有建立文化主體意識，才能培養出有自信、有自尊的現代化國民，唯有現代化的國民才能建立現代化的國家。

林文對五四的批判，強調其受制於傳統思想模式，我則認為棄絕傳統文化的人將因而喪失回顧、反省與自覺的能力，而使其人格發展受限，自由實踐和自由創造的能力也將難以發揮。

我們若將民族視為一個文化創造的整體，則民族與個體之間有許多可以相提並論。對一個民族而言，文化意識的覺醒相當於個人人格的覺醒。一個民族跟個人一樣，一個人只能從自己的「過去」認識自己；同樣地，一個民族也只能從自身的「歷史傳統」認識自己。一個民族「回顧」過去對整個民族有意義的事件或決定，並進而予以「反省」，並對此「反省」再予以「反省」，從而產生民族的自覺。再藉著民族「自覺的統一性」，將「此時自覺」與「彼時自覺」貫串起來。此民族「自覺的統一性」即民族「文化主體意識」之顯現。

林文在說明「創造性轉化」理論時，指出那是一種「選擇性繼承」，也就是「將一些中國傳統中的符號、思想、價值與行為模式選擇出來，加以重組與／或改造，使經過重組與／或改造過的符號、思想、價值與行為模式，變成有利於革新的資源；同時，使得這些（經過重組與／或改造後的）質素（或成分），在革新的過程中，因為能夠進一步落實而獲得新的認同。」

林文的「創造性轉化」基本上屬於方法論的範疇，而他又以「有利於自由民主」和「傳統的質素在創造性轉化中不可喪失純正性」兩個條件來局限操作的空間。但由於未能建立「文化主體意識」，使得任何的「選擇性繼承」難免流於偶然、瑣碎與隨機。這從林文自己所舉的三個「創造性轉化」的例子（分別以家庭、儒家思想、公民社會為例）就可看出他在理論操作上的困境。其困境在於時（歷史）、地（背景空間）、人（主體）三者在論述的鋪陳中都嫌單薄，這應歸咎於林文未能預設「文化主體意識」。

(二)

林文在以家庭為例論述「創造性轉化」時，引《中庸》的一段話「故為政在人，取人以身，修身以道，修道以仁。仁者人也，親親為大。」進而認為「為政在於修身，修身在於親親」的邏輯容易導致中國官場上公私不分，家族特權盛行。並據以指出「儒家傳統在政治思想方面，警惕性不足，範疇不夠，資源較貧瘠。」

我認為，要談論家庭，首先必須認清：「家庭」在古代中國的小農社會和當今工業社會中，其根本型態不同，所扮演的功能也有差異。在工業革命以前，家庭型態多屬大家族制度，中西皆然。家族本身即是社會的縮影，是個人成長、學習、受教育的場所，是經濟上的生產單位，也是社會保障與互助的基礎。《周易》家人卦六四爻爻辭曰：「富家。大吉。」富家意謂人丁興旺，兒孫滿堂。要凝聚龐大的家族成員，共同和樂相處，殊非易事。家庭是人際關係的起點，「齊家」更是對個人能力的考驗。

《大學》所說：「身修而後家齊，家齊而後國治，國治而後天下平。」講求的是行為修養上的一致性和一貫性。孔子講「吾道一以貫之」，「一貫」是古代君子生命型態的基本要素。

「仁者人也，親親為大」，二人為「仁」，「仁」其實就是人際關係，是人與人相對待的關係。家庭既是人際關係的起點，「親親」當然是大根大本。林文批評《中庸》的這一段話，說：「在這裡儒家講為政，講著講著就講到了『親親』，在沒有家庭倫理與政治倫理的分際的心態下，當然不易把『公』、『私』分得清楚。」林文在這裡犯了「倒置」的錯誤。儒家是把「親親」做為個人修養的起點，而不是林文所指涉的「為政之道」。有《禮記．大傳篇》為證：「人道親親也，親親故尊祖，尊祖故敬宗，敬宗故收族，收族故宗廟嚴，宗廟嚴故重社稷，重社稷故愛百姓，愛百姓故刑罰中，刑罰中故庶民安，庶民安故財用足，財用足故百志成，百志成故禮俗刑，禮俗刑然後樂。」在這裡，「親親」顯然是「人道」之始。儒家重修身，重推己及人，很自然地把個體生命必然要經歷的「家」做為雕琢情性的空間。為政在人，徒法不足以自行，惟其經過人道錘鍊陶鑄者，才是「治國」的良才。

林文所描述的家庭，事實上僅限於核心家庭。而核心家庭，即使在西方也是工業革命之後，約莫十九世紀末才逐漸普遍化的。在工業社會中，由於媒體、教育的普及，家庭已不再是個人成長、學習的唯一場所。可是，我們還是不能忽略家庭對人格養成的重要性，家庭仍是社會的基本組成單位，是培養健全國民所不可或缺的一個環節。中國傳統的家庭倫理觀，仍有值得我們肯定和堅持的。只不過，時代已從小農社會轉變為現代工業社會，觀念當然也要隨著快速變遷的社會而有所調整。

林文以人權觀念質疑中國家庭中父母的權威。不可否認，中國傳統家庭中的確有父祖濫用家長權威的情形；但西方社會中，親權被濫用的情形也時有所聞。在政治上西方民主國家也有濫用公權力而形成法西斯暴力統治的先例，但我們卻不能因而取消公權力的威信。同樣地，父母的威嚴也不應因有濫用而予以廢除。

其實，治家之寬猛是尺寸拿捏的問題，過嚴則酷，卻也不可失之過寬。否則狎溺狂妄，輕褻瀆慢，家風必因而敗壞。《周易》中的家人卦，就主張治家當以嚴剛為尚，其初九爻辭說：「閑有家。悔亡。」正是要防範邪狎於未然的意思。家人卦的彖辭說：「家人有嚴君焉，父母之謂也。父父、子子、兄兄、弟弟、夫夫、婦婦，而家道正，正家而天下定矣。」講的是家人各守本分本色，而特別凸顯父母的剛嚴角色。孟子的「君臣有義，父子有親，夫婦有別」也是平等對待的關係。林文所指責的

「君為臣綱，父為子綱，夫為妻綱」的三綱教條，實是漢代董仲舒提倡「陽尊陰卑」之說，並將儒家學說赤裸裸地做為捍衛政權的工具之後的產物。但董仲舒的這種主張卻取代不了《周易》在傳統文化中的主流地位。

在現代社會中的家庭，除了剛正治家之外，更需要講究良好的互動關係，平等對待，經驗交流。由於社會變遷快速，親代的經驗已無法涵蓋子代的經驗，親子之間若是溝通不良，便容易產生「代溝」。因此做父母的要能夠尊重晚輩，與孩子經驗交流。此外，在工業社會中，機器取代勞動力，再加上女性也可接受完整的教育，享有獨立的經濟能力，傳統「男尊女卑」的社會條件已然消失。夫妻之間更需要互敬互重，平等對待。我常說：「天底下沒有天生的好太太，也沒有天生的好丈夫，只有良好的夫妻關係，而這種關係卻要靠夫妻雙方用心計較才能經營出來的。」

再者，就經濟、社會層面來說，過去傳統的大家庭既是營生的單位，也是自足的社會保障體系，經濟上可以互通有無。現代的核心家庭則難以維繫上述功能。因此，在現代社會中，社會保障體系的建立更形重要。《禮記．禮運篇》「不獨親其親，不獨子其子」講的是「社會連帶」，即人與人、團體與團體，階級與階級之間的團結互助，風險分攤。要達到「使老有所終，壯有所用，幼有所長，矜寡孤獨廢疾者皆有所養」的理想，則有賴於「跨代互助」，即就業市場的主力，其繳納的稅款可編列一部分做為失業救濟、育幼及退休給付。「社會連帶」與「跨代互助」正是現代社會安全制度的基本原則。這些制度不要說在中國傳統文化中沒有，在西方傳統文化中又何曾有過？它們都是工業革命的產物，既然西方人可以在他們原有的傳統基礎上銜接這些新生事物，何以中國人就不可以呢？只要確立我們的「文化主體意識」，自然就有信心來迎接這些挑戰。

(三)

其次，林文談儒家思想的「創造性轉化」，強調儒家思想未發展出人權觀念，因此主張融入天賦人權觀念，以豐富儒家思想。

如同前面談論家庭一樣，林文完全忽略了歷史和客觀環境的因素，即忽略了不同民族之間的「文化主體意識」問題。其實，人權的發展是需要社會、經濟條件密切配合的。「人權」在觀念上也許可以界定為「天賦」，但卻是歷史發展的產物。

西方的人權思想可以遠溯到西元前羅馬時代的斯多噶學派，當時西塞羅（Cicero）主張每個人都有不可剝奪、不可讓與的自然權利。但這種主張在西方文化史上，只個是孤例。其後中斷了一千七百年，經過神權統治的「黑暗時代」、專制極權的「絕對王權」時代，到十七世紀初才有亞圖吉烏斯（Johannes Althusius）建立比較完整的人權理論，繼以啟蒙時代的洛克、孟德斯鳩、盧騷等人，直到康德才集法權哲學之大成。至於人權保障的真正制度化，則是在美國獨立戰爭與法國大革命後才漸次落實的。

就經濟層面而言，歐洲在十八世紀末新興工商階級的影響力大增，他們無法忍受「絕對王權」所造成的貿易障礙及對他們「神聖財產權」的威脅。人權正是為抗衡專制政權而產生。

反觀中國，《周易》為儒、道兩家所共奉，而《周易》的太極思維主張「陰」、「陽」兩力相生相剋，任何一種力量過度發展，就會導向對立面轉化，也就是「物極則反」的道理。因此，《周易》一方面凸顯「對立」的表象，另一方面又以追求永恆的「和諧」為目標。這套思維模式深刻影響中國的傳統文化。「皇權」至高無上，卻也要知所節制，不能濫用，否則水可以載舟，也可以覆舟。《左傳・昭公三十二年》即提及：「社稷無常奉，君臣無常位，自古以然。」向來皇帝要講求「仁民愛物」，要接受「太子犯法，與庶民同罪。」歐洲君主的專制、濫權，導致「向對立面轉化」，而產生「人權」。中國皇帝較謹慎、節制，沒有出現西方的「絕對王權」，因此「人權」也相對地較難以發展。

再就經濟層面來看，中國自戰國時代以來，社會結構基本上是以小農為單位。小農自給自足，樂天安命，只要不發生饑荒、戰禍，可謂「帝力於我何有哉！」自一八四〇年鴉片戰爭以來，中國面對殖民帝國的蠶食鯨吞，救亡圖存唯恐不及，遑論發展工業。中國大陸迄今仍有百分之八十的農業人口，新興工商階級尚未形成一股力量，因此，人權觀念的發展和普及自是有限。

依據林文的說法，「人權」似乎有一致的標準，其實不然。美國「人權外交」的功利性和雙重標準已飽受爭議。一九九三年六月聯合國世界人權會議在維也納舉行，西方國家與非西方國家對人權的看法大相逕庭。隨著經濟的快速發展，東亞國家民族自信心漸強，已然形成另套「東亞人權觀」。

人權也有意識形態的問題。馬克思即批評「人權」只不過是資產階級將其「階級訴求」（如財產權神聖、自由契約、自由貿易）披上一層普遍化的外衣，以便藉著所謂的「人權」來「自由地」、「合法地」剝削經濟上與社會上的弱者。中共則據此發展出一套「社會主義的人權理論」，認為不應只照顧少數人的人權，而要廣泛地照顧多數人的人權，因此強調生存權與發展權；除了自由權，尤其側重平等權；不僅注重形式平等，更要求實質平等。

至於林文一再探究的：儒家思想的基本結構究竟「仁」先於「禮」，抑或「禮」先於「仁」，我認為在人權問題的討論上，這是多餘的。儒家講「仁」，講「禮」，講「道」，三者各有所本，難分先後、輕重、緩急。譬如林文堅決主張「仁先於禮」，事實上，我們也不難舉出一些反證：

《論語・堯曰篇》：「不知禮，無以立也。」〈季氏篇〉：「不學禮，無以立。」《禮記・禮運篇》記孔子答言偃問禮，曰：「夫禮，先王以承天之道，以治人之情。故失之者死，得之者生。」並引《詩・鄘風》云：「人而無禮，胡不遄死？」

我不能同意林文所說：「如果認定儒家思想的基本結構是『禮』先於『仁』……那麼，儒家思想『創造性轉化』則是不可能的。」孔子說：「禮者，理也。」「禮」，不管指的是「法理」或「理性」，兩者不都是要使「人權」在理念上成為可能的前提嗎？

(四)

最後，林文所列舉的「推行『創造性轉化』的做法」，第三項是「從發展現代的民間社會走向現代的公民社會」。

首先，林文指出「中國家族式政治結構與文化，很難稱得上是政治。假若那樣的政治也叫做政治的話，那是極為低級（低層次）的政治。」接著，林文期待民營企業、公會、工會、教會、學校、媒體等民間組織呈現與發展「公共性格」。最後，他以台灣的「慈濟功德會」為例，認為慈濟功德會在大乘佛教入世邏輯的帶領下，只要「落實善心，不喪失信仰的純正性」，即可「進入政治過程」並轉變成現代公民社會的活動。

林文的論點同樣缺乏對歷史時空和不同文化主體的觀照。

「公民」在英文是citizen，法文是citoyen，都是源自拉丁文的civis，原意是「城民」，城民組合成civitas，即是「城邦」。此外，「公民」在資本主義早期，法文也稱bourgeois，在德文是Buerger，這個字來自「城堡」（法文為bourg，德文為Burg）。城堡在中世紀時多屬封建采邑，平時是鞋匠、打鐵匠、農具匠聚集之地，戰亂時則供農奴、貴族入內躲藏。後來民族國家興起，采邑變成國君屬地，又隨著新航路的發現，工商業興起，尤以沿海港市特別發達，市政廳及市議會多設在菜市場旁邊人群匯聚之地。新興工商階級形成進步的力量，隨著資本的累積，影響力漸增。地主、貴族、教會等依靠收租維生的舊勢力則成為進步的障礙。新舊兩股勢力相互交鋒，關係日益緊張。新興工商階級反對關稅壁壘，要求「自由貿易」；因工商業亟需人力，乃鼓吹農奴從封建采邑中解放出來，於是要求「自由契約」；為發展工商又需要資本的累積，反對貴族、教會的肆意搜刮，於是主張「財產權神聖」。

法文的「中產階級」是bourgeoisie，意即城市居民的後代。社會財富既逐漸掌握在中產階級手裡，他們要求參與政治的呼聲日愈高亢，公民意識隨之擴張。因此，在西方，公民意識實是工商業革命歷史的產物。

中國一直是一個小農的社會，尚未經歷工業革命的洗禮，卻於一九四九年乍然跳過資本主義而進入社會主義。所跳過的也正是古典人權理論和自由主義公民意識最重要的歷史階段。加上文化大革命的冒進，非理性因素作祟，人權與公民意識的發展均受到嚴重阻撓。

歷史發展的軌道既無法扭轉，我們只好從文化傳統中尋求養分與資源。但不能像林文那樣寄託於宗教情懷，寄託於大乘佛教的慈悲、入世思想。西方為了追求政教分離、不知多少人頭顱落地，我們不能走回頭路。現代民主社會的特質之一即是「非宗教性」（laïcité），宗教介入政治，非民主之福。

我認為要從中國傳統中尋找公民意識的源頭，「士大夫文化」可以做為參考。中國古代有士大夫階級，而且儼然形成士大夫文化，這與西方的工商階級可以類比，但卻不以財富做為分類標準。所謂「士不可以不弘毅，任重而道遠」；「無恆產而有恆心者，唯士為能」。士是文化中堅，是道德理想的支柱。士可能來自窮鄉僻壤，其出身可以是小農，甚或佃農的後代。「布衣可以為公卿」，階級流動活絡，較諸西方工商階級更有理想性格和道德堅持。西方的城民，面對君主，是無自由意志可言的，士卻是可以有自由意志的。「邦有道則仕，無道則隱」，隱士文化也是中國文化的一大特色。集理學之大成的朱熹一向主張「正君心乃治國之大本」。古之讀書人，莫不以出任「王者師」為最大願望。西方文化所敬羡的「哲王」（philosopher king），在中國是文化理想的一部分。「匹夫而為百世師，一言而為天下法」則是極致。

綜上所述，士大夫文化與西方工商階級的公民意識有許多可以會通之處，甚至是有過之而無不及。目前的熱門焦點，有關儒家倫理與東亞經濟發展的討論，也可以從士大夫文化切入。士既能「燮理陰陽，論道經邦」，要是投入工商建設，搞活經濟，也是可能的。

至於林文率爾認定中國傳統政治是「家族式政治結構」，而且是「低級的政治」，我不以為然。前文關於家庭倫理的討論，我已有所辯正。我還要強調的是：在古代社會，家天下的世襲制度，中西皆然。可是相對於西方封建時代的王室世襲、職業世襲到階級世襲，中國歷史卻有它進步的一面。堯舜的禪讓，可以是虛擬的美談，也可以是高懸的理想。中國政治的主導權，春秋時代從「天子」下移為「諸侯」，戰國時代再下移為「大夫」，漢朝獨尊儒術，置五經博士，善治經書者得以出仕晉爵，形成「士族」。隋唐開科取士，只要勤於詩文，庶民布衣更可旦夕間成為公卿。此外，若論及權力制衡制度，秦朝已有「廷議」，軍國大事均付「廷議」裁決。漢代有諫官及御史，諫官專掌獻替以正人主，御史職司糾察以繩百僚。中國讀書人理想中的「天下」，是「有道者得之」的天下。比起西方民主化之前的「絕對王權」和貴族世襲，壟斷一切政經資源，中國傳統政治文化，不能謂之「低級」。

㈤結語

文化主體意識的淪喪與重建，牽涉到民族自信、自尊的消沈與恢復。近代德國的精神導師費希特（Fichte）和中國近代革命領袖孫文，對於民族的救亡圖存有類似的看法：「對一個四分五裂的民族，要其站起，重新出發，必須先從恢復這個民族的自信心與自尊心著手」。

中國自鴉片戰爭遭西方以武力挾其工業文明大舉進逼以來，民族的自信心與自尊心可謂喪失殆盡。而關於中國傳統文化對現代社會的意義、價值或承接、運用等問題，則是眾說紛紜，各行其是。林毓生教授的「創造性轉化」是比較用心的一個提法。理論需要切磋，理想需要琢磨。本文旨在從「文化主體意識」的觀點對「創造性轉化」提出我的初步看法。我認為，要做為重新評價傳統文化，進而創新文化的「主體」，一切得從喚醒全民族有意識地接受，有意識地承認「我們傳統文化之為我們所固有、所獨有的」做起。

傳統文化與現代化的關係一直是為中國找出路的知識份子必須面對的嚴肅課題。《周易》蠱卦的六五爻對於這個問題提供了最好的解答。蠱卦六五爻爻辭說：「幹父之蠱。用譽。」蠱亂非一日之積，必世而後見，所以蠱卦各爻都舉親子關係說明治蠱之道。一般而言，兒子若獲有整治蠱事的美名，則親長多揹負造成蠱亂的惡名。整治蠱事若能無損於親長的名聲，善繼父親的善德，善用父親的美譽，如此子承父德，用譽以治蠱，正是治蠱之最善者。

引申到今日中國現代化的問題來說，身為炎黃子孫的我們必須懂得「子承父德用譽以治蠱」的道理。我們必須重新瞭解歷史傳統，確認中國人的智慧。我們的祖先在古代既能隨著不同的歷史與社會條件，迭創令人讚嘆的良法美制。我們沒理由不相信，身為子孫的我們也同樣可以順應時代的需求，成功地完成現代化的艱鉅工程。傳統與現代化的關係猶如老幹與新枝的關係。只有正視傳統，對傳統負責，現代化才能成功。不明就裡，盲目指責傳統，歸罪祖先，是敗家子的行徑。因為一個對過去不珍惜的民族，如何規劃未來的理想與目標？拋棄了傳統，喪失了文化主體意識，則任何創造的發生，都將是偶然的，更不可能開創出恆久的未來。如何劍及履及地在傳統文化中抽取固有質素，賦予新的詮釋，以重建文化主體意識，是當代關心中國現代化的人士責無旁貸的重任。

（《歷史月刊》一九九六年六月號）

23　從重建「文化主體意識」析論傳統與現代化的關係

而今舉國皆沈醉，何處千秋翰墨林

——與余英時先生商榷「民主」與「民族主義」

一九九六年總統大選落幕之後，在士林頗負盛望的余英時先生隨即發表多篇文章，一方面高度讚揚總統大選所象徵的「民主」成就，另一方面則從中共的飛彈演習痛叱大陸內部「民族主義」的復甦。余英時的觀點基本上相當程度地反映了美國和台灣主流思潮對兩岸問題的看法。朱高正對此深表不以為然。首先，他認為「總統直選」與「民主」不能劃上等號，總統直選對台灣的政治發展，反而是一個潛在的危機。此外，他認為余英時對「民族主義」的解讀，牽涉到重大的價值判斷和文化主體意識的立場問題。由於認知上的偏執，使得余英時對民族主義抱持全面否定的態度。尤其余英時為了頌揚總統直選的成就，而刻意將台灣的「民主」與大陸的「民族主義」對立起來，這對兩岸關係的發展，將帶來不必要的誤解與紛爭。

今年三月二十三日總統大選落幕，由於中共飛彈演習，使台灣的總統大選成為海內外媒體報導的焦點。可是在選戰期間的諸多爭議註定將淹沒在噪雜聲中，只有等待選舉結束，塵埃落定之後，才適合從事理性而持平的分析。

筆者早就想對這一次的總統選舉做一整體性的省思與評述，近日披覽余英時教授三月廿九日登載於《中國時報》的〈飛彈下的選舉——民主與民族主義之間〉，五月九日到五月十五日發表於同報的長文〈海峽危機今昔談——一個民族主義的解讀〉，以及五月二十日李登輝就職當天在《聯合報》刊出的〈理強勢弱與以理造勢〉一文之後，更覺如鯁在喉，不吐不快。

余文相當程度地反映了美國主流思潮對中國問題的看法，同時也呼應了台灣——以李登輝為核心——的主流派意見。〈飛彈下的選舉〉一文毫不保留地襲取美國哈佛大學教授杭廷頓（Samuel P. Huntington）發表於一九九三年〈文明的衝突〉一文中的觀點，並以「一針見血」來嘉許杭廷頓的見解。而〈海峽危機今昔談〉則引用《紐約時報》的兩篇文字，作者分別為「專欄名家」羅森梭（A. M. Rosenthal）和「太平洋政策專家」西格（Christopher J. Sigur）。對於「名家」和「專家」有關中國問題的評論，余英時說：「這兩人的意見竟和我不謀而合」。

總統直選是否代表「民主」？

對於台灣的總統選舉，余英時則不斷以「中國史上破題兒第一遭」、「具有劃時代意義的大事」、「絕大多數中國人都會為之歡欣鼓舞的破天荒的大事」……等激亢的字眼來予以高度肯定。五月十七日，李登輝接受美國有線電視新聞網（CNN）駐北京特派員陳夢蘭（Andrea Koppel）專訪，談話中多次引用余英時有關民族主義的論述。其後，報上又傳出李登輝有意延聘余英時為「國統會」副主委的消息。余英時做為美國主流思潮發言人並深深受到台灣政界主流的眷顧，是顯而易見的。

余英時在〈飛彈下的選舉〉一文中，指出「選舉代表民主是不言而喻的」，而中共的飛彈演習則暴露出中國民族主義已從自衛轉變為攻擊，而且，「它的攻擊對象主要便是美國，因為美國今天已成為西方帝國主義的唯一象徵」。在余英時論證其觀點的過程中，我們發現他對「民主」和「民族主義」的詮釋有其文化認知上的偏執。本文就鎖定在「民主」與「民族主義」兩個概念上，就教於余英時。

首先，總統直選果真如余英時所說，可「不言而喻」地代表「民主」嗎？果真是那麼了不起的「具有劃時代意義的大事」嗎？的確，余英時在美國所看到的報導，一面倒地肯定台灣的總統選舉。這樣的評價，在我看來，其實不無美國人自我中心的色彩。美國政體採用總統制，有意無意之間就存在著「總統制即民主」的優越意識。迄今，世界上施行總統制的國家以拉丁美洲最多；拉丁美洲向來被視為美國的「後院」，處處可見美國的勢力和影響力，可是拉丁美洲卻也是全球政情最不穩定的地區之一。美國將台灣的總統選舉等同於民主的自以為是，我們還可以理解。可是在文、史學界頗負盛名的余英時卻也抱持類似美國本位的看法，委實令人訝異。

從法理上來看，一國國家元首的產生方式，一定要與該國的憲政設計一併考量。在台灣，一般人常誤以為讓老百姓直接投票選舉國家元首，才是主權在民，才是民主。其實，日本的國家元首是天皇，從來就不是民選，卻不妨礙日本在戰後成為一個民主國家；英國的國家元首是女王，又何嘗民選過？可是英國是公認最老牌的民主國家；至於德國的聯邦總統也不是由人民直選，可是今日德國卻有傲人的民主成就。究其原因，這三個國家的憲政體制都是內閣制，元首只是虛位，其主要作用在於對內象徵國家統一、對外代表國家而已。實際上掌控行政大權的並不是元首，而是內閣總理。

中華民國的憲政體制根本不是總統制，將「總統直選」納入憲法增修條文是民主化過程中的一項重大錯誤決定。如今，選舉才剛落幕，政局杌隉不安的惡果卻已暴露無遺。李登輝一方面坐享「台灣人出頭天」的成果，一方面粗魯操縱三家無線電視台，全面動用行政資源，方能勉強取得百分之五十四的選票而當選。「直選」所擁有的民意基礎卻又使得總統不甘於「虛位」。於是，我們看到李登輝肆無忌憚地侵凌行政院的職權，將內閣改組視為其個人封賞懲惕的工具，既不理會全民對「新政」的期待，更刻意規避國會的監督。再加上李登輝背信與妄言的性格瑕疵，使得曾經對他寄以厚望的人也自覺一再被欺騙、被愚弄。如今，李登輝一手主導的內閣改組，民間普遍失望，國會強力抗爭，導致在六月十一日的立法院院會中，以懸殊票數通過「咨請總統儘速重新提名行政院院長，並咨請本院（按，即立法院）同意」的歷史性決議，這是中華民國立國以來未曾有過的憲政危機。若是李登輝仍一意孤行，則此危機將不知伊於胡底！「總統直選」所造成的體制紊亂，這只不過是個開端而已。

憲法中並無總統直選的設計

當初台灣會走向總統直選，完全是國民、民進兩黨短視近利，只為一黨——甚或一人——之私而棄憲政體制於不顧的結果。民進黨的前身「黨外」向來主張回歸憲法，而我國憲法基本上是內閣制的設計。何謂內閣制？內閣制的精義在於：國家政策的最後決定者，不是元首，而是內閣閣揆，中華民國憲法第五十三條明定：「行政院為國家最高行政機關。」其次，凡採取內閣制的國家，其制度設計上有三大要素，即信任制度、副署制度與責任制度。此三大要素在現行憲法中皆有明文規定，絕不含糊。

所謂「信任制度」，指一個人可否出任內閣閣揆乃取決於國會的信任，非元首的好惡所能左右。憲法第五十五條即規定：「行政院院長由總統提名，經立法院同意任命之。」同理，部會首長之任命係由閣揆決定，他們不是元首的幕僚，其去留取決於閣揆，而非元首。這與李登輝的御筆欽點，搬弄內閣名單，大異其趣。所謂「副署制度」，意指政策須由有權決定者負責，而副署者正是做最後決定的人。憲法第三十七條規定：「總統依法公布法律、發布命令，須經行政院院長之副署，或行政院長及有關部會首長之副署。」即指出內閣才是政策的最後決定者，也是決策的負責者。國家元首的命令，非經閣揆副署無效。證諸憲法，李登輝實無權插手行政院的人事佈局。

所謂「責任制度」，意指內閣是向國會負責，而不是向元首負責。憲法第五十七條即明定：「行政院……對立法院負責。」

總之，依現行憲法，總統不向任何一個國會負責，是不折不扣的虛位元首。因此，憲法中原本並沒有總統直選的設計。如今，卻由於國民、民進兩黨私心自用，各懷鬼胎，透過憲法增修條文，使得總統選舉走向與我國憲政精神相悖的全民直選。總統既然直選產生，則必不甘於虛位，乃至如當前李登輝的挾民意以自重，玩法弄權，視內閣為班兵，視國會為無物。

當初民進黨主張總統制，其主要理由是：若採用內閣制，民進黨要成為國會中的多數黨，遙遙無期；一旦採用總統制，則總統直選，依過去縣市長選舉的經驗，勝算較大。易言之，總統制是民進黨奪取政權的終南捷徑。至於國民黨，過去兩位蔣總統的權力來源，主要是依據「動員戡亂時期臨時條款」。如今，「動員戡亂時期」已於一九九一年五月一日宣告終止，不料李登輝仍不願放棄動員戡亂期間所賦予總統的非常權力。過去總統透過「國家安全會議」這個超部會的「太上內閣」主導行政院，嚴重破壞憲政體制。李登輝就任後，仍意圖保留「國安會」，掠奪憲法賦予行政院的權力，以致「國家安全會議組織法」和「國家安全局組織法」兩草案在立法院討論時，引起激烈的衝突。

一九九三年二月五日，李登輝邀筆者到總統府商討國是。在此之前，他曾向日本媒體宣稱，在府院權力的劃分上，國防、外交與大陸政策歸總統管，其他歸行政院院長管。筆者當面質問他，這是根據憲法的哪個條文？他也承認在憲法上沒有根據。令筆者訝異的是，他並不允諾不再侵犯行政院的權限，而是執意要修改憲法。

可憐，中華民國的根本大法，李登輝堅不遵守，反而為了適應他一人的需要，而修改得面目全非，終於種下了當今政爭的亂源。主張總統制的民進黨已由於黨內李登輝情結的發酵和民粹主義的盛行，導致內部認同錯亂，危機四伏，可謂自食惡果。國民黨內過去見風轉舵、便宜行事的總統制支持者，如今由於李登輝一人獨攬大權，睥睨天下，也落得生殺由人、尊嚴掃地的局面。

權力與責任不可分割

余英時視台灣的總統直選為莫大的民主成就，並語多稱頌。這若不是昧於事實，就是欠缺民主政治的基本常識。講民主，就得知道權力與責任不可分割；擁有權力，就應負起相當的政治責任。就以余英時久居的美國來說，美國是全世界第一個按照孟德斯鳩（Montesquieu, 1689 — 1755）三權分立學說所設計的政體，行政、立法、司法之間有一套相互制衡的機制。在美國，總統固然是最高行政首長，卻要受到參、眾兩院的監督與制衡。反觀李登輝，大權在握，不受國民大會與立法院的監督制衡，他可在總統府為所欲為，而不必擔負任何政治責任。再就總統與司法的關係來看，尼克森因涉及水門案而黯然下台，克林頓夫婦也因涉及白水案，一個地方法院的法官就可把他夫婦倆搞得灰頭土臉。反觀李登輝，可以高高在上地倡言因貪瀆案被起訴的台中市長林柏榕「沒有什麼問題」；可以大放厥辭，要抓幾個法官來「殺雞儆猴」。

余英時以史學成名，豈不知法國首任總統路易・拿破崙（Charles Louis Napoléon Bonaparte）在「霧月十八日政變」之後，隨即於一八五二年透過公民投票，成為法蘭西皇帝，亦即拿破崙三世。德國希特勒的納粹政權，也是經過合法選舉產生的。余英時一再以選舉和民主等同，這是昧於歷史事實。

民主一定要選舉，但選舉並不等於民主。李登輝以一己之私，擅意修改憲法，使得總統有權無責，已形同「半帝制」。而李登輝的帝王心態，在「直選」之後，更是變本加厲。

余英時以總統直選來衡量台灣的民主，殊不知，總統制不僅不必然是民主的保証，甚且可能成為民主的災厄。美國憲法學泰斗魯文斯坦（Carl Loewenstein）早已論證美國的總統制並非理想的政體。西方先進國家沒人學美國的總統制，而非西方國家學美國總統制者，其政局很難維持十五年以上的民主與安定；其結果不是衍成總統獨裁制，便是國家長期陷入無政府狀態的內亂。但願台灣可以避免這樣的歷史宿命！

為了整個中國的未來，筆者始終認為內閣制較總統制更有利於我們走向民主政治的常軌。戰前採行軍國主義的德、日，在戰後改行內閣制，終能脫胎換骨成為民主先進國家。德、日能，我們又何嘗不能呢？何況，中華民國的憲法基本上已是內閣制，而現行的中華人民共和國憲法，若把共產黨領導的因素拿掉，也是傾向內閣制的設計。內閣制有助於政局的平穩過渡，並讓兩岸共同走向民主。

不能排除大陸民主化的可能

余英時一再對李登輝體制曲意迴護，對於中國大陸民主化的可能，卻又全面拒斥。在他一九八八年所寫的〈國民黨的新機運〉（收於一九九三年出版的《民主與兩岸動向》）一文中，明明知道民主政治中黨政分離的必要，也指出國家元首與黨主席不宜由同一人兼任，以免造成一黨私利與全國公利之間的混淆。卻又極力主張李登輝以元首兼任國民黨主席是「最適當的措施」。余英時的理由是：「一元化領導體制在國民黨執政史上，已有五十年以上的傳統，一個傳統既經形成之後，絕不是一夜之間就能改變的，在客觀條件不成熟的情形下遽廢傳統，尤足以招亂。」

余英時對李登輝投以無比的期待與耐心，但這種期待與耐心一遇到中共就全然瓦解。其實，拿台灣的民主與大陸比較，台灣的民主化也不過是近十年的事。從推動解除戒嚴、廢除臨時條款到國會全面改選，筆者無役不與。在此之前，台灣與大陸的民主程度，也不過是五十步笑百步而已。

大陸正在急遽發展與蛻變之中，余英時何以就全面排除大陸有民主化的可能呢？台灣的變革始於立法院，如今大陸的全國人民代表大會也已有議決提案要求國務院執行的成例。一九九五年，全國人大行使人事同意權，結果副總理人選姜春雲只以百分之六十二的選票過關，足見人大的角色已有逐漸活躍的趨勢。假以時日，誰又能斷言人大的角色和功能不會更形重要，而成為真正的監督制衡機構呢？

余英時對「民主」的認知偏執，或許還可歸因於他長年客居海外，對台灣的政治發展有訊息掌握上的侷限。但是，做為一位文史學者，余英時對「民族主義」的「解讀」就牽涉到重大的價值判斷和文化主體意識的立場問題了。

以「羨憎交織」情結解讀中國民族主義的失當

余英時套用美國社會學家格林菲德（Liah Greenfeld）著作中借用德國哲學家尼采取自法文的「ressentiment」一詞來「解讀」當今的中國民族主義。他將「ressentiment」譯作「羨憎交織」，並在〈飛彈下的選舉〉中如此解釋道：「由於長期師法西方勞而無功，積累了大量的挫折感，中國人早已滋長了一種憎恨西方的心理。這與被打敗的恥辱感及報復心並不是同一事，但二者互相加強。這種憎恨是從羨慕轉化而來的，卻仍然保留了羨慕的成分。我們可以稱之為『羨憎交織』的情結。」他並舉了俄、德兩個例子。認為俄國嚮慕英、法卻又不斷挫折，「終於轉『羨』為『恨』，最後則歸宗於馬克思主義。」至於德國，也是由於對英、法所代表的西方由羨轉憎，希特勒的納粹主義便是其「最後結晶」。余英時的推論是：「中國人『羨憎交織」情緒的發洩方式正在從俄國型轉向德國型」。言外之意就是：正在從馬克思主義轉向納粹主義。在《聯合報》的總統就職賀文中，余英時更露骨地表示：「以『武力』稱霸於東亞，並且以『經濟』引誘世界各國」的中共，「現在正在全力挑動大陸和海外的中國人的民族主義激情……利用民族主義的力量從斯大林式的極權主義轉化為希特勒式的極權主義。」

余英時對民族主義解讀鍥而不捨。在〈海峽危機今昔談〉中，他再度引用ressentiment，並謂「『羨憎交織』，即企羨和憎恨的心理交織在一起而又長期受到壓制，不能痛快地表達出來。這種心理是落後民族對於先進民族的典型反應。」他認為，「這個『羨憎交織』的民族情緒在現代中國更為強烈……如果說許多中國人都有痛打外國人一頓，出一口惡氣的潛意識，大概不算很誇張。這種潛意識便是今天中國民族主義的基調。」

余英時如此定出「中國民族主義的基調」，使他對中國大陸近年來面對國際政經劇變所做的調適，只能刻板而片面地歸咎於「中國民族主義」的張牙舞爪。這且容後再談，我們先來看看余英時一再引用的ressentiment一詞在尼采著作中的原意。

尼采使用ressentiment一詞是在他一八八七年所出版的《論道德的譜系》一書

中。尼采是借用ressentiment，來說明「奴隸道德」的起源：兩千多年前猶太人受到羅馬人征服、奴役、迫害，從而衍生出的一種怨恨，「這種怨恨不能通過採取行動做出直接的反應，而只能以一種想像中的報復得到補償。」

尼采以ressentiment形容奴隸階級（猶太人）對貴族階級（羅馬人）的「無能的報復」，余英時則以「羨憎交織」形容中國人面對西方的情結，並據此定義「中國民族主義」。中國民族主義果真是中國人對西方帝國主義「無能的報復」？當真是「奴隸道德」嗎？

余英時對台灣的「民主」百般肯定，但是他的「肯定」常常是築基於美國媒體的「嘉許」。除了上述《紐約時報》的論點與他「不謀而合」之外，他在稱頌台灣「除了『經濟奇蹟』早已為世所知外，這一次的總統直選則為民主制度的全面落實奠定了堅固的基礎。」之後，緊接著就是：「這一期美國《時代》周刊也承認台灣在『經濟奇蹟』之後，又創造了一個『政治奇蹟』。」這樣伏允於美國媒體，說得不客氣一點，豈不是另一種形式的「奴隸道德」？

尼采說：「奴隸道德起始於對『外界』，對『他人』，對『非我』的否定」，是猶太人「道德上的奴隸起義」。基本上也還是奴隸對主子的一種想像的、無能的、阿

Q式的報復。若是如余英時所說的，中國對美國是一種「美憎交織」的報復心理，那麼余英時對美國及其價值體系，就是打從心底的服貼與屈從了！

也因此，余英時會認定中國已從舊民族主義轉向新民族主義，也就是「從自衛轉變為攻擊」，而「它的攻擊對象主要便是美國」，這是赤裸裸的「中國威脅論」的翻版。他又說，今天不少中國人的心中激盪著一股難以遏阻的「美憎交織」的情緒。而「這種情緒要求一個『強大的中國』向以美國為首的西方公開挑釁。」由此推論到當前的兩岸問題，余英時認為台灣成為中共飛彈恐嚇的對象，是「由於目前（中共）在經濟上還需要美國的優惠國待遇，它不便公開與美國翻臉。」

依這種邏輯推演，中共一切有民族主義色彩的舉措，都是為了與美國為敵。因此，北京推動「國際儒學聯合會」，是「新民族主義運動的一個組成部分」。文件中只要出現「中國五千年文化」的字樣，便是「清楚的信號」。而諸如「中國人的人權觀念」等「一切訴諸『特殊國情』的論證都必然是民族主義的論證」。這樣的民族主義，最終都是要「向以美國為首的西方公開挑釁」。

余英時的偏執，使我們懷疑，做為一位著作等身的文史學者，他是否還有理性自由判斷的能力？是否還保有身為中國人的「文化主體意識」？在余英時筆下，同樣是經濟發展，台灣是「早已為世所知的『經濟奇蹟』」，中國大陸則是「突然從窮光棍搖身一變，成了世界上最大的暴發戶。」在台灣提倡儒學，召開國際會議，不成任何問題；余英時只擔心中共反對「國際」兩字，使得大陸學者不能順利來台與會。在大陸組織「國際儒學聯合會」，卻又變成是居心叵測了。

重新評價傳統文化，開創新文化主體

余英時一向旗幟鮮明的反共立場，我們可以尊重與理解，但是如果因為反共而致反華，那麼，余英時與台獨基本教義派的立場又有何差別？國民黨長年的反共教育和洗腦，曲折而頑強地在台獨基本教義派的思維中發酵。余英時常在關鍵時刻向國民黨獻策進言（見《民主與兩岸動向》一書），是國民黨尊為國師級的策士，李登輝欲延攬重用，當非虛言。但是以余英時在〈飛彈下的選舉〉與〈海峽危機今昔談〉所透露出來的立場，他果真入主「國統會」，將是兩岸關係的一場災難。

余英時幾度借用胡適日記中的語詞，指責中共是「瘋子」。在〈海峽危機今昔談〉一文中，「瘋子」、「發瘋」、「瘋狂」等文字出現不下二十次。談到中美關係，他寫道：「變與不變，權不在克里斯多夫，也不在克林頓。權在幾個人手裡。你們的政策的變與不變，全看這些無知的瘋子發瘋不發瘋！」余英時雖是假擬胡適的語氣，但胡適是寫在私人日記中的忿言，豈可與登載於大報的公開文章相擬？相較於李登輝以國家元首身份罵中共是「土匪」，余英時的確不遑多讓！

由於認定中共「『瘋狂病』的發作……具有不可預測性」，因此相應於美國輿論界對中國「圍堵」的討論，余英時似乎是採取讚許的態度。余文一再強調中共對西方的敵視，美國尤其是頭號敵人。可是余英時做為美國主流思潮的擁護者，卻也不自覺地透露出美國對中國的敵意與戒心。「圍堵中國」正是「中國威脅論」落實在政策層面上的體現，杭廷頓的理論有其代表性。余英時視為「震動一時」、「一針見血」的〈文明的衝突〉一文，即強調西方世界與非西方國家之間的對壘，並認為儒家文化和伊斯蘭文化是西方潛在的最大敵人。因此對內要強化西方國家內部的團結與合作；對外要慎防精密武器落入回教世界或中國手中；在東南亞須繼續維持軍事優勢；防阻儒、回進一步聯手對抗西方，並培養儒、回內部親西方的勢力。

筆者不願直指余英時為「儒、回內部親西方的勢力」，但是如果中共推動儒學研究，提倡傳統文化都可以被他界定為「羨憎交織」的情結，是為了「向以美國為首的西方公開挑釁」，這就值得我們憂心了。

余英時曾研究過當代史學大師陳寅恪的著作，〈海峽危機今昔談〉也援引了陳寅恪的詩文，應該知道陳寅恪的文化態度和理想。在為馮友蘭《中國哲學史》一書所寫的〈審查報告〉中，陳寅恪主張：「凡著中國古代哲學史者，其對于古人之學說，應具了解之同情，方可下筆。」對於中外思想交流，陳寅恪指出：「其真能于思想上自成系統，有所創獲者，必須一方面吸收輸入外來之學說，一方面不忘本來民族之地位。」並以佛學為例，說：「佛教學說能于吾國思想上發生重大久遠之影響者，皆經國人吸收改造之過程。」

面對中共重視儒學，向傳統尋求新動源的努力，余英時何以就不能抱以一種「了解之同情」呢？文革期間對傳統文化的蔑視與破壞，令人痛心；如今對傳統的重視與珍惜，何以就不能視為對昔日錯誤的更正，以及對文革極左路線的揚棄？在中國汲汲於現代化的過程中，若無固有文化做為托底，「不忘本來民族之地位」，又何能「吸收輸入外來之學說」？

正如陳寅恪所說的，唯其經過國人吸收改造的過程，一個外來學說才能在思想上發生重大久遠的影響。中國大陸自一九七八年實施改革、開放迄今，生產關係和社會結構起了巨大的變化，新的理論學說紛至沓來，這時，「吸收改造之過程」更形重要。而「吸收改造」的基礎即建構在「文化主體意識」的覺醒之上。

對一個民族而言，文化主體意識的覺醒相當於個人人格的自覺。一個民族跟個人一樣，一個人只能從自己的「過去」來認識自己；同樣地，一個民族也只能從其「歷史傳統」中來瞭解該民族自身。在歷史漫漫長流中，我們民族曾有哪些光榮事蹟，有哪些羞辱與挫折，都應一一省察。好的，則予以發揚光大；不好的，則予以揚棄或改善。就這樣而認識自己、批判自己、超越自己，最後則是自己創造了自己，這就是「文化主體意識」的顯現。因此要做為重新評價傳統文化、吸收改造外來文化、進而成為開創新文化的「主體」，一切得從喚醒全民族有意識地接受、有意識地承認「我們傳統文化之為我們所固有、所獨有的」做起。

中共能重視傳統文化，正是在瞬息萬變的國際政局和工商社會中，重建文化主體意識以迎接外來衝擊的一個契機。在吸收、改造、創新的過程中，一個思想再啟蒙運動正隱然蓄勢待發。余英時將此現象一律解讀為攻擊性的民族主義，這種敵視的態度侷限了他對兩岸問題的觀察與分析。

其實，做為時事觀察家的余英時和做為文史學者的余英時，有時候是自相矛盾的。譬如在〈試論中國文化的重建問題〉（收於一九八二年出版的《史學與傳統》）中，他說：「在現代科技的強烈衝擊下，每一文化都曾經過一個『傳統』與『現代』互相激盪的歷史階段。並且由於各民族的文化背景不同，這種激盪的過程與結局也彼此殊異。換句話說，每一民族的傳統都有其特殊的『現代化』的問題，而現代化則並不是在價值取向方面必須完全以西方文化為依歸。」那麼，余英時何以就不能將當前的中國大陸視為「『傳統』與『現代』互相激盪的歷史階段」呢？既然「各民族的文化背景不同……激盪的過程與結局也彼此殊異」，這是強調有「特殊國情」的存在了，那麼何以在〈飛彈下的選舉〉中，訴諸「特殊國情」就必然是羨憎交織的民族主義情緒呢？

余英時談論史學時說：「今天世界上最堅強的精神力量既不來自某種共同的階級意識，也不出於某一特殊的政治理想。唯有民族文化才是最經得起時間考驗的精神力量。」又說：「離開文化傳統的基礎而求變求新，其結果必然招致悲劇。」可是，在他從事時事評論時，對文化傳統的追求卻又變成是情緒的發洩，是攻擊性民族主義抬頭的證據。

類似的矛盾不勝枚舉，而我們發現矛盾的來源是因為作者在有關總統直選的兩篇文字中刻意凸顯「民主」與「民族主義」的對立：為了強化台灣總統選舉「劃時代」的民主意義，余英時策略性地抨擊、貶抑他稱之為「羨憎交織」的中國民族主義。余英時挖空心思為李登輝體制稱頌、辯護，卻對李登輝狂言妄語所招引的海峽危機隻字不提。對中共的痛斥、詘罵有助於掩飾李登輝對兩岸關係的惡化所應擔負的責任。這樣的手法並不新奇，李登輝的人馬在總統選戰中已一而再、再而三的使用過了。

無需抗拒中共的民族主義

民族主義可以有多種形態面貌。從擴張性的帝國主義到反殖民抗爭都可以是民族主義的一種模式。余英時卻以最負面、最不堪的角度來解讀中國民族主義。民主也可以有多種形態面貌，但李登輝體制下的民主可能是最不值得稱道的一種。余英時對李登輝的歌功頌德有時候不免喪失了知識份子應有的批判能力；當他在〈海峽危機今昔談〉中說：「今天民主在台灣開始全面落實，台灣似乎還沒有人公開表示異議」時，國會正因為抗拒李登輝一手主導的內閣人事改組而幾近癱瘓，媒體一片撻伐、譏嘲之聲，總統的民意支持率滑落谷底……余英時卻獨持己見，不為所動；難道這就是現代知識分子的風骨嗎？

余英時先將他所認知的台灣「民主」與中國「民族主義」對立起來，然後語帶輕薄地說：「孫中山三民主義中的『二民』——民族主義和民權主義（即民主）——竟然彼此鬧起矛盾來了。」余英時以他狹隘、偏執的「民族主義」觀來與三民主義中的民族主義相比擬，這無疑是對孫中山先生的不敬。

孫中山先生以三民主義做為中國現代化的理想，而他所謂的民族、民權與民生其實是三位一體，密不可分的。余英時的「民族主義」，似乎是美國的專利，中國一旦講「民族主義」，就是「奴隸道德」，就是「羨憎交織」的情緒了。孫中山先生的三民主義是素樸而寬闊的。他一九二四年在廣州的演講是這樣說的：「民族主義，就是拿中國要做到同現在列強處在平等地位，就是從國際上列在平等地位；民權主義，就是拿本國的政治，弄成到大家在政治上有一個平等地位，以民為主，拿民來治國家；民生主義，就是弄到人人生計上、經濟上平等。」三民主義的大原則其實就是「平等」，這在余英時的「民族主義」中是不存在的。

其實，民族主義是世界的潮流，也是孫中山先生所說的，「國家圖發達和種族圖生存的寶貝」。放眼當今世局，日本有「再亞洲化」的呼聲，阿拉伯世界也有「再回教化」的浪潮，印度則有「印度教復興運動」。在非西方國家中諸如此類「文化主體意識」的覺醒正不斷在擴散之中，近年來中共提倡傳統優秀文化也正符合這股潮流。

對於中共所提倡的民族主義，我們不能迴避，也無需抗拒，更不該以所謂的「台灣民族主義」與之相對抗。然而不幸的是余英時在〈海峽危機今昔談〉中卻以台灣的「民主」與中國的「民族主義」對立起來，從而間接拒絕了中國民族主義。余英時所認知的「民族主義」是狹隘、偏執的民族主義；他所認知的「民主」是誇大其實的假象民主。這些錯誤的認知所帶來的錯誤判斷，非但對緩和兩岸關係無益，甚且將導致武力相向的悲劇。

孫中山先生講三民主義時，特別強調民族、民權、民生三者是密不可分且互為條件的。在《民生主義第一講》，孫中山先生舉德國俾斯麥執政時期為例，大力推崇俾斯麥以鐵血手腕強制執行的保護勞工政策。俾斯麥時代也正是德國內部「民族主義」（追求國家統一、富強）與「民主」（要求保障自由、人權）衝突最為激烈的時期。當時德國強敵環伺，俾斯麥以富國強兵為第一要務，強力通過「治安維持法」，對自由主義者與社會主義者輒加壓制。可是另一方面，他又先後制訂「健康保險法」、「傷害保險法」、「退休保險法」，並首創由官方定期檢查工廠的制度，甚至公開支持帶有濃厚社會主義色彩的「生產合作社」。俾斯麥以保守的帝國首相，率先實施全世界最進步的社會立法，保護勞工階級，終使德國成為一個強大而現代化的國家。

由此可見，「民族主義」與「民主」的訴求常相矛盾，尤其在現代化的過程中更是屢見不鮮。其化解之道或許是在「民生主義」的落實。因此，當中共高唱民族主義時，我們非但不應予以抵制，且應順水推舟，擴充民族主義的內涵，使其成為與民權主義、民生主義密不可分的民族主義。易言之，我們要的不只是國家的統一而已，我們要的是尊重人權、政治民主、社會公平正義有保障的新中國。

余英時不此之圖，而以委婉的手法，用「民主」來拒絕「民族主義」，繼而附和西方的「中國威脅論」，著實令人痛心。知識分子的責任在於追求真理，為民解惑，而不是製造誤解與紛爭。陳寅恪當年聞及北京琉璃廠舊書業者將改賣新書時，有「而今舉國皆沈醉，何處千秋翰墨林」的感慨。在陳寅恪眼中，「翰墨林」不僅指舊書，也意味著有風骨的知識分子。如今舉國皆沈醉在假象的民主迷夢或誇張的反共情結之中，還能固守文化主體意識而發為獅子吼的知識分子，又能有幾人?!

（《歷史月刊》一九九六年八月號）

49　而今舉國皆沈醉，何處千秋翰墨林

論黑道

——一個法律社會學與國家哲學的新課題

在台灣，黑道的勢力不僅已深入到社會各個階層，且與現實政治糾葛不清，形成衆所指責的「黑道政治」。但是，對於黑道的本質及其存立發展的因素，迄未有人做過嚴肅而完整的探討。朱高正本文正是透過其在法律社會與國家哲學上的深厚素養，對黑道問題做一透徹的省視。

他不僅從學理上探究黑道在人類社會的起源和特質，同時也經由現實上的考察，指出：黑道的存在絕不是孤立的社會文化現象，黑道勢力的消長與政治、經濟大環境的變遷息息相關。隨著經濟發展和社會變遷，黑道的存在形式固然已經調整，但是台灣黑道與白道的惡性互動，卻使得黑道脫離了它本來的脈絡，嚴重危及國家政治、經濟的秩序，也違背了一個健全的社會所賴以存立的正義原則。

法律邊緣的模糊地帶是滋生黑道的溫床

近二、三十年來台灣經濟、社會快速發展，黑道組織本身及其運作方式也隨之急遽變化。黑道的影響力不僅已深入到社會各個階層，且與現實政治糾葛不清，形成眾所指責的「黑道政治」。過去關於黑道的研究，社會學界多集中在游民階層的探討，法學界則著重於黑道組織在犯罪構成要件的特質，這類研究都無法透視「黑道政治」的本質，也未能觸及黑道與國家、社會之間的互動關係。本文試圖從法律社會學和國家哲學的角度，重新檢視形成黑道政治的社會文化條件及其化解之道。

人類社會行為規範的主要類型為風俗、習慣、倫理和法律，而前三者的約束力遠不如法律。法律就做為行為規範而言，是社會發展到相當複雜程度後的產物，而以公權力來保障其效力的。拉丁法諺有云：「有社會斯有法律」（Ubi societas, ibi jus.）對古羅馬人而言，「法律」與「社會」是不可分割的。法律既然是一套行為規範體系，規定何者為「合法」的同時，就已劃定何者為「非法」，就像有白晝，就有黑夜。一有婚姻制度，就有婚外關係，一有法律規範，就有非法領域。

無論就理論或現實而言，法律不可能對人類所有行為予以規範，而社會上的某些生活領域，也不可能由法律予以有效規範。因為法律基本上只能禁人為惡，不能勸人為善（後者屬教育、倫理、道德、宗教範疇），因此，法律只能針對特定問題課人以作為或不作為義務而已。以賣淫和賭博為例，可以看出法律規範在處理現實問題時，有其不能克服的困境。賣淫行為可能危害婚姻制度，因此法律不僅用民法、也用刑法來保護婚姻制度。然而，現實上卻不可能禁絕一切的賣淫行為。因為人類所固有的性衝動對未婚者、離婚者或失婚者而言，也需要有解決的管道，而這個管道又難保不會被已婚而性生活並不盡協調者所濫用。這就使得賣淫行為在現實上不得不容許其存在，在法律上卻又不得逕認其為合法，從而使得賣淫行為成為界於「非法」與「合法」之間的模糊地帶。

賭博問題亦然，只要有私有財產制，就不可能沒有賭博的存在。凡人皆有僥倖之心，經由賭博可以一夕致富，剎那間可以改變巨大財富的所有權歸屬關係。因此，法律為了保障私有產權，多有禁賭的規定，但是僥倖心理卻又是人性所固有，因此也不得不默許特定的賭博管道，如賭場、賽馬、彩券等。

因此，賣淫與賭博都處於法律邊緣，亦即「合法」與「非法」之間的模糊地帶，這也正是傳統上最易滋生黑道的社會生活領域。正因為「法律」和「社會」是不可分割的，黑道雖然不見容於法律，卻也是構成社會的一部分。有人主張透過嚴刑峻法，全面禁絕黑道，這是不切實際的妄想。須知，古今中外，能短暫使黑道消聲匿跡的只有兩種政權，一是德國的納粹政權，另一個則是共產政權。但是消滅黑道的代價卻是犧牲人權保障，換來專制的極權統治，這種選擇是否值得，大有爭議。

黑道既存在於法律力所不逮的地方，又是構成社會的一部分，我們可將黑道視為社會的次文化體系。歷史一再顯示，當主文化體系腐敗已極之際，次文化體系可能迅速壯大，甚或取而代之。黑道在一定程度上有反體制的色彩，其組成份子常常對現實主流價值規範不屑一顧。就如同有合法就有非法一樣，在政治上，只要有統治機制，就有反統治傾向的可能，其極致就會落實為革命行動。當政治上有明顯的不公不義現象時，自然會出現公民創制活動或社會運動。當體制內的管道阻絕時，自會有議會外的反對運動，甚至武裝暴力革命。

黑道經營與國家管理

若純粹從財務收支的角度來看，做為次文化體系的黑道如何經營，與做為主文化體系的國家如何管理，頗有其雷同之處。國家的收入有稅課、專賣、營業盈餘、規費、罰款等項目，其中以稅課收入占最大宗。而課稅的基本原則是量能課稅，即所得越高者課以越重的稅負，投機性高的所得亦應課以較高的稅負。因此，以遺產稅為例，繼承遺產越多者，應繳納越多的稅；繼承遺產較少者，則繳納較少的稅；至於繼承的遺產在一定額度之內的，則可以不用繳稅。房地產稅亦然，擁有房地產越多、價值越高者，應繳納越多的稅。所得稅也是一樣的道理，一般交易所得應較勞動所得課以較高的稅率。財富越多、收入越高者，應繳交較多的稅；財富少、收入低者則繳較少的稅；至於完全沒有財富，甚或沒有工作能力者，則不僅不用繳稅，政府甚且應提供其維持生活所需的津貼。

另就支出面來看，政府的開銷有維繫國家機制正常運轉的一般政務支出，有國防、教育科學文化、經濟發展、社會安全、環境保護和退休撫卹等必要的支出，而各項支出的多寡、取捨，在客觀上要符合國家的需求，主觀上則要考量民意的歸趨。

一個國家的管理者，若是能將收入和支出兩者調配得宜，自然政通人和，國泰民安。反之，若是兩者的分配比例失衡，造成貧富懸殊，百廢待舉，輕則怨聲載道，重則政局動盪，甚至改朝換代。

黑道經營地盤也離不開同樣的道理。黑道收入的主要來源之一，為來自地盤內商家所支付的保護費。而保護費的收取基本上也要依據公平正義的原則。一般來說，位於法律邊緣的行業，如酒家、妓院、賭場、舞廳、夜總會、理容院、電動遊樂場、路邊攤等，凡利潤較高、糾紛越多者，則抽取越高的保護費；反之，凡利潤較低、糾紛較少的行業，則其保護費相對降低。就支出面來看，黑道有固定豢養的職工、帳房和打手，這些道上的兄弟應按其勤惰、功過與出力的多寡，給予應得的酬勞，因公罹難者也給予必要的撫卹。

黑道對其地盤的管理，同樣要遵守比例原則，對收入和支出做合理的調配。一旦出現徇私的行為，例如一利潤高、糾紛多的酒家，只因是老大的近親所經營，即收取較低的保護費；或一利潤不高的商家，只因與老大關係疏遠，反而抽取高額保護費。或者在支出上，因親疏計較而有賞罰不公的情形。這些因素都將引起私怨，甚或公憤，難保地盤內的人不會勾結鄰近或敵對的角頭入侵，這是黑道幫派火拼的主要原因。

類似黑道地盤因攤派保護費或頒發賞金不當而導致外力介入的危機，也同樣出現在國家內部矛盾激化的敏感時刻。例如在資本主義早期，國家機器是新興資產階級剝削勞工階級的工具。在收支的分配上，資本家只因擁有機器、廠房、土地等生產工具，即可不斷利用勞工的勞力，無限制地累積財富。勞工階級則只能任令自己的剩餘價值不斷被剝削，無緣享受其勞動成果。在此情況之下，勞工運動自會乘勢崛起，要求改變生產關係，其他國家的社會主義政權也會藉機介入。過去共產國際的擴張和對第三世界的革命輸出，基本上都是由於社會公平正義原則的淪喪而起。

黑道的正義原則

國家的管理和黑道地盤的經營同樣都須依循正義的原則，只是兩者所主張的正義有所不同。國家所講究的正義是「普遍正義」（Universal Justice），黑道的正義則是「局部正義」（Particular Justice）。「普遍正義」是對所有人一體適用，在任何情境皆一律有效的正義原則。因此，一個只知道維護特定階級利益的國家，即違背「普遍正義」原則。至於「局部正義」，則是只對特定的人或只在特定情境下才有效的正義原則。例如黑道做為次文化體系，其倫理、價值觀和行為規範並不能對主文化體系各個階層的成員有效。黑道所主張的正義，對某些善良百姓而言，可能反而是不義。或者，在主文化體系嚴重脫序時，黑道會出來加以制衡，這種在特殊情境下所顯現的正義，也不見得能適用於平時。

在釐清「普遍正義」與「局部正義」的分野之後，我們再來探究「正義」的本義。古希臘哲人柏拉圖在其膾炙人口的名著《國家論》（俗稱《理想國》）的第一卷即討論「正義的意義」。他指出，「正義是給予每個人應得的東西」。柏拉圖對正義的界說規範了爾後兩千多年整個西方實踐哲學對正義的詮釋。亞里斯多德更進一步將「正義」區分為「算術正義」與「幾何正義」兩種。前者乃是指人與人之間完全站在平等相對待的基礎上，互為予求，又稱為「平均正義」或「交換正義」（iustitia commutativa），是私法關係的最高原則，私人之間訂定契約，發生債權關係，均應依「算術正義」為之。而「幾何正義」又稱「比例正義」或「分配正義」（iustitia distributiva），乃是指國家權力在其與人民的關係上，應依各個人不同的成就、貢獻，依比例原則，分配各個人應得的部分，這種「分配正義」乃是公法關係的最高原則。前者著名的羅馬法學家烏爾比安（Ulpianus, 170-228）稱之為「勿對他人不義」或「勿傷害他人」（neminem laede），後者則稱之為「給予每個人應得的東西」

（suum cuique tribue）。這種將法學研究領域分為「私法」與「公法」的傳統，持續至今。

黑道存在於法律的邊緣地帶，但是法律之所以成為法律，除了在形式上有國家公權力為其後盾，更重要的是法律應具有公平正義的內涵。在這一點上，荀子也早就有言簡意賅的論述。荀子認為法律的功能在於「定分止爭」。「定分」其實相當於「分配正義」；法律要劃定各個人所應得的「分」，國家有責任保障各個人所應有的「分」，如此才可以終止紛爭。

《易經．繫辭傳》有言：「天地之大德曰生，聖人之大寶曰位。何以守位曰仁，何以聚人曰財。理財正辭，禁民為非曰義。」其意義是說，天地的大德乃是生成並長養萬物，做為統治者的聖人所貴重的則在於確保政權。如何保住政權，就在於是否擁有仁聲，眾望所歸。如何才能獲得人望，就在於是否有足夠的財貨以養育萬民。「理財」是以正道經營管理財貨，「正辭」則是頒布各項合於公平正義的法令制度，如此自可使得百姓不爭不盜，不為非作歹，行為合於事理之宜，這就是「義」。

〈繫辭傳〉的這一段話，可以說是中國最古老的政治經濟學。不僅具體地點出經濟與政治互為表裡，也揭示了經營國家的基本原則。「理財」所講的不只生產財貨而已，也包含財貨的分配；「正辭」則要求法律要有正當性。「理財正辭」的內涵其實也就是我們前面所提到的公平正義的原則。至於「禁民為非日義」的「義」字不僅含攝柏拉圖所界說的「正義」，也是國家賴以存立的理據，是國家正當性的基礎。

黑道的「我群」意識

國家的起源和黑道地盤的形成也有其相似之處。英哲霍布斯（Thomas Hobbes, 1588-1679）將國家未出現時的「前國家狀態」稱為「自然狀態」。根據他在《巨靈》（Leviathan）一書中的說法，在「自然狀態」中的人類生活是「孤獨、貧困、惡劣、粗暴而且短暫的」，又由於人類的本性是自私的，於是每個人都傾向無限擴張其利益，每個人都有其自以為是的正義觀。例如，當一個生活在「自然狀態」中的人主張他擁有某個洞穴時，這只是他自己做的權利宣示，別人不見得會承認。於是，他只好靠拳頭來保衛自己認定的權利。可是今天保得住的洞穴，明天可能就失去。即使明天保得住，也不能保証三、五年後還能繼續保有。在自然狀態中，每一個人固然有充分的自由，憑着自己的想像，漫無限制地主張其權利，但這些權利主張卻又建立在自己的實力上，是那麼的不安全。因此，自然狀態，其實就是權利普遍缺乏保障的蠻荒狀態，每個人都處在失權（Rechtslosigkeit）狀態之中。其結果必然是你爭我奪，人人自危。

要解決權利的爭議，只有兩個可能。一是每個人依自力救濟的原則，憑藉其私人暴力，來貫徹自己的權利主張。但是這將陷入霍布斯所說的「萬人對萬人鬥爭」（bellum omnium contra omnes）的狀態，每個人恣意地主張自己的權利，其結果是沒有一樣權利可以獲得確保。另外一個可能則是，每個人相約放棄使用私人暴力，共同建立一足以公平地保障所有人的公共暴力，來仲裁是非，並貫徹公共正義的要求。這個公共暴力的載體就是國家。康德（Immanuel Kant, 1724-1804）進一步發揮霍布斯的國家哲學，依據他的說法，大家相約放棄使用私人暴力的契約就是國家存立的理據，稱為始原契約。締結始原契約後，人就離開了「萬人對萬人鬥爭」的自然狀態而進入國家狀態，他本來擁有的自然權利絲毫不少地在國家狀態中重新獲得。所不同的是，不必再靠自己的拳頭來維護自己的權利，而是由「公共暴力」（亦即「公權力」）來保障每個人所應得的「分」。

黑道的形成與國家的起源有異曲同工之處。黑道在法學上的名稱是「犯罪組織」。既是「組織」，當然就須以群體為要件。在犯罪組織未形成前是個別的流氓帶幾個混混或零散的換帖兄弟，劃地為王，憑藉私人的暴力來維護其地盤。可是今天擁有的地盤，明天可能就被奪走，明天保住了，也不見得能夠長期佔有。在此極端不穩定的狀態下，有地盤形同無地盤，每天都心驚膽顫地唯恐地盤被入侵、被奪走。為了結束這種無終止的鬥爭狀態，大家遂互相訂約，立下盟誓，在結盟的地盤內利益均霑，對內彼此不使用私人暴力，對外則要求進退攻守一致。於是就這樣建立起一個黑道組織，在組織內排資論輩，從而形成權力架構。對外則形成高凝聚力的「我群」（We-Group），而與「他群」（They-Group）涇渭分明。

黑道在組織化的過程中，通常會「歃血為盟」，嚴禁內鬥，這種盟誓的形式也與建立國家的「始原契約」相類似。美國「黑手黨」的發源地是義大利的西西里島，「黑手黨」在當地的稱呼是Cosa Nostra，本義是「咱們的事」，其實也就是「我群」的界定。

源遠流長的洪門即有斬雞頭、歃血盟誓的傳統。而其「三十六誓」中第一誓即為「自入洪門之後，爾父母即是我父母，爾兄弟姊妹即是我兄弟姊妹，爾妻是我嫂，爾子姪即是我子姪，如有不遵此例，不念此情，即為背誓，五雷誅滅。」其他誓詞也無非是「兄弟患難之時，必要相幫」或「兄弟寄妻託子，或有要事相託，如不做到者，五雷誅滅。」此外，台灣的幫派中，四海幫的「十大戒律」中有一條即是「戒出賣同黨及相殘」。竹聯幫的幫規中也嚴格規定：「不得叛幫，自己兄弟要團結」。這些誓詞或戒律都明白宣示黑道透過組織凝聚我群，排除內鬥的意圖。

價值體系與行為規範

中國人常講「盜亦有道」，即是承認黑道也有其特定的價值體系與行為規範。早在《史記》的〈游俠列傳〉中，司馬遷即以他的如椽巨筆描述朱家、郭解等「大哥」級人物的行跡。朱家「所藏活豪士，以百數，其餘庸人，不可勝言」，可見已是黑道首腦。而朱家本人「家無餘財，衣不完采，食不重味，乘不過軥牛，專趨人之急，甚己之私」，其氣度與道義使得結聚之眾，越來越廣，「自關以東，莫不延頸願交焉」。朱家後繼者有賭徒劇孟等人。劇孟的母親去世時，有千輛以上的車馬自遠地前來送葬，這種盛大的場景也不輸給現代黑道大哥的喪禮。漢景帝時，吳、楚諸侯興兵叛變，當時周亞夫擔任太尉，他得知劇孟並未參與叛軍，大喜曰：「吳、楚舉大事，而不求孟，吾知其無能為已矣。」可見當時的「黑道」已有左右天下治亂的能耐。對於像劇孟一般的黑道頭子，司馬遷嘆曰：「天下騷動，宰相得之，若得一敵國云。」

此外，列傳中的郭解，亦甚為精采。郭解年少時「以軀借交，報仇藏命，鑄錢掘冢」，可謂壞事幹盡。但他年長後「折節為儉，以德報怨，厚施而薄望」，且救人性命，不居其功，因此頗孚眾望。一旦有人得罪了他，自有仰慕他的少年代為報仇，而不讓他知道。漢武帝時，將豪門富家遷往茂陵，郭解亦在其列，而光是鄉里送行的盤纏即有「千餘萬」。後來郭解被漢武帝派人誅殺，蓋因其影響力已動搖到當權者的統治基礎。

其實，黑道有其特定的價值體系與行為規範，做為當權者的白道，若能固守正道和保障公共正義，則相對於黑道，自有其優位權。向來不論黑道的勢力多大，最後還只能求個被招安，俾在體制內取得其正當性。從《史記》裡的游俠，《水滸傳》裡的梁山泊好漢，乃至明末的鄭芝龍、鄭成功父子，最後還是希望能獲得當道（亦即主文化體系）的認可。

做為次文化體系，黑道固然要承認白道的優位權。但是，當白道本身腐化，無法無天，罔顧公平正義，而遂行暴力統治時，黑道就可能起而挑戰白道的權威，甚至推翻白道，取而代之。在中國歷史上，每於改朝換代之際，黑道常扮演推波助瀾的角色。元末明初，朱元璋得以稱帝，明教首居其功。清末民初，孫中山的國民革命，若無洪門、哥老會、三合會等會黨襄助，恐難順利完成。可見白道與黑道之間的互動關係，有良性，亦有惡性。良性是黑道臣服於白道，白道也能落實正義的要求，兩者相互制衡。惡性則是白道腐化，黑道介入政治，黑白不分的「黑道政治」。

近二、三十年來，台灣經濟快速發展，社會也隨之急遽變遷，使得黑道組織及其運作方式也發生快速的變化。而政治上，由於國民黨當局的行事作風不斷給予黑道人物錯誤的示範，終而導致白道與黑道間形成某種共犯結構關係。

在國民黨高壓統治時期，監獄是對付黨外異議人士的重要手段。選舉期間慣於大放厥詞，批評國民黨政府的黨外人士都知道，「當選過關，落選被關」。一旦勝選，可以保住身家性命，在廟堂上與國民黨繼續周旋；要是不幸敗選，就很可能會被國民黨以「甲級流氓」移送綠島管訓。政治人物因敗選而落難在綠島，給道上的「大哥」多所啟發：既然只要有民選的基礎、民代的頭銜，就算是政治上的異議份子，國民黨也不得不網開一面；因此，黑道人物若能勝選，當也可免去牢獄之災。這等於變相鼓勵黑道人物出獄後就積極部署參選，既可漂白，又可自保，何樂而不為？

黑道與白道的共犯結構

事實上，黑道人物並不嫻熟政治運作，政治演講尤非渠等所長，其參政動機無疑多是出於自保。過去在國民黨高壓統治時期被移送管訓的黑道份子，固然有些真的是作惡多端，不嚴辦則無以向社會交代，另有一些則可能由於為人較耿直、「鐵齒」，不願滿足白道的需索，以致成為管訓的對象。過去有權提報流氓管訓的有四個機關，即警察局、調查局、憲兵司令部以及警備總部。其中尤以警總最為關鍵，因為警總是審查提報流氓的複審機關。前三者所提報的流氓案，可能被警總壓下；反之，只要警總認定為流氓，縱然其他三個機關認為並非流氓，警總亦可自行提報。因此，警總無疑是當時最具權勢的黑幫老大，因為他擁有黑道人物的生殺大權，一收一放之間，宰制整個黑道。以賭場為例，一日進出三、五百萬的賭場被剿，而進出三、五千萬的卻安然無恙。後者可能就是警總在道上的線民所經營，而前者則是因為不買警總的帳，或不善於處理與白道的關係而遭抄場。就是在這種情況之下，他們才被迫投身政治，參與選舉，企求側身政壇，以免受到白道的迫害。

然而，我們也經常看到新聞報導，部分不肖官員、民代與企業界勾結，進行公共工程的綁標、圍標。一旦包攬到工程，就由官員、民代透過行政手段，一再追加預算以獲取暴利。在這過程中，為了排除競爭對手或其他障礙，難免借助道上兄弟。道上兄弟看多了官商勾結的手法，也看到了其中可觀的利益，於是想到：「與其為人作嫁，不如自行操作」，也就更進一步誘發黑道人物參選從政的動機。

黑道介入白道，日益嚴重，地方議會逐漸被黑道所把持。根據前年公布的統計資料，全台八百餘位縣市議員當中，有犯罪紀錄的就高達三百三十八位，約佔百分之三十五。而眾所周知，縣市議會的正、副議長，若不是黑道出身的大哥，就是有黑道的背景。當然，黑道大舉進入議會，也與國民黨縱容地方派系在選舉時買票有關。地方派系進行買票規劃時，為了贏得選舉，排除賄選障礙，確保開票成數，常常求助於黑道。黑道參與既久，學到了選舉的訣竅，於是有樣學樣，親自披掛上陣，粉墨登場。

最荒謬的是，黑道既然把持了地方議會，警政小組的召集人當然也由黑道出任。正、副議長和警政小組召集人都是「大哥」，警察只好聽命於黑道。於是，警察不自覺地被拉扯介入道上的恩怨，在政壇當權的黑道利用白道來清除其地盤上的競爭勢力。久而久之，黑道所經營的「事業」中，也讓白道插暗股。就這樣，白道介入黑道，黑道控制白道，搞到後來，就是黑白不分、是非不明的黑道政治。

台灣黑道與白道之間的惡性互動關係，不僅是黑道明目張膽介入白道的運作，白道有時也利用黑道，做為政治鬥爭的工具。猶記得一九九〇年八月，當時的行政院長郝柏村召開全國治安會議，準備大舉整頓議壇上的黑道人物。不料身為總統的李登輝在得知消息後，馬上召見各縣市議會正副議長聯誼會，並一一與正、副議長攝影留念。李登輝把正、副議長引為心腹，並藉著郝柏村要整治議壇黑道之際，袒護正、副議長，攏絡地方議會，從而也增強了議壇黑道的正當性。

一九九二年，當時擔任財政部長的王建煊準備實施土地買賣按實價課徵所得稅的政策。李登輝與南台灣縣市議會的議長聚餐時，席間即有人誣指該項政策是「外省人搶本省人的土地」。在眾人呼應之下，改革土地交易所得稅的政策胎死腹中。王建煊也在上、下交相指責之下，黯然下台。議壇黑道得以繼續結合地方派系炒作地皮，李登輝也藉此達到打壓非主流派的目的。

由於在上位者的蓄意拉攏，縣市議會正、副議長的身價因而大幅飆漲。果然，一九九四年初，縣市議員選舉甫結束，即爆發有史以來最大的正、副議長賄選案。依照過去慣例，在改選正、副議長的前夕，縣市議員會接受正、副議長候選人的「招待」，集體出遊三至五天。這期間，一切吃喝玩樂皆由候選人包辦，而議員們也不得與外界聯繫，以免發生倒戈事件。直至投票日當天才集體將出遊議員們送到議場投票後，方可回家。孰料，此次競爭特別激烈，議員在勝選當晚即被強迫集體出遊，長達三週，連春節也無法在家過節。出遊範圍則遠及大陸、澳洲，真是駭人聽聞。正、副議長的競逐會白熱化到此地步，究其原因是，郝柏村已於一九九三年二月下台，而李登輝與地方議壇老大的關係更形親密。李登輝到中、南部吃飯、打高爾夫球，理所當然皆由他們作陪。總統視正、副議長為其基層民意，正、副議長也利用其與總統的特殊交情，獅子大開口地向縣市長要工程、要預算。縣市長平日公務繁忙，職卑任重，莫說見不到總統，連行政院長或省主席也見不到。若敢對正、副議長的要求予以峻拒，則渠等一狀告到總統府，任誰也吃不消。縣市長眼見正、副議長恃寵而驕，苦不堪言，為確實掌握縣政，正、副議長非得由自己親信擔任不可。於是，在各縣市都明顯地出現所謂「縣長派」與「議長派」惡鬥的場景，這正是一九九四年縣市議會議長賄選醜聞的真正原因。

經濟環境與台灣黑社會的變遷

黑道的存在絕不是孤立的社會文化現象，黑道勢力的消長與政治、經濟大環境的變遷息息相關。從經濟面來看，在台灣早期以農業為主的社會中，即存在地方惡霸型的角頭。所謂角頭乃指在現代意義的黑道組織未形成前，於地方上劃地為王的流氓。韋伯（Max Weber, 1864-1920）將統治的正當性分成三種類型：「理性型」、「傳統型」和「卡理斯瑪型」（Charisma）。角頭的勢力多來自傳統型，這種型態依據韋伯的說法，缺乏公平的原則，權限不清，層級不明，沒有制度化的賞罰原則，不重視專業訓練。總而言之，即缺乏現代工商社會講求契約化、規格化、專業化和層級分明、分工精細的特質。角頭的存在正表示社會變遷遲緩、社會流動停滯等特質。

一旦經濟發達起來，商品、勞務和資金的流動加速，社會流動也會跟著加速。在此情形下，任一角頭皆不能自外於社會變遷的洪流。過去，台灣的角頭多以日據時代的舊社區為名，如「牛埔」、「三板橋」、「北門口」等。可是在七〇年代之後，農村人口大量外流，都市經濟大幅膨脹，與吃喝玩樂有關的行業，如酒家、舞廳、歌廳、妓院、應召站、賭場、餐飲等，其市場需求大增，導致舊社區的型態丕變，地下幫派在組織、財力和活動型態上也產生巨大的變化。地方上的角頭不得不擴大其與各種新興勢力的接觸，在接觸中不免出現你爭我奪、合縱連橫的情形。經過無數的火拼、談判、整合之後，乃產生現代意義的黑道，離開「萬人對萬人鬥爭」的階段，走向組織化、企業化、專業化和國際化的經營道路。各幫派內部訂出合理的獲利率和分配的規則，不再做野蠻、血腥的競爭。如「竹聯幫」、「四海幫」，都已發展成國際性的幫派。而以台北東區為主要活動地盤的「松聯幫」和盤據西門町的「飛鷹幫」也都擁有規模可觀的「企業」。

隨著經濟發展和社會變遷，黑道的存在形式固然也已調整，但是台灣黑道與白道的惡性互動，卻使得黑道脫離了它本來的脈絡，嚴重危及國家政治、經濟的秩序，也違背了一個健全的社會所賴以存在的正義原則。所謂「物必自腐而後蟲生」，黑道所以介入白道，即次文化體系之可以介入主文化體系的運作，主要是由於主文化體系本身的腐敗所造成。前述的黑道介入選舉，並進而掌控了縣市議會，主宰地方警政工作，可說是已局部接管了國家機器，以合法掩護非法。而在上位者又徇私包庇，甚至形成利害與共，相互為用的共生關係，導致政府公信力幾近破產，社會公義蕩然無存。

當局為求勝選以保住政權，不惜百般拉攏黑道；黑道跨入議壇後，又不斷接受來自上方的委信，這樣惡質的互動關係已形成風氣，並蔓延到台灣社會的各個階層。不僅是縣市議會，連鄉鎮市民代表會、農會、漁會、水利會都已受到黑道控制；乃至信用合作社、股票上市公司也難免黑道的介入和污染。

黑道政治所引發的政權危機

國民黨長期玩弄「黑道政治」，如今已嚐到黑道反噬的惡果。在今年一年當中，從中正機場二期航站工程、四汴頭抽水站、到西濱野柳隧道工程等，各種官、商、民代、黑道勾結牟利的弊案層出不窮。五月爆發的台中市「收賄包庇賭博性電玩」一案，上至分局長下至管區警員，有八十九名治安人員被移送法辦。台北的「周人蔘電玩案」牽涉的層級更高，範圍更廣，迄今仍翻騰未已。去年十一月初台北縣深坑鄉爆發集體貪瀆醜聞，從鄉長、鄉代會主席到警分駐所長無一倖免。當地的黑道組織「十五分幫」實質已全盤掌握了一鄉的行政、財政和警政。黑道既可治鄉，又豈知黑道不能治國？

執政當局終於發現「黑道政治」的深化已危及其統治的根基和正當性，於是大刀闊斧進行掃黑。在一片掃黑聲中，黑道彷彿又成為一切罪惡的淵藪和社會亂象的根源。其實，前面提到，黑道在主文化體系失調、當權者腐化時，會有反體制和制衡公權力的功能。有時候，當黑道善於運用其社會影響力時，甚至可以輔助公權力，維持社會秩序。以日本最大的幫派山口組為例，山口組講究輩份，也重視其在地盤內的「形象」。因此，若在山口組地盤發生命案，依慣例幫派中人會協助警察破案，查出真兇。此外，在日本頗為風行的柏青哥大多由山口組經營，其獲利會抽取相當的比例來照顧因公傷殘的員警或殉職員警的遺屬，這在日本是公開的秘密。再以美國的黑手黨為例，美國許多大都會在入夜之後治安即亮起紅燈，但是一般卻以義大利區的治安為最好；主要是因為義大利區多為黑手黨的傳統地盤，要維持當地的繁榮、發達，良好的治安是其要件。因此，若有人在區內犯案，等於是公然向黑手黨挑釁。一旦發生公安事件，黑手黨老大會責成幫派分子協助找出嫌犯。這些都是黑道與白道良性互動的著例。

黑道雖在法律邊緣營生，但是將一切政治、經濟、社會問題歸咎於黑道，並不公平。尤其是台灣的黑道份子在一定意義上也是經濟發展失衡的受害者。根據統計，台灣的刑事警察有百分之七十以上來自彰化、雲林、嘉義、屏東四縣，而混跡地下幫派的人士主要也是來自這四個縣份。何以如此?因為這些縣份本來都是農業大縣，但在工業化過程中所受衝擊最大，在這些地區成長的小孩，對農村的凋蔽和困苦也最為刻骨銘心。他們對社會的不公不義特別敏感，想從底層翻身的欲望也最為強烈。由於愈富有的人，愈怕死；反之，愈窮困的人，則愈不怕死。怕死，就不能幹刑警，更不能混黑道。因此，彰、雲、嘉、屏四縣就自然而然成為刑警與黑道的故鄉，也難怪有人戲稱「黑白同源」了。

總之，「盜亦有道」，黑道有其特定的價值體系與行為規範，黑道也講「道義」，講「義氣」，但是這些都是屬於「局部正義」的範疇。黑道的主張和作為也許符合特定的行為規範，卻可能違背「普遍正義」的原則，而不見容於主文化體系。從法律社會學來看，要禁絕黑道既不可能，我們所能期望的是，黑道退回自己的原始地盤，與白道發展良性的互動關係。長期以來，白道官商勾結牟取暴利，並利用黑道做為操作工具。黑道有樣學樣，乃想盡辦法跨入政壇，自行操作。因此，要整治黑道，首先就要正本清源，整頓白道。官員不再貪贓枉法、袒護線民或恣意迫害道上人物，並杜絕官商勾結，黑道也就失去投身政壇的動機。黑道退回自己的地盤，白道堅守自己的崗位，唯有在一個黑道、白道涇渭分明，兩者各得其所的社會中，「法治國」的理想才能落實，從而也才可避免當權者假「掃黑」之名，罔顧人權保障與正當法律程序，來整肅黑道，而造成更多的怨恨與對立，反為未來埋下更不可測的治安變數。

（《歷史月刊》一九九七年一月號）

論儒

——從《周易》古經論證「儒」的本義

儒家是中國傳統文化的主流。有關「儒」字的釋義和儒家的起源，是近代多位學者辯爭、論證的一個焦點。如章太炎的〈原儒〉、胡適的〈説儒〉、饒宗頤的〈釋儒〉等，乃至郭沫若、錢穆、傅斯年等人都有專文參與討論。

本文中，朱高正從《周易》「需卦」論證「儒」字的本義和「儒家」的原型，旁徵博引，從固有典籍中有力地陳述他獨特的見解，並與章太炎、胡適等人的觀點相互比對、印證。本文經中研院文哲所審查委員會審查通過，並刊載於該所的《中國文哲研究通訊》，朱高正治學之嚴謹，由此可見一斑。

儒家是中國傳統文化的主流。自孔子以降，歷先秦孟荀、漢唐經學、宋明理學、清代實學，以迄於今，迭有更替，卻又歷久彌新，生生不息的文化傳承，其「起點」究竟在何處？是什麼樣的質素造就了儒學如此強韌的生命力？本文旨在追本溯源，探究「儒」的本義和「儒家」的原型。

㈠「需待之人」為儒

近代有關「儒」字釋義的重要文獻，如章太炎的〈原儒〉❶、胡適的〈說儒〉❷、香港大學教授饒宗頤的〈釋儒〉❸，都引許慎《說文解字》的「儒，柔也。術士之稱。從人需聲。」做為文字訓詁的依據。章太炎著重「術士」一辭，而將「儒」以「達名」、「類名」、「私名」三者做為區分❹。胡適著重「柔」字，而認為「儒」的本義為「文弱迂緩的人」❺。饒宗頤則駁斥胡適對「柔」字的解釋，指出「儒」訓「柔」，其意義並非柔弱迂緩，而是「安」，是「和」❻。

其實，「儒」字在古籍上出現，當以《論語》和《周禮》為最早。《論語．雍也篇》，孔子對子夏說：「女為君子儒，無為小人儒。」《周禮．天官》：「儒，以道得民。」在此之前，只有「需」字，不見「儒」字[7]。

「需」字在古籍中，以《周易》的「需卦」最具代表性，論述也最詳盡。《周易》在考據上已確證成書於殷末周初。因此，「儒」字，從「人」，從「需」，而「需」的本義為等待，故「需待之人」為「儒」。我們從《周易》需卦來探究「儒」的起源，應是最自然不過的事。

按《易傳》的解釋，需（䷄）卦是下乾（☰）上坎（☵）。乾為天，坎為水、為雲，雲上於天，還沒有下降為雨，故有需待之象。從卦德來看，乾為剛健，坎為險陷。險難既在眼前，若是輕用其剛健而遽進，難免陷入險境，因此應先待而後進。「先待」所以積畜才德，充實涉險能力，並靜待險難之解除，時至而後動，動乃有功。

胡適在〈說儒〉一文中，也已「疑心」需是儒的本字，並且也引出《周易》的需卦來為「需」字做解[8]。但是胡適為了印証他所「大膽假設」的見解，以為「儒」最初是殷商遺民，是「文弱迂緩的人」[9]，他對需卦的解釋也旨在達到他所要的結論：「『需』卦所說似是指一個受壓迫的智識階層，處在憂患險難的環境，待時而動，謀一個飲食之道。這就是『儒』。」[10]對胡適來說，「儒」的本義即是混一口飯吃的殷商遺民。

郭沫若有〈駁說儒〉[11]一文，對於胡適引需卦說儒，大不以為然。在當時疑古成風的學術氛圍下，郭沫若誤認為《周易》成書於戰國前期，已在孔子歿後[12]。他指出《論語》上「加我數年，五十以學易，可以無大過矣」，是孔子和《周易》發生關係的唯一出處。可是，他說「那個『易』字是有點蹊蹺的」，是後世的易學家改竄的。他認為原文應是：「加我數年，五十以學，亦可以無大過矣。」[13]這是比胡適更「大膽」的「假設」了。

其實，《論語》中與《周易》有關的記述，不只一處。譬如〈子路篇〉即有如下記載：

子曰：「南人有言曰：『人而無恒，不可以作巫醫。』善夫！『不恒其德，或承之羞。』」子曰：「不占而已矣。」

其中「不恒其德，或承之羞」正是直接引自《周易》恒卦九三爻的爻辭：「不恒其德。或承之羞。貞吝。」而孔子所說的「不占而已矣」，更凸顯孔子致力於周易經文的義理闡發，而不願將周易視為單純的卜筮之書。

此外，郭沫若主張「儒應當本來是『鄒魯之士縉紳先生』們的專號」[14]，這與胡適的「殷商遺民」說原無太大的差別。可是郭沫若緊接著說：「儒之本意誠然是柔，但不是由于他們本是奴隸而習于服從的精神的柔，而是由于本是貴族而不事生產的筋骨的柔。古之人稱儒，大約猶今之人稱文謅謅，酸溜溜……」[15]又說：「儒，在初當然是一種高等游民，無拳無勇，不稼不穡，只曉得擺個臭架子而為社會上的寄生蟲。」[16]類此語調，已脫離學術論證的範疇，我們懷疑，或許是意識型態的堅持阻斷了郭沫若理性自由判斷的能力。

(二)儒的本義為「舒緩從容，待時而後進」

胡適指出「儒」與需卦的關係，值得肯定。但是，他對「儒」字強做解人，從而曲解了需卦的真義。我們在此有必要對需卦的卦義做進一步的詮釋。

需（䷄）卦卦辭：

需。有孚。光亨。貞吉。利涉大川。

按《易傳》的解釋，「需」，待也。「孚」是指誠信充實於心中。需卦由下往上數第五爻，即九五爻，以剛爻居陽位，得上體的中位，得正而居中，又處於尊位，為有孚得正之象。九五是需卦的主爻，具備剛健中正之德，卻陷入上卦坎體險陷之中，一時之間難以脱困。九五必須心存誠信，德行光明，從容等候，方能遠離困境而使諸事亨通，所以卦辭説「需。有孚。光亨。」處於需待的時候，當以執守正道為吉，待時機成熟，則利於涉渡大河。在先民眼中，涉川渡水是一件極其危險的事，切忌躁進，必得待時而後進⓱。

需卦初爻到上爻的爻辭如下：

初九。需于郊。利用恆。无咎。

九二。需于沙。小有言。終吉。

九三。需于泥。致寇至。

六四。需于血。出自穴。

九五。需于酒食。貞吉。

上六。入于穴。有不速之客三人來。敬之終吉。

其中，由需于「郊」、需于「沙」、需于「泥」，以至需于「血」，具象地表述逐步、漸進地渡河涉險。古時，城牆之外為「郊」，郊外為「野」。「需于郊」是指剛踏出城門，距離坎水的險難尚遠。「需于沙」，則因「沙」是近水之地，但仍尚未入水。到九三爻，「泥」已是接水之地，但只是浸濕，尚未完全入水。至「需于血」，則已身陷坎險之中。

需卦講的是循序漸進的需待之道。惟其守中持恆，才能化險為夷。因此，九五爻爻辭：

需于酒食。貞吉。

九五以剛爻居陽位，得上卦中位，且處於天位，表示九五至尊具有陽剛中正之德，雖陷於坎險之中，然而其才足以濟險，其德足以服人，憑恃這樣的才德而需待，又有何事不濟呢？因此，九五是最能善盡需待之道的主爻。爻辭的「酒食」是指飲食宴樂，既可賴之以養生，亦能用以招待賓客。九五不著眼於當下淺近的功利，不犯揠苗助長的錯誤。畢竟以修德化育萬民的王道理想並非一蹴可幾，當持之以恆，有所需待才能實現。聖人之學也只能以寬裕的態度，讓每個人能充分地實踐與自省，才能達到成德的圓滿境界。九五能「需于酒食」，不急於濟難出險，固守正道，故能得吉。

至於上六爻爻辭：

入于穴。有不速之客三人來。敬之終吉。

「穴」是險陷之地。「速」是邀請的意思。「不速之客」，指不待召喚、邀請而自行前來的人。「三人」指下卦乾體的三個陽爻，其中只有九三和上六有正應的關係，初、二兩爻則想隨九三共同出險，所以稱乾體三爻為「不速之客」。上六處於坎險終極之地，需待的時機已過，只有進入險地，所以說「入于穴」。需卦的卦義乃是先待而後進；到了九五，需道已成，所以乾體三個陽爻不待上六的召喚，即積極上進以求一起出險。但對上六而言，這三位不速之客卻來得突兀。不過，上六以柔爻居陰位，懷有柔順之德，只要恭敬地接待三位不速之客，不和他們爭執計較，終能化險為夷，共同出險而得吉。

《周易・繫辭》有謂「作易者其有憂患乎？」《周易》確如胡適所指出的，是憂患之作。但「需卦」不能就此解釋為受壓迫者圖口腹之欲的飲食之道，並據以認為「這就很像殷商民族亡國後的『儒』了。」[18]

胡適指出：「需卦之象為雲上於天，為密雲不雨之象，故有『需待』之意。」[19]其實，需卦由乾、坎兩卦組成。乾為天，在下；坎為水，在上。故需為水在天上，因尚未下降為雨，故象傳釋「需」為「雲上於天」，有需待之意。胡適之錯，錯在把「需待」視為目的，而忽略了需卦所強調的「舒緩從容，待時而後進」的積極意義。

「舒緩從容，待時而後進」也正是「儒」的本義，是「儒」的本質。

㈢儒以通曉六藝為務，以教化為職

《禮記·儒行篇·疏》引鄭玄《目錄》：「儒者，濡也，以先王之道，能濡其身。」「濡」與「儒」同樣來自「需」字，原義是浸漬於水中。所謂用火則燥而速，用水則浸而緩，「濡」是滋潤、涵泳，也是漸進。儒者講求積畜才學，涵養德性，「以先王之道，能濡其身」，而不急於出仕從政，建功立業。

由於注重才德的積畜和修養，古之儒者多以通曉六藝為務，以教化為職。章太炎在〈原儒〉中也說：「儒之名，蓋出於需，需者雲上于天，而儒亦知天文、識旱潦。」[20]章太炎似也已注意到「儒」和「需」的關係，但是他為了印証他所說的「儒之名，於古通為術士」[21]，因此，以「知天文、識旱潦」的術士來定義原始的「儒」。章氏著重「儒」的功能，而忽略了「儒」的本質。因此，雖以「達名、類名、私名」來對「儒」做廣義和狹義的區分，卻無疑已限制了「儒」的角色。章氏的說法大致上可化約為字典《辭源》裡對儒字的解釋：「儒，古代從巫、史、祝、卜中分化出來的人，也稱術士，後泛指學者。」[22]

錢穆也有〈駁胡適之說儒〉[23]一文。他的立論與胡適有異，而接近於章太炎的儒為古代術士之說。不過，他的「術」是指「術藝」，「術士」即「嫻習六藝之士」。他說：「夫儒為術士之稱，其所曰禮、樂、射、御、書、數，古稱六藝，藝即術也。」[24]

其實，儒者積畜才學，待時而後進，其出路通常有二：一是學而優則仕，以學養獲得人君的重視，接近人君，取得人君的信任，而後假借人君之手，以實現其理想抱負。其次就是辦教育，藉由百年樹人的事業，使其理想有所傳承。而這兩者又常常可以相互為用，教育與治國、平天下是息息相關的。《周禮．天官》：「儒，以道得民。」鄭玄注：「儒，諸侯保氏有六藝以教民者。」六藝是禮、樂、射、御、書、數，皆與治國有關。又《周禮．地官》有「聯師儒」，鄭玄注：「師儒，鄉里教以道藝者。」這些都是「儒」字在經籍上最早出現者，可見儒者之成為教育家，其來有自。傅斯年在《戰國子家敘論》中認定：「所謂儒者，乃起於魯，流行於各地之『教書匠』。」[25]所根據的就是上述的文獻。但是，不管是「術士」或「教師匠」，都是「儒」出現後的分工，而不是其本義。

此外，《漢書．藝文志》也記載：「儒家者流，蓋出於司徒之官，助人君順陰陽、明教化者也。游文於六經之中，留意於仁義之際，祖述堯舜，憲章文武，宗師仲尼，以重其言，於道為最高。」所謂「順陰陽」，大概就是祝、卜、史、巫的工作。古代文書多典藏在王室、貴族手中，祝卜史巫之官有審閱典籍的方便。而古代的統治者高高在上，唯一懼怕的就是鬼神；祝卜史巫擔任人、神之間的媒介，於是得以在占卜的過程中，藉由神意規諫君王，這後來就發展為諫議大夫、御史等官職。至於「助人君明教化」的儒者，則成為後來的太保、太師、太傅。儒家的理想是做為「王者師」，退而求其次則是做為「國子師」，也就是教導未來可能成為王者的公孫貴族及其子弟。孔子首倡有教無類，廣納門生，過去為王室貴族所獨享的知識才逐漸普及到民間。儒家「宗師仲尼」，蓋孔子本人即是儒家的「原型」。

從孔子和他主要門生的生涯來看，他們大致上都和緩、謙遜，平時所修習的就是修身、齊家、治國、平天下的道理，自奉儉約，勤奮向學，但並不急於出仕，也不急於有所施為。這正是「需卦」所一再強調的那種「守中持恆，待時而動」的性格。孔子和他的門生一般都不直接從政，也不蓄意跟有權力者直接衝突、對立，而是耐心地與統治階級為友、對話，獲得人君的委信，使得他們的主張、理想逐漸被人君採行。

(四)「智慧王國」與「權力王國」的區分

儒者提出治國理念，再交予有權力者執行，將「智慧王國」與「權力王國」做明確的區分。這正是德國大哲康德（Immanuel Kant, 1724-1804）所嚮往的。康德在「權力王國」之外，也劃出「智慧王國」。他認為哲學家應謹守本份，不要直接介入權力的競技場。因為哲學家一旦涉身權力，就不免有利害的計慮，這將妨礙他公正、客觀地運用理性。他反對柏拉圖集統治者和哲學家於一身的「哲王」主張。在《論永久和平》一書中，康德說：「國王本人就是哲學家，或哲學家成為國王，這種柏拉圖式的哲王理想，我們不僅不應期待，毋寧是不應該這樣期望。因為擁有權力，就不可避免地會腐蝕了理性自由判斷的能力。」[26]

儒者不干位躁進，刻意與權力保持適當的距離，正是為了維護其「理性自由判斷的能力」，為了堅持其「有所為，有所不為」、「用行捨藏」的原則。中國歷史上對被貶抑、流放的文官，常有高度的評價，其地位也往往比在官場中春風得意者更為崇隆。

《禮記．儒行篇．疏》引鄭玄《目錄》：「儒之言優也，柔也，能安人，能服人。」饒宗頤的〈釋儒〉據以認為《說文解字》的「儒，柔也」，「柔」應是「優柔，安和」，而不是胡適所說的「軟弱」。饒宗頤的解釋較接近《周易》需卦所舖敍的順應天道，舒緩從容，積畜才德，待時而動。

「需」卦所透露的「儒」者性格，我們從《論語》中孔子和其門生的對話，也不難尋獲：

「不怨天，不尤人，下學而上達，知我者其天乎。」〈憲問〉

「不患無位，患所以立。不患莫己知，求為可知也。」〈里仁〉

子謂顏淵曰：「用之則行，舍之則藏，唯我與爾有是夫。」〈述而〉

子曰：「三年學，不至於穀，不易得也。」〈泰伯〉（「不至於穀」意謂不志於干祿求俸。）

《論語》中，類似如此教人優柔沈潛，寬裕自處的章句不可勝數，因為這正是「儒」的本質。

(五) 君子儒與小人儒

《論語・雍也篇》有孔子對子夏所說的：「女為君子儒，無為小人儒」之語。究竟什麼是「君子儒」？又什麼是「小人儒」呢？這同當時的社會變動和職業分途有關。在春秋時代，由於王室崩潰，所謂「天子失官，學在四夷」（《左傳》十七年），有專業知識和技能的人，流落民間。他們憑自己的專業和技能，等待貴族的任用。這批「需待」之人，通稱為「儒」。但他們之中，有君子和小人的區別。有文化教養，通曉西周典籍，能進德修業，從事教育事業，並為執政者提供治國之道的知識份子，則為「君子儒」。孔子本人就是「君子儒」的典範。他說：「沽之哉，沽之哉，我待價而沽也！」（《論語・子罕》），自以為是待價而沽的知識份子。另一種人，無文化教養，僅憑自己的一技之長，或為貴族們操辦紅白喜事，謀取飲食，如《墨子・非儒》所批評的「因人之家翠以為，恃人之野以為尊，富人有喪，乃大悅，喜曰：此衣食之端也。」或為貴族們表演歌舞和雜技等，如《國語・鄭語》所說的「侏儒」，《管子・立政》所說的「優倡侏儒」。這類人，即孔子指稱的「小人儒」。

前引《易傳》對需卦各爻的解釋，即是對「君子儒」品德的闡發。關於「君子儒」，《論語》所論頗多。〈堯曰篇〉：「子曰：『不知命，無以為君子也。』」邢昺疏：「天之賦命，窮達有時，當待時而動，若不知天命而妄動，則非君子。」這裡的「君子」，其實已接近於需卦的卦義。又《論語．學而篇》：「人不知而不慍，不亦君子乎？」〈衛靈公篇〉：「君子求諸己，小人求諸人。」都在強調自持自守，厚積才德，而不鑽營躁進，不強出頭的儒者風格。這也是需卦的精神所在。

關於「小人儒」，《論語．季氏篇》有云「小人不知天命而不畏也」，與君子的「知天命」、「畏天命」有別。《周易》需（䷄）卦的反卦既然是訟（䷅）卦。我們可以從訟卦來看出「小人」的面貌。

從卦德來看，訟（䷅）卦是內坎（☵）外乾（☰）。坎為險陷，乾為剛健，意謂人若內懷險陷之心而外有剛健頑強之行，則容易引起訟端。其卦辭曰：

> 訟。有孚。窒惕。中吉。終凶。利見大人。不利涉大川。

「孚」是誠信。「窒」是止塞難通。「惕」是戒慎恐懼。訟卦的二、五兩爻皆以剛爻居於中位，陽剛中正代表心有實理。但是既有爭訟，其道理必有窒塞之處。因此，與訟應該要戒慎恐懼，避免無事生波，輕啟訟端。

「中吉」是說爭訟若能適可而止，則吉。「終凶」意謂若是堅持爭訟到底，則凶。因為輸固輸矣，就算贏得訴訟，也輸掉人和。「大人」係指九五以剛爻居陽位，且處上卦的中位。爭訟的目的在於辨是非，斷曲直。九五大人剛健中正，可以做出公正的裁決以平息爭訟，因此爭訟以見九五大人為有利。

卦辭最後告誡「不利涉大川」，指出爭訟之時，人心乖離，道理止塞難通，若是恃強頑抗，躁急冒進，必然衝突難解，一敗塗地。

其上九爻爻辭曰：

或錫之鞶帶。終朝三褫之。

「錫」通賜。「錫之鞶帶」意即賜以高官厚祿。「終朝三褫之」是指在一日之內，原來獲賜的高官厚祿，多次遭到剝奪。這是告誡好訟成性，強要出頭者，即使得意於一時，終將取禍喪身。

訟卦是需卦的反卦，其卦德也與需卦相違，兩者的差異也正是「小人儒」與「君子儒」的區分。《論語．子路篇》：「君子泰而不驕，小人驕而不泰」可以為証。此外，《論語》裡也有「硜硜然小人哉」[27]，「小人長戚戚」[28]之語，這與儒者和緩謹慎、息訟止爭、涵德內斂的性格是迥然不同的。

㈥《周易》是儒者修身養性的圭臬

其實，孔子有謂「五十而知天命」㉙，又說「加我數年，五十以學易，可以無大過矣。」㉚可見做為儒宗，也是儒家「原型」的孔子，是把《周易》做為儒者修身養性的圭臬。儒者的性格，除了上述「需」卦的根源之外，我們也可以從其他的卦爻辭裡找到參照的依據。

漸（䷴）卦與需卦「舒緩從容，待時而後進」的需待之道，可謂異曲同工，遙相呼應。從卦象來看，漸卦是下艮（☶）上巽（☴）。艮為山，巽為木，山上有木，木漸長於山而成其高大。漸卦象傳曰：「山上有木，漸，君子以居賢德善俗。」「居」通「積」。這是從樹木的漸次成長，領悟出積畜才德的重要性。我們現在所講的「百年樹人」，也旨在強調教育所需的耐心和循序漸進。

漸卦的卦義是循序漸進。其初爻到上爻的爻辭如下：

初六。鴻漸于干。小子厲。有言。无咎。（干為岸邊之意）

六二。鴻漸于磐。飲食衎衎。吉。（磐為大石）

九三。鴻漸于陸。夫征不復。婦孕不育。凶。利禦寇。

六四。鴻漸于木。或得其桷。无咎。

九五。鴻漸于陵。婦三歲不孕。終莫之勝。吉。

上九。鴻漸于陸。其羽可用為儀。吉。

漸卦以鴻鳥比喻君子，和《詩經．小雅》的「鴻雁于飛，肅肅其羽」相近。而其從初爻到上爻循序漸進的擬喻，正可和需卦從「需于郊」到「需于血」的逐一推展相互映照。

初六「鴻漸于干」，喻鴻鳥遠飛前，先就岸邊飲水，不急於上往，唯君子能深明此理，而處之不疑。至六二「鴻漸于磐」，已飛到大石之上，飲食和樂。九三進至平原，六四已飛至巨木之上，九五飛抵高大的土山，這是鴻鳥所能棲息的最高處。至上九則已飛上雲天，四通八達，暢行無阻。

漸卦和需卦一樣強調厚積才德，待時而後進的道理。漸卦上九爻「其羽可用為儀」，「儀」是效法。意謂這種循序漸進而後才展翅高飛，繼而大展「鴻」圖的態度是值得我們仿效、依循的。這和大畜（䷙）卦上九爻「何天之衢。亨。」可以並看。

「何」同「荷」，意指負荷。大畜卦發展到上九，積畜已豐，賢才上進之路乃大為亨通。「何天之衢」比喻四通八達，無往不利。也就是說，只要積畜才德，循序漸進，紮穩基礎，終有一天能豁然貫通，一展長才。

大畜（䷙）卦下乾（☰）上艮（☶），乾為天，艮為山，山中有天。天乃至大之物，卻畜藏於艮山之中。比喻人心雖小，卻可畜藏無限豐富的知識和經驗。《論語·子張篇》有「百工居肆以成其事，君子學以致其道」。將君子做學問與百工學技藝並列，正表示儒者所重視的是紮實的、日積月累的工夫。

㈦儒者承襲《周易》「陰陽互藏，剛柔相濟」的精神

胡適在〈說儒〉一文中，也提到〈謙〉、〈損〉、〈坎〉、〈巽〉等「教人柔遜的卦爻辭」來佐證其儒為「文弱迂緩」之人的論點。郭沫若駁斥他，說：「《周易》裡面也有〈乾〉、〈大壯〉、〈晉〉、〈益〉、〈革〉、〈震〉等等積極的卦，為何落了選……」

其實，胡適和郭沫若兩人各執一辭，卻都忽略了《周易》陰陽互藏、剛柔相濟的道理。

郭沫若既然有所質疑，我們就拿他所指定的幾個「積極的卦」來看看。

乾（䷀）卦下乾（☰）上乾（☰），是純陽卦，應是六十四卦裡最剛健的一個卦了。可是其初九爻「潛龍勿用」，已有時未至不可行，宜晦跡而韜光的告誡。上九爻「亢龍有悔」，講的是物極則反、盛極則衰的道理。而從初九的「潛龍勿用」以至九五的「飛龍在天」，在在勖勉君子宜循序漸進、積畜才德，待時以一展鴻圖。

尤其乾卦的用九爻爻辭：

「見群龍无首。吉。」

「用九」指九的功用。九的功用在於可變為六。占筮時，從本卦引申出的卦稱為「變卦」。占筮時，如乾卦的六個爻都是「九」，而不是「七」，則六個陽爻皆變為陰爻，乾卦就變成坤卦了。「群龍」是指乾卦六爻，如果都從陽變成陰，本為剛強卻能柔順，則剛柔相濟，必能得吉。乾德本是純陽，且至為剛健，應當以柔和的態度，對待德性、才學或權位較自己為差的人。千萬不能濫用自己的剛強，切忌事事強出頭，才可得吉，所以說：「見群龍无首，吉。」

再看下乾（☰）上震（☳）的大壯（䷡）卦。乾為天，震為雷，雷在天上，有陽剛壯盛之象。可是，我們發現大壯卦有一特色，凡陽爻居陽位，則凶。如初九爻「壯于趾。征凶有孚。」九三爻「小人用壯。君子用罔。貞厲。羝羊觸藩。羸其角。」都是凶兆。因為陽爻居陽位，過剛則折。

可見《周易》從不鼓勵逞強好鬥，而主張剛柔相濟。尤其處於大壯陽剛壯盛的時候，尤應注意守正用柔的道理。其「小人用壯。君子用罔」的爻辭，也可以補充我們前述的「君子儒」和「小人儒」的區別。在這裡，「罔」意指「不」或「無」。「君子用罔」就是「君子不用壯」的意思。

晉卦亦然。晉（䷢）卦是下坤（☷）上離（☲）。坤為地，離為日，日上於地，有旭日東升，光明盛大之象。晉卦由四柔二剛組成，其中柔爻皆得吉，二剛則否。我們且舉初六爻來看：

晉如摧如。貞吉。罔孚。裕无咎。

「晉如」是上升、上進。「摧如」是抑退，即阻擋前進。「罔」通「無」。「罔孚」是指未被信任。初六以柔爻居晉卦的開始。與初六正應的九四以剛爻居陰位，既不當位，又不得中。比喻初六雖然想要上進，卻被九四近君大臣所阻擋，所以有「晉如摧如」之象。此時，初六唯有固守正道，才能得吉。這是因為初六以卑下的地位處於上進之初，必然無法在短期內獲得在上位者的信任。然而，即使無法獲得信任，初六也應寬裕自處，不應因小有挫折就抑鬱不滿，唯有耐心等待時機的到來，才不至於招致過錯。

這樣的卦義，與我們在需卦和漸卦所看到的「舒緩從容，待時而後進」的教諭，也是若合符節。

由此可見，需卦所蘊涵的儒者精神，其實貫串在《周易》經文之中，需卦絕不是孤例。

(八)結　語

儒家豐潤寬厚的生命型態和堅韌執著的道德情操，使得儒家的文化傳承得以歷兩千多年而不墜。《周易》透過其古奧的經文所披露出來的處世哲學，正是儒家精神氣象的一個活水源頭。要探究、詮釋「儒」的本義，與其從東漢許慎的《說文解字》尋索，不如直接從成書於殷末周初的《周易》古經切入。

儒者重視修己的工夫，不急於有所施為，但絕不是消極孱弱。儒者或從事教育，或輔佐人君，其所秉持的仍是入世、淑世的信念。他舒緩從容，不干位躁進，但絕不是對現實盲目妥協，也不會任由違禮悖義的事恣意蔓延。《論語·述而篇》裡對孔子的描述是「溫而厲，威而不猛，恭而安」。這種「內方外圓」、「內剛外柔」的處世態度，正是《周易》的精髓。

儒者積畜才德，待時而動，「學而優則仕」[31]，可是他也知道「用行捨藏」，謹守「天下有道則見，無道則隱」[32]的原則。即使從政，也是從「修己」出發，循序漸進——從「修己以敬」、「修己以安人」，以迄於「修己以安百姓」[33]。若是邦國無道，人君不堪輔佐，他就退而著書立說，藏諸名山，傳諸後世；或是述而不作，廣收弟子門生，以繫傳承。

儒者最忌枉道從勢，曲學阿世。在當前以工商為主的現代社會中，權力運作更為赤裸，各種誘惑更是五花八門。做為現代知識分子，只有更加沈潛自持，捍衛「智慧王國」，方能抗拒「權力王國」的收編；只有更為厚植實力，寬裕自處，才能面對橫逆頓挫。在現代社會中，《周易》古經所蘊涵的儒者精神，或許更值得吾人深思吧！

註釋：

❶章太炎：〈原儒〉，《國故論衡》（臺北：世界書局，1958年，章氏叢書影印1917年開浙江圖書館校刊），頁116-120。

❷胡適：〈說儒〉，（原載中央研究院，1934年，歷史語言研究所集刊，第4本，第3分，後收錄於《胡適文存》第4集，卷1，頁1-103。

❸饒宗頤：〈釋儒〉，《東方文化》第1卷，第1期（1954年），頁111-122。

❹同❶，頁117。

❺同❷，頁7。

❻同❸，頁112-113。

❼根據徐仲舒於1975年在《四川大學學報》所發表的〈甲骨文中所見的儒〉一文，甲骨文中已有「需」字存在，他並認為甲骨文中的「需」字，即古代的「儒」字。這說明「需」和「儒」可以互訓。

❽同❷，頁6。

❾同❷，頁7。

❿同❷，頁22。

⓫郭沫若：〈駁說儒〉，原載《中華公論》，1937年刊，後收入《郭沫若全集》歷史編第一卷（北京：人民出版社，1982年）頁434-462。

⓬同前註，頁442。郭沫若認為《易》的作者是馯臂子弓，時期在戰國前半。

⓭同前註，頁444。郭沫若雖援引陸明德《音義》所言，「易」字在《魯論》中可作「亦」，但據以推論《論語》原文，而完全改變傳統釋義，仍是大膽的假設。

⓮同前註，頁456-457。

⓯同前註，頁458。

⓰同前註，頁459。

⓱以下援引之《周易》卦爻辭暨釋義請參閱朱高正：《周易六十四卦通解》（台北：商務印書館，1995年），《易經白話例解》（台北：商務印書館，1995年）。

⓲同❷，頁22。

⓳同❷，頁22。

⓴同❶，頁117。

㉑同❶，頁119。

㉒《辭源》（大陸商務印書館編輯。台灣版，台北：遠流，1988年）頁143。
㉓錢穆：〈駁胡適之説儒〉，《東方文化》第1卷第1期（1954年）頁123-128。
㉔同前註，頁127。
㉕傅斯年：〈戰國子家敍論〉，《傅斯年全集》（台北：聯經，1980年，計七冊）第二冊，頁95。
㉖Zum ewigen Frieden, 2. Abs. 2. Zusatz, 見Kants Gesammelte Schriften hrsg. von der Preussischen Akademie der Wissenschaften, Bd. VIII, S. 369.
㉗《論語．子路》
㉘《論語．述而》
㉙《論語．為政》
㉚《論語．述而》
㉛《論語．子張》
㉜《論語．泰伯》
㉝《論語．憲問》

（中央研究院《中央文哲研究通訊》第六卷，第四期，一九九六年十二月）

變的哲學

——兼論中西宏觀政治之「變」

朱高正於一九八五年自德國取得哲學博士學位，返台投入政界以來，一直是政壇的焦點人物。他手創民進黨，後因民進黨將「住民自決」的主張，改爲「獨立建國」，乃毅然退出民進黨。隨後籌組中華社會民主黨，一九九三年底與新黨達成對等合併的協議。後來又因直言批評新黨專斷的領導風格和粗糙的決策模式，並發表〈新黨要講是非、守制度、重誠信〉的十二點興革意見，遂不見容於新黨。這十二年來，雖然其個人基本理念未曾改變，卻因黨籍的更替，招致「善變」的責難與質疑的眼光。其實，古今中外均有哲人闡釋「變」的哲學，舉凡西方的康德、黑格爾，中國孔子、孟子均曾對「變」多所論述。何妨拋棄成見，用嶄新而理性的態度，重新認識「變」的真義，還朱高正一個公正的評價。

一、前　言

在社會變遷的過程中，一般人往往安於成為自己個性或慣性的奴隸，既無運用理性思維的習慣，自然無法適應日新月異的新狀況，更難提出解決問題的策略。

尤其對處在劇烈變動中的中國社會而言，如何不斷地「微調」，甚至化被動的「應變」為主動的「求變」，毋寧是當務之急。其實，「變」在中國或西洋哲學中都是一個極為重要的形上學問題。唯有掌握「變」的深意，才能掌握時代的脈動，深入問題，提出相應的解決策略。

中國當前亟需一個求新求變的啟蒙運動，鼓勵大家勇於公開運用理性，並從傳統的智慧寶藏中，汲取經驗，俾協助大家對「變」有更高層次的理解與實踐。

二、「變」與「辯證法」在中西哲學史上的回顧

西方哲學史上首度將「變」的問題凸顯出來的是巴曼尼得斯（Parmenides）與赫拉克利特（Heraclitus）。巴曼尼得斯認為存有的本質是「一」，是靜止不動的，所有的變動都只是假象。舉例來說，運動中的箭矢在每一被分割的時間點上其實是不動的，這就是有名的「飛矢不動」說。與巴曼尼得斯的看法完全對立的是赫拉克利特的「萬物流變」說。他主張宇宙的本質就是「變」，變化與時間是緊密結合的，正如河水流動無息一般。使用「辯證法」將「變」的哲學發揮到淋漓盡致的黑格爾（Hegel）因此稱赫拉克利特為辯證法之父。

以辯證法掌握「變」的法則

其實辯證法（Dialectics）的原意為「對話的藝術」。當雙方見解對立時，經由對自身所支持的命運（「正命題」或「反命題」）的徹底辯護，與對「對立命題」的徹底攻擊（即由「正命題」來攻擊「反命題」，或是由「反命題」來攻擊「正命題」），而得到一「綜合命題」。此「綜合命題」可以包容「正命題」與「反命題」之所長，而揚棄「正命題」與「反命題」之所短，因此求得對爭論中的概念更高層次的綜合與理解。在柏拉圖（Plato）的《對話錄》中，蘇格拉底即不斷運用辯證法與詭辯學派辯論。

這種對立的矛盾可分為兩種，即「分析的矛盾」與「辯證的矛盾」。分析的矛盾缺乏辯論價值，在此亞里斯多德（Aristotle）的矛盾律有其適用性，亦即一件事物不可能同時是A，又是非A。只有辯證的矛盾才能適用辯證法。而辯證的矛盾乃指對立的雙方僅能以否證對方的命題，間接證明自己的命題是站得住腳的。例如，「宇宙是有限的」為正命題，反命題即「宇宙不是有限的」。主張正命題的人只能指出宇宙無限的不可能，而無法直接證明宇宙是有限的，主張反命題的人亦僅能證明宇宙有限的不可能，卻無法正面確證自己的立說。正、反雙方的主張往往僅是一偏之見，透過「合」，即綜合命題的提昇，正、反雙方均能得到應有的地位。辯證法就是將這種原來由兩造對立的論辯過程，內化到思維主體本身的思考方式中的一種哲學推論方法。只有透過辯證法，才能掌握到「變」的法則。

「正」、「反」、「合」的辯證關係

康德在《純粹理性批判》中，透過對判斷命題的研究，分析出知性的思維類型，亦即「範疇」（Kategorien）。此範疇共十二個，分四大類——即「量」、「質」、

「關係」與「樣態」。而每一類又都有三個範疇，表現出正、反、合的辯證關係。以質的範疇為例，「肯定性」為「正」，如張三戴眼鏡；「否定性」為「反」，即張三不戴眼鏡；則「合」為「限定性」，因為張三有老花眼，所以在看書報時才戴眼鏡，「正命題」與「反命題」所具的部份真理都能在「合」中表現，但也都受到了限制。

黑格爾一八〇七年出版的《精神現象學》更充份把握了辯證法的精義，不但將辯證法內化到思維主體，更將其視為存有的法則。「有」（Sein）為正命題，「無」（Nicht-Sein）為反命題，綜合命題則是「變」（Werden）。一個人若能有效運用「正」、「反」、「合」的辯證思維模式，則對其先前所持的見解，可以具有更大的批評力，使其思想更加周密、嚴謹。任何事情沒有絕對的好與壞，重點在於如何透過辯證法調和鼎鼐，執守中道。

「變」與「中道思想」

在中國談「變」的經典，非《易經》莫屬。即如一向瞧不起中國文化的黑格爾，亦對中國的八卦所蘊含的辯證思想，讚不絕口。研讀《易經》必須兩卦（如剝、復）對看，才能深入其豐富的辯證思想。《易經》以每兩卦為一組，非「綜」即「錯」，所謂「易者，簡易、變易、不易也」，變易本身即不易之理。筆者以為，易經所蘊含的主要辯證思想，首推「陰陽互藏，相生相剋」。六十四卦中，除謙卦外，無一卦自始至終均為吉或凶。次為「物極則反，否極泰來」。易經強調中和思想，最忌極端，常常要站在對立面來看問題。第三則是「得位得中，大吉大利」。按卦例，一卦設六位，初、三、五為陽位，二、四、上為陰位。凡陽爻居陽位，陰爻居陰位則得位，得位通常易得吉辭。至於「中」，則為二、五之位。得中則能補過無失。歸結而言，易經以「中道」思想為其中心原則。

正統儒家思想其實非常重視「變」的道理。如孔子所云：「言必信，行必果，硜硜然，小人哉！」如果無視外在時空條件的改變而仍堅持守信或行事到底的人，充其量不過是小人罷了。孟子在離婁篇也說：「言不必信，行不必果，惟義所在。」義者，宜也，強調中道思想的重要性。證諸孔子也說：「君子之於天下也，無適也，無莫也，義之與比。」難怪孟子稱譽孔子為「聖之時者」。此外，孟子對「執中」有更深一層的闡述：「子莫執中，執中為近之，執中無權，猶執一也，所惡執一者，為其賊道也，舉一廢百也。」這也就是說在「執中」的同時，也要懂得「權變」，這才不會傷害到「中道」的本質。

十六字心傳

其實，這種「中道」思想早就存在於中國人的心靈深處，當堯將帝位傳給舜時，贈以「允執厥中」四字。舜把帝位禪讓給禹時，將之擴充為十六字，「人心惟危，道心惟微，惟精惟一，允執厥中。」意謂「人心」易受外物誘惑而為私慾所役，因此危懼不安。「道心」，即義理之心，卻又如此隱晦不明。惟有專注精誠，使「人心」不致偏離「道心」，才能執守中道。朱熹針對這「十六字心傳」闡明道：「夫堯、舜、禹，天下之大聖也。以天下相傳，天下之大事也。以天下之大聖，行天下之大事，而其授受之際，丁寧告戒，不過如此。則天下之理，豈有以加於此哉？」（見《中庸．章句序》）無疑地，通權達變的中道思想正是中國哲學的精髓。

三、中西政治史上的巨變

近五百年是西洋史上變動最頻繁、最劇烈的時期。歐洲在中世紀本是神權（教會）統治的時代。直到西元一四五三年英法百年戰爭之後，民族國家（Nation

State）出現，世俗政權抬頭，教會的力量逐漸淡出政治的舞台，進入「絕對王權時代」，亦即「專制主義時代」。

工業革命推動近現代的政治巨變

然而，隨著新大陸、新航路的發現，與工業革命的興起，新興的工商資產階級踏上歷史舞台，勢力逐漸壯大。以法國而言，在十八世紀時有三級議會：第一等級為僧侶階級代表，第二等級為貴族階級代表，第三等級則是有納稅能力的平民代表。其中第一與第二等級代表傳統的守舊勢力，第三等級則要求改造現行體制，廢除「三級議會」，改採「國民議會」，全由有納稅能力的人民代表平等組成。因此爆發了法國大革命，象徵著資產階級時代的來臨。

一八四八年二月，馬克斯與恩格斯共同起草的「共產黨宣言」發表，同年六月第一次無產階級武裝鬥爭也在巴黎爆發。無產階級再也受不了資產階級的恣意剝削，站出來維護自己的權益，標幟著「社會主義時代」的來臨。

歐洲的變動與發展，即是從僧侶階級操控的「神權政治」（Theocracy），轉入由貴族階級為主導的「絕對王權時代」（Absolutism）；再變為以資產階級為主導的

「代議民主政治時代」（representative democracy）：十九世紀又進入要求全民民主，反對資產階級民主的社會主義時代（Socialism）。

中國平民政治的發展

中國的傳統政治也不斷變動且朝著合理而進步的方向演進。夏、商、周時，天子是天下的共主。但自周平王東遷洛陽（西元前七二二年）以來，周天子式微，五霸代之而起，負起尊王攘夷與維護國際秩序的責任，權力遂由天子移轉至諸侯。至周威烈王二十三年（西元前四〇三年）韓、趙、魏三家封侯，安王十六年（西元前三八六年）田氏篡齊，接著齊、梁互王，家宰（亦即「大夫」）的地位越過了諸侯。

中國政治到了漢代有了突破性的發展。在董仲舒建議之下，漢武帝罷黜百家，獨尊儒術，設立五經博士及其弟子員。只要精通一經，即可獲得功名利祿。當時印刷工具不發達，紙張使用尚未普及，抄寫經書費時費力，所以收藏古籍愈豐的家族愈具影響力，代代相傳，由「累世經學」，進而通經入仕，成為「累世公卿」。讀書人，亦即士族成為權力的主導者。

隋煬帝大業二年（西元六〇六年）開進士科。科舉制度的實行，提供平民百姓與士族投入仕途的平等機會，象徵政權的全面開放。至北宋，更因印刷術的普及，庶民百姓獲得更多讀書的機會，庶民階級取代士族階級掌握了政治的權力。

從中國傳統政治的變動正可看出其進步的一面：政治的主導權，春秋時從「天子」下移為「諸侯」，戰國再下移為「大夫」，漢朝以降則下移為「士」，隋唐之後，只要肯用功讀書，庶民亦可晉陞至「一人之下，萬人之上」。

四、中西政治巨變中的思想巨人

亞里斯多德在其《政治學》中有一段精闢的論述：「一個國家秩序安定的最好保障，莫過於建立一套與統治型態相應的教育體系，一個民主國家需要一個民主式的教育；貴族政體則需貴族式的教育；同樣地，君主政體所需的則是哲王式的教育措施。」每一套統治秩序必有與其相應的思想做為其理論基礎。以柏拉圖《對話錄》中的〈國家論〉而言，即可視為對古希臘城邦政治經驗的總結。

馬基亞維利是現代政治學之父

為「絕對王權」奠定理論基礎的有義大利的馬基亞維利（Machiavelli）、法國的布丹（Jean Bodin）與英國的霍布士（Hobbes）。他們都用現實的角度，實證的方法來解析政治現象，論述如何在沒有「上帝」和「教會」支持的情形下，由國王有效地統治國家。

隨著資產階級時代的來臨，自由主義思想家如洛克、盧梭、孟德斯鳩提出「社會契約」、「天賦人權」與「三權分立」等重要理念，為代議民主政治建立了堅實的理論基礎。而在早期自由主義只保障「形式平等」，而無法保障「實質平等」的情況下，帶動社會主義思想的興起。從聖西門、傅立葉的「空想社會主義」到馬克斯對資本主義非人道的剝削提出最嚴厲的控訴，社會主義要求實踐真正的平等與全民的民主。

康德哲學會通自由主義與社會主義

事實上，康德是融合「代議民主政治」與「社會主義理論」的關鍵人物。康德思想代表著啟蒙運動的頂峰，完成自由主義的理論架構，如人的尊嚴、人的主體性、人的能動性。以權力分立與制衡的理論而言，康德即用三段論法將孟德斯鳩所提出的三種權力組合起來：立法權相當「大前提」，行政權是「小前提」，司法權則是「結論」。而十九世紀下半葉，亦有一批康德學者投入社會主義運動的洪流裏，如Karl Vorlaender與Max Adler。而社會主義領導人物中，受康德感召者亦不少，其中以後來被批判為修正主義的柏恩斯坦（Bernstein）最為有名。康德的「社會自由主義」乃是奠基在「人格的自由、自律與自主」之上，與社會主義不但不對立，且可相互輝映。

管仲與韓非

至於中國歷史巨變中的思想巨人，首推管仲與韓非。管仲輔佐齊桓公完成霸業，其「尊王攘夷」的政策，對華夏文明的保存，居功厥偉。孔子盛讚道：「微管仲，吾其披髮左衽矣！」戰國時代，儒家的務實派荀子的門下出了兩位傑出的弟子——韓非與李斯。前者集法家理論之大成，後者則為法家理論的實踐者，兩者均為秦的統一中國奠定基礎，結束中國五百年的分裂（西元前七二二年至西元前二二一年），並對後世有極為深遠的影響。

公羊春秋

第二組思想巨人則當推董仲舒與康有為。此二者均提倡以公羊春秋來從事變革。此外，諸如魏源、龔自珍、譚嗣同也都提倡公羊學。公羊傳云：「君子曷為為春秋？撥亂世，反諸正，莫近諸春秋。」（見哀公十四年）正由於公羊春秋崇尚微言大義，托古改制，故在中國的兩次巨變——漢初與清末均成為顯學。

商鞅與王安石

另一組則是主張變法的代表人物——商鞅與王安石。商鞅在秦孝公時推動變法，力抗反對改革的貴族階級，為秦國的富強奠基。商鞅說：「處世事之變，討正法之本，求使民之道。」又曰：「三代不同禮而王，五霸不同法而霸。」唯有變化，才能順應時勢，取得勝利。北宋的王安石亦以「三不足」聞名，他說：「天命不足畏，祖宗不足法，流俗不足恤。」何等氣慨！天底下那有什麼不能變，不可變的！

五、結　語

總結中西哲學對「變」的詮釋，可知歸納法與演繹法均不足以掌握「變」的發展。唯有運用理性，將見解相矛盾的對話，內化到思維程序，亦即採用辯證法，才能掌握變的深層意義，才能真切認識時間序列中的流變。

理性的運用正是啟蒙的目標。康德認為，「啟蒙」是指「一個人要從歸咎於自己的未成年狀態中走出來」的意思。何謂「未成年狀態」？康德認為是指若無第三者從旁指導，就無法運用自己理性的狀態。至於那一種未成年狀態要「歸咎於自己」呢？康德說，不是因為心智尚未成熟，而是因為缺乏決心、勇氣和擔當，致不敢獨立運用自己的理性。所以康德認為，啟蒙就是要求每一個人公開地運用自己的理性。每個人針對任何可公開評論的事物，把自己內心的看法、想法講出來，讓別人可針對你的看法公開提出評論。相對地，你也可針對別人對你的看法的評論，再予以公開評論，這樣就形成了一個公開討論的環境。如此一來，我們的社會就逐漸走向開放的社會。

「變」與中國現代化

自鴉片戰爭以來，中國面對的一個亙古未有的大變局。對於傳統，我們應勇於運用自己的理性，去認識它、肯定它，進而予以批判、重建。傳統非但不是死的東西，反可成為現代化的動力。

對於西方，我們不漠視，不盲從。任何關心中國現代化的知識份子都必須針對以下兩個課題提出解決策略：一是工業化的問題，即如何解放國民生產力的問題，也就是如何讓資本主義在中國發達起來的問題。另一則是如何將生產力解放後所創造出的大量財富公平分配的問題，亦即社會主義的挑戰。康有為的失敗即在於未能正視此二問題。而戰後德國發展出來的「社會市場經濟制度」正是調和資本主義與社會主義之間的第三條道路；而「社會民主」有效落實社會主義的民主體制，正是我們尋求已久的道路。

誠如商鞅〈更法篇〉所云：「夫常人安於故習，學者溺於所聞。此兩者所以居官而守法，非所與論於法之外也。三代不同禮而王，五霸不同法而霸。故知者作法，而愚者制焉；賢者更禮，而不肖者拘焉。拘禮之人不足與言事，制法之人不足與論變。」唯有發揮啟蒙的精神，拒絕做個性與慣性的奴隸，運用理性，掌握辯證法則，通權達變，個人的理論水平與實踐能力才能不斷提昇，社會國家才能不斷變革、不斷進步。

千古一帝秦始皇

——重新解讀「焚書阬儒」

史學家向來對秦始皇的功過多有爭論，但鮮有質疑秦始皇焚書阬儒是百惡不赦的大罪。在歐洲一個國際學術會議的場合，有美國學者嚴辭批評秦始皇，以秦始皇代表中國文化，發表蠛視中國文化的謬論，經朱高正即席反駁，贏得與會代表一致讚賞。返台之後，朱高正即著手撰寫〈千古一帝秦始皇〉，這是一篇專爲秦始皇焚書阬儒翻案的著作。發表前，曾請牟宗三、呂亞力兩位先生指正，獲渠等高度肯定。本文結構嚴謹，舉證詳實，充分顯示出朱高正對中國歷史的識見，足讓秦漢史專家刮目相看。

漢儒賈誼在其著名的政論文章《過秦論》中以「廢王道，立私權，禁文書而酷刑法」非難秦始皇，並認為秦的滅亡主因在於「不施仁義」。賈誼對秦始皇的嚴厲指責本為了使漢廷知所鑒戒，並抒發自己的政治理想。然而，自司馬遷以來，後人多因循賈誼的觀點，甚至直指秦始皇為「暴君」，一提到秦始皇就讓人聯想到「焚書阬儒」。其實，秦始皇坑的未必是儒生，而焚書的原因也鮮有人知。

焚書主張非秦始皇所創

一般人常以「焚書」為秦始皇控制思想、摧毀學術的罪證。然而揆諸史實，「焚書」的主張並非秦始皇所創，而是早在西元前三百六十二年秦孝公銳意革新，重用商鞅，為了富國強兵，就有力主農戰、「燔詩書而明法令」（見《韓非子》）的政策，秦始皇只不過賡續這個一貫的立國精神罷了。秦始皇之所以能於短短十年之內（即西元前二百三十年至二百二十一年）併滅六國，亦係此農戰政策的成功。

一統天下後，秦始皇廢除封建制度，實行郡縣制度，此即賈誼所指責的「廢王道，立私權」。這是亙古未有的政治制度的大變革，這不僅招致守舊人士的反對，更導致六國遺族推波助瀾、加入批評的行列。但是秦始皇認為：「天下共苦、戰鬥不休，以有侯王。賴宗廟，天下初定，又復立國，是樹兵也。而求其寧息，豈不難哉？」（見司馬遷《史記．秦始皇本紀》）可見始皇廢封建、行郡縣的用意在於弭兵，以求天下永久的和平與統一。事實上，郡縣制度也消融了貴族與平民的階級對立，為「平民政府」與「賢人政治」的建立奠定了基礎。因此，漢武帝時董仲舒提議「復古更化」，乃設置五經博士，獨尊儒術，卻仍信守「非劉氏不王」的郡縣制度，並未因「復古更化」而恢復封建制度。王夫之在《讀通鑑論》中即給予郡縣制度高度的評價：「郡縣之制，垂二千年而弗能改矣，合古今上下皆安之……郡縣之法，已在秦先。秦之所滅者六國耳，非盡滅三代之所封也。則分之為郡，分之為縣，俾才可長民者皆居民上以盡其才，而治民之紀，亦何為而非天下之公乎？」

然而在始皇三十四年，亦即統一天下已經八年了，僕射周青臣與博士淳于越卻仍然在辯論封建得失。淳于越認為「事不師古而能長久者，非所聞也。」主張復行封建，「封子弟功臣，自為枝輔」，始皇提交廷議討論。

李斯建議焚書以絕私學》

丞相李斯面對著守舊派一再延引封建時代的言論，以古非今，惡意攻訐郡縣制度，遂主張「焚書」，禁絕「私學」，使法令得以定於一尊。李斯認為：「今諸生不師今而學古，以非當世，惑亂黔首……語皆道古以害今，飾虛言以亂實，人善其私學，以非上之所建立。今皇帝并有天下，別黑白而定一尊，私學而相與非法教。人聞令下，則各以其學議之，入則心非，出則巷議，夸主以為名，異取以為高……如此弗禁，則主勢降乎上，黨與成乎下。」（見〈秦始皇本紀〉）

其實，「王官之學」本為中國上古時代的學術傳統。天子設立各級學校，擔負教育任務。至春秋時代，由於周天子式微，王官之學沒落，漸次流入民間，致百家爭鳴，道術分裂。天下既然統一，秦始皇不僅統一了貨幣與度量衡，也統一了文字，所謂「書同文，車同軌」，當然也須要恢復「王官之學」。「焚書」就這樣在秦國農戰政策傳統，重建「王官之學」與貫徹「廢封建、行郡縣」的政策需求下產生的。「焚書」並非焚毀一切書籍，只是不准民間藏書（醫藥、卜筮、種樹等實用性書籍則除外），由國家統理圖書的典藏與教育權，以回復「王官之學」的傳統。李斯所奏「史官非秦紀，皆燒之。非博士官所職，天下敢有藏詩書百家語者，悉詣守尉雜燒之」以及「若欲有學法令，以吏為師」即為佐證（具見〈秦始皇本紀〉）。南宋一代大儒朱熹也認為：「古人以竹簡寫書，民間不能盡有，惟官司有之。如秦焚書，也只是教天下焚之，他朝廷依舊留得。如說『非秦紀及博士所掌者，盡焚之。』到六經之類，他依舊留得，但天下人無有」（見《朱子語類》卷第一百三十八）。只可惜，項羽進入咸陽城之後，火燒阿房宮，使保存於阿房宮的珍貴典籍盡付一炬。若言「焚書」的真正罪魁禍首，實為項羽。

創設廷議怎當暴君之名

況且，「焚書」主要係針對六國史記，因其涉及現實政治，又對秦國多所譏諷（諸如充斥「嫚秦」、「暴秦」、「禿狼秦」、「無道秦」等辱罵性字眼）。其次為詩書，因其每每為守舊派要求「師古」、「復古」的立論依據，有違改革與統一的時代潮流。其實孟子也曾說「盡信書，不如無書」，這裡所指的「書」就是指書經。易言之，孟子認為書經所載未可盡信。此外，古希臘大哲學家柏拉圖在其名著《理想國》中也提及禁絕詩歌、音樂的主張。至於「百家語」則非其所重，私家藏書尚多。

章炳麟即謂：「自始皇三十四年焚書訖於張楚之興，首尾五年，記誦未衰。」

再者，即使「焚書」有錯，由秦始皇一人負責亦有欠公允。焚書係經丞相李斯的提議及廷議的討論所作出的決策。所謂「廷議」，係指國家重大決策，非由帝王個人專斷，而是召集大臣互相討論以作出決議。真正的專制帝王不可能設置廷議來限制自己的權力。創設「廷議」制度的秦始皇怎可能是獨夫暴君？

除「焚書」外，同為世人所非議的「阬儒」，其實並非坑殺儒生，而係針對「處士橫議」而來。戰國時代兵家、縱橫家、陰陽家與雜家風行一時。以蘇秦為例，憑著三寸不爛之舌得以掛六國相印，是多少人夢寐以求的。秦始皇統一天下之後，這些足智多謀，雄辯滔滔的食客與謀士頓失舞臺，不甘蟄伏，不時危言聳聽，煽動六國遺族造反。秦始皇所下令坑殺的正是這些披著方士外衣的陰謀家，並非儒生。章炳麟於《國故論衡》中說：「太史公儒林列傳曰：秦之季世，坑術士；而世謂之阬儒。」即使秦始皇所坑殺的確是儒生，如此嚴厲指責亦有失公允。明太祖朱元璋於胡惟庸案中即誅殺三萬多名士大夫，於藍玉案中又誅殺了一萬五千多人；東漢黨錮之禍被誅殺者亦較始皇所坑殺的四百六十餘人為多。

醜化秦政以烘托漢朝政權的正當性

至於秦始皇的「焚書阬儒」之所以遭受如此嚴厲的非難與扭曲，當從漢帝國的「正當性」談起。漢高祖劉邦是中國歷史上第一位平民出身的皇帝：其父稱「太公」，無名；其母則稱「劉媼」，意即「劉姓老婦人」，連原姓氏都查考不出來，可見出身的卑微。這種身世背景，犯了中國歷史傳統上的大忌。從三代以降至秦始皇，每個朝代的開創者均擁有淵遠流長的家族史，務必積德數代，方能承接大統。漢帝國為了鞏固這個根基薄弱的政權，遂極力醜化秦始皇，以其暴虐無道烘托出自己取得天下的正當性。這種手法，實與馬丁路德為與天主教教會鬥爭，遂將教會掌權的中世紀（西元六世紀到十五世紀）概稱為「黑暗時代」，如出一轍。

或許有人認為，若非秦始皇暴虐無道，則秦朝國祚怎可能如此短暫？其實，秦始皇若非天縱英明，怎能在短短十年內併滅六國，結束五百年的亂局，一統天下？西漢劉向所編纂的《說苑》有一則非常值得注意的記載：始皇一統天下後曾表示「吾德出于五帝，吾將官天下」，要效法堯舜，將帝位禪讓給賢者。然而，其臣鮑白令之卻公然在朝廷上發言，謂始皇「行桀紂之道，欲為五帝之禪，非陛下所能行也。」始皇聞之大怒，責問令之「何以言我行桀紂之道（也），趣說之，不解則死。」鮑白令之就以始皇「築台干雲，宮殿五里」，不愛惜民力，只為自己享樂，怎能上比五帝，來回應。鮑白令之的勇於諫諍不但未招致殺身之禍，反使始皇面有慚色，因而不再廷議禪讓問題。由此可見，秦始皇甚至是一位通情達理而肯接納諍言的君主。

秦政失敗絕非歸因「焚書阬儒」

秦政失敗的主因，當係役使民力過甚，絕非「焚書阬儒」，亦非「廢王道，立私權」。舉凡築長城、闢馳道、戍守邊疆與築阿房宮、建驪山陵……等，皆為苦役。此外，始皇於短短十年內併滅六國，又徹底改變三代以來天子為天下共主的傳統，改行郡縣制度，固然開創了一個前所未有的局面，卻也因此面臨許多艱鉅的挑戰。令人惋惜的是，秦始皇於一統天下後十二年即去世，未能完全消化與解決新帝國的諸多問題。在長子扶蘇被假遺詔賜死，擁有託孤責任的將軍蒙恬被羅織入獄並遇害的情形下，胡亥即位，趙高把權，在帝國政府未能有效統治之下，陳勝、吳廣一發難，六國遺民紛紛起兵呼應，終致滅亡。

自秦始皇兵馬俑被發掘以來，史學家不得不重新評價秦始皇。預估約有二萬二千多尊陶俑中，已拼合出二千餘尊。每一尊陶俑的身材、表情、姿勢與裝備均各有特色，也反映出秦代高度的陶藝揑塑水平，更顯示出秦始皇對藝術的重視。若與法王路易十四世興建的凡爾賽宮中矗立的三百多尊仿希臘石膏塑像相比，早其一千九百年之久的秦陶俑實為中華民族後代子孫無比的驕傲。

明儒李贄讚為「千古一帝」

在對傳統歷史文化賦予創造性的詮釋之際，我們必須批判地重新瞭解歷史傳統，才能為未來更進一步的發展，紮下更堅實的基礎。像秦始皇這樣的歷史人物，眾口鑠金，光憑「焚書阬儒」這種片面的情緒性指責，是不足來論斷其畢生的功過與是非的。秦始皇的政治措施，無非在於建構並維持一個統一的中國，使其成為書同文、車同軌、行同倫的社會。史學家夏曾佑即認為，「中國之教，得孔子而後立；中國之政，得秦始皇而後行；中國之境，得漢武帝而後定。此中國之所以為中國也。」惟因秦始皇，中華民族才得以沐浴於同一文化之下，中國文化才得以發揚光大。明儒李贄稱讚始皇為「千古一帝」，實為高見。唯有重新解讀「焚書阬儒」才能真正瞭解秦始皇的歷史地位。這樣的「傳統」才是鮮活的，才能像湧泉般不斷給我們新的視野與啟發，以成為推動更進一步現代化的動力。

（《聯合晚報》一九九三年十二月三十一日）

《周易》與中國現代化

——兼以蠱、損、蒙三卦論述現代化的國家理想

本文係朱高正於一九九五年十二月應北京大學之邀，向該校師生發表專題演講的講稿內容，經整理後，發表在一九九六年四月號的《哲學雜誌》。文中除闡揚《周易》的幽微深遠並重新賦予新意之外，更以《周易》的哲學意涵論述中國未來的走向與理想；試圖在重建文化主體意識的基礎上，凝聚思想再啟蒙的動力，以爲中國現代化提供全方位的宏觀藍圖。北大的演講及在台發表後均獲得熱烈回響，佳評如潮，是關心中國前途的人士不可錯過的宏文讜論，頗值詳加品評。

壹、導　言

「現代化」是十九世紀以來任何一個民族無可迴避的挑戰。

現代化始於工業革命引發了生產方式的改變，從而帶動社會的全面變革，包括社會結構的轉變、政治體制的轉化，乃至思想觀念與價值體系的蛻變與創新。現代化起源於英、法等西歐國家，由於其社會內部的自然變遷而不自覺地形成。反之，德國與日本則在先進的現代化國家刺激與壓力下，有意識、有計畫地推動現代化而卓然有成。

與日本相較，中國的現代化歷程顯得曲折而不幸。近代中國與西方的密切接觸固然早始於一五一四年（明武宗正德九年）葡萄牙人抵達廣東。新航路的發現導致東西海道大通，西方商旅與傳教士絡繹於途，帶動了中西文化的交流，至清康熙皇帝（在位期間一六六二－一七二二）時達於鼎盛。可惜耶穌會傳教士介入宮廷內鬥，致雍正皇帝即位後（一七二三年）頒詔禁教，中西文化交流因此中斷。然而，此後以至鴉片戰爭（一八四〇年）的一百多年間，正是西方現代化的關鍵時期。從工業革命、啟蒙運動、美國獨立戰爭以至法國大革命，西歐社會發生了翻天覆地的大變動。中國不但無緣親與盛會，反因閉關自守，塑造了國民故步自封的偏頗心態。等到再度與西方接觸時，西方已經是船堅砲利的工業強權，中國毫無招架之力，原來唯我獨尊的天朝美夢徹底粉碎，民族的自信心與自尊心喪失殆盡。

面對前所未有的巨變，「現代化」成為中國知識份子苦心探求的課題。從「中學為體，西學為用」到後來的「全盤西化」，知識份子對傳統文化的態度由失望、質疑，以至徹底的否定，傳統被視為現代化的阻礙，遭受無情的污蔑與打擊。由於與傳統割裂，茫然無根，以致引進外來文化系統時毫無主見，囫圇吞棗，雜亂無章。由於「文化主體意識」蕩然無存，以致面對挑戰時，束手無策，只得怨天尤人，隨波逐流。換言之，中國的現代化事業所以一直無法步上正軌，究其原因，文化主體意識的淪喪實為關鍵所在。

今日中國欲有效迎接全方位現代化的挑戰，不能只停留在經濟、社會、政治層面的考量；要正本清源，必得從強化文化認同著手。質言之，即從重建文化主體意識著手。因此，筆者擬於下文首先探討「文化主體意識的重建」對於現代化的意義，其次論述如何以《周易》作為重建文化主體意識的基礎。然後更進一步探討《周易》所蘊含的「變」的哲學，以為推動「思想再啟蒙運動」的原動力。最後則指出，今日中國要有效達成全方位現代化的目標，必先自《周易》的現代化著手，亦即以《周易》的現代化來推動中國全方位的現代化。

貳、文化主體意識的重建

我們若將民族視為一個以文化創造而相與結合的生活共同體（Lebensgemeinschaft），則一個民族的文化創造相當於個人人格的自由發展。關於「自由」的問題，在哲學史上康德（Immanuel Kant, 1724—1804）探討得最為深刻。他在其晚年名著，即一七九七年出版的《道德形上學》中，將「自由」界定為「人可以獨立於一切經驗因素的制約，而讓純粹理性的要求成為實踐的能力」。「經驗因素的制約」指的是一般經驗法則的規制，如好逸惡勞、趨福避禍、貪生怕死等社會心理法則。人雖然會受到這些經驗法則的「影響」，卻不見得因而受其「決定」。人之所以有價值，在於人有自由意志，可以超越經驗法則的限制，擺脫外在誘惑或內心欲念的制約，而使純理的要求——不單單停留在「理論的層次」——腳踏實地成為決定我們立意與行為的最高原則。換言之，「自由」使人可以不受制於經驗法則，這就排除了「他律」，而使人成為自己行為的立法者（即「自律」），成為自己的主人（即「自主」）。從而一個自由的人也要對自己的意志或行為決定負完全責任。

「自由」與「克己復禮」

「自由」理念的嚴謹論證固由康德所完成；然而，早在二千五百年前，孔子即以簡潔有力的四個字將「自由」的精蘊完整地表達出來，即「克己復禮」。南宋集理學之大成的朱熹（一一三〇—一二〇〇）將「克己復禮」詮譯為「克制一己之私欲，回復天理之本然」。心學傳人王陽明（一四七二—一五二八）則將之解釋為「存乎天理之極，而無一毫人欲之私」。朱子與陽明先生做為傳統儒學的兩大流派——理學與心學——的宗師，於此並無異見，與前述康德對「自由」的定義若合符節。其實康德對自由的理解受到萊布尼茨與吳爾夫的影響，至於萊布尼茨則經由耶穌會教士而深受儒家思想的影響。因此，康德對「自由」所下的界說毋寧是傳統儒家的基本信念。

前面所談的「自由」，是純粹形式的，也就是從成就道德人格的可能性上來看，一切人都是同樣地自由，也同樣地平等。這與他的性別、國籍、家世、教育程度、財富、收入……等經驗因素毫無關係。相對於這種「純粹形式意義的自由」（不因人而異的自由能力），則是「實質的自由」或「自由的實踐」，意即每個人在實際的生活中去落實自由、體現自由，久而久之，每個人都有其獨特的「我性」（Ichheit）與獨特的「歷史」，而這些正是形成每個人「人格」（Persoenlichkeit）的重要因素。人性的尊嚴就是藉著「人格的自由、自律與自主」而得以彰顯。「人格的自由、自律與自主」也是規範一切外部生活——包括國家生活——的最高原則。

「實質的自由」的三個樣態

人不只生活在「現在」，也活在「過去」與「未來」。「過去」，對自由而言，應視為「已實踐的自由」。也因為是已實踐的自由，是自己所做的決定，因此必須負責。若以為「過去」在時序上是已被決定的事實而不必負責，那麼一個不對過去負責的人，我們怎能期待他對現在負責？一個不對現在負責的人，我們又怎能期待他可以對未來承諾？唯有建立在對過去負責的自由方為真自由。

「現在」，對自由而言，是「實踐中的自由」，代表著下決定的能力。做決定的當時，即是自由的實踐。主體性愈凸顯、越敢擔當的人，其做決定的頻率也越高。決定做得越多，表示人生的內涵越豐富。一個真正自由的主體懂得如何做決定，也敢於做決定，勇於承擔決定的成敗，不斷往前邁進。

「未來」，對自由而言，是「尚待實踐的自由」，代表「構想力」(Einbildungskraft) 的發揮。所謂「構想力」是指可以去設想與現實相反對的存在成為可能的能力。即現實不存在者，可想像其為可能存在的；現實存在的，可想像其為可能不存在的。人格上的自由即是超越現實，發揮構想力的自由。有豐富構想力的人不隨便向現實屈服，其精神內涵必更為充實、圓滿。

對一個做決定的主體而言，單純的「現在」毫無意義，「現在」只有在「過去」與「未來」之間，才有意義，尤其「過去」更是「現在」與「未來」的基礎。沒有「過去」，焉有「現在」和「未來」？沒有對「過去」的反省，又焉能主導「現在」和「未來」

每個人均有其獨有的「過去」，有其獨有的「歷史」，但是一個人的「外在歷史」與別人有高度的同質性，這顯示在其履歷表上，譬如何時出生，上過哪些學校，讀過哪些名著，遊過哪些名山大川。然而這些類似的外在履歷對每個人的人格有極為不同的影響，況且每個人都有其內在的企圖、願望、志向，這些構成了每個人的「內在歷史」。「內在歷史」固然可能是一種包袱，但更可以是一種資產。只有對這個我所固有、獨有的「內在歷史」不斷反省、檢討、批判與重新評價，從「內在歷史」自我學習，吸取教訓，這種「內在歷史」才是始終鮮活的、隨時有新義的，也才能不斷影響現在的決定和對未來的規劃。未經反省、檢討、批判與重新評價的「內在歷史」，其所形成的人格，基本上是被制約出來的。要使人格愈益多樣化、深刻化與精緻化，就必須從「過去」去認識自己、批判自己、超越自己，從而創造自己，使自己成為自己真正的主人，這就是主體性的徹底顯現。

「文化主體意識」的重建與傳統文化的振興

對整個民族而言，「過去」是民族的歷史傳統文化；「現在」是民族在生存發展的過程中，於關鍵時刻所做的決定；「未來」則是全民族共同奮鬥的理想與目標。一個民族必須能夠清楚地判別過去的光榮、恥辱，知道有過什麼重大的成就或嚴重的缺失，才能以此做為基礎，正確地做出決定，合理地規劃全民族未來的發展。一個民族能對自己的歷史傳統文化重新予以認識，從而接受傳統、承認傳統為我們所自有、獨有、固有的，進而批判傳統、超越傳統，從而創新傳統，就是「文化主體意識」的凸顯。易言之，我們絕不僅僅是五千年傳統文化的繼承者而已，我們更肩負著檢討、批判、創新傳統的責任；我們不只是被動地、無意識地承襲傳統文化的「客體」而已，我們更是重新評價傳統文化、進而開創新文化的「主體」！如此的傳統才是活的傳統，如此立基於傳統文化的超越與創新，才是真正的文化自由創造！

自一八四〇年鴉片戰爭以來，中國面對了一個亙古未有的大變局。中國想要跨出一百五十多年來的屈辱，完成全方位的現代化，必得從文化主體意識的重建做起。因為追求現代化不能脫離傳統；全世界沒有一個國家可以徹底否定自己的文化傳統，而能完成現代化的。德國與日本的現代化所以成功，就在於他們能立足傳統，由自己直接掌握全民族發展的方向，印證文化的主體性。自冷戰結束以來，全球戰略形勢發生根本的改變，非西方的知識份子與中產階級多已從盲目的「西化」中覺醒，重新認同本身的傳統文化。日本有人高喊「再亞洲化」，阿拉伯國家則有「再回教化」的呼聲，印度則有「印度教復興運動」。諸如此類的文化主體意識的覺醒正不斷在滋長中。我們中國人走過五四與文革的曲折道路，現在也該重新為傳統文化的振興奔走呼號了。

其實，現代化並不等於西化。由於各民族的傳統文化互不相同，經濟與社會條件各有差異，現代化顯然不是只有一種途徑，而是有不同的類型與進程，各民族應該自主地選擇適合自己的現代化道路。唯有根植於對傳統的確實認識、認真檢討、重新評價，才能有方向、有重點地規劃屬於自己的現代化藍圖。換言之，傳統非但不必然是現代化的障礙，更可以成為推動現代化的助力。因此，如何重建文化主體意識，以推行中國的現代化，是任何關心中國前途的各界菁英責無旁貸的重任。現代化的工作固然繁難，需要眾人投注長期的精力共同努力，然而當務之急，毋寧是先確立對中國傳統文化的認同，才能為民族的再生注入新血。作為傳統文化之大根大本的《周易》正是我們重新認同傳統文化的出發點。

參、以《周易》作為重建文化主體意識的基礎

《周易》不僅是群經之首，也是群經之源。根據〈繫辭傳〉的記載，上古時代伏羲氏（距今五千年以上）作八卦，每一卦由三畫爻組成。周文王（距今約三千一百年）將三畫的八卦相重而演成六畫的六十四卦。六十四卦的卦爻辭相傳由文王、周公

父子所繫。然而，根據晚近考古學的新發現，六畫卦不但出現於商代的甲骨文，最新出土的資料還證明早在夏代即有六畫卦的存在，推翻了相傳已久的文王演卦之說，而一舉將六十四卦的出現往上推前一千年。

《周易》總結中國上古社會的經驗與智慧

其實，《周易》本為占筮、決疑之書。古人將占筮所得之卦，查考《周易》的卦、爻辭，以斷吉凶。這些卦、爻辭並非憑空杜撰，而是歷經數千年經驗的累積。《周禮・春官・宗伯》記載：「太卜掌三兆之法，一曰玉兆，二曰瓦兆，三曰原兆。其經兆之體，皆百有二十，其頌皆千有二百。」殷商王室舉凡出門、嫁娶、喪葬、耕稼、狩獵、征戰均問卜於神明，因而留下大量的「甲骨文」。也就是將龜殼或獸骨鑽鑿，燒灼之後，依其顯出的裂紋，以判斷吉凶。這些裂炆分成三大類，有些如玉的紋路，稱「玉兆」；或如瓦的裂紋，稱「瓦兆」；亦有如田園久旱而龜裂者，稱「原兆」。每一類又下分一百二十種，每一種有頌辭十條，合頌辭三千六百條。這些頌辭定期檢視後，應驗者保留，反之淘汰。

周文王為商朝大臣，對這些頌辭理應相當熟悉。後來他被紂王囚於羑里，七年之中，潛心研究易學。文王改以占筮代替龜卜，並與其子周公在既有豐富的頌辭基礎上，會同卜筮之官，勘定卦、爻辭。由於重新整理過的卦、爻辭定稿於殷末周初，故名為「周易」。

太史公司馬遷在《史記》中記載孔子晚年喜讀《周易》，至於「韋編三絕」。孔子刪詩書，定禮樂，作春秋，唯獨對《周易》經文不敢增減一字，足見孔子對《周易》的推崇。然而，孔子離殷、周之際已逾五百年，《周易》經文古奧難懂，孔子及其門生乃作「十翼」，取其輔翼易經之意，注解經文，揭露蘊藏於周易內之哲理，通稱為「易傳」。藉《易傳》的詮釋，《周易》漸由卜筮之書，轉化為探討宇宙人生哲理的典籍。《周易》實為總結中國上古社會經驗與智慧的寶典。

自漢武帝建元五年（西元前一三六年）設置五經博士，楊何出任首位「易博士」，到清光緒三十一年（西元一九〇五年）廢除科舉為止，在這二千零四十年之間，為《周易》注疏者超過四千家。學者皓首窮「易」，歷兩千年而不衰。影響之鉅，連皇帝也感染好易之風。東漢光武帝及明帝、章帝祖孫三人皆曾駕幸太學，講授《易經》。南朝梁武帝蕭衍有《易》著數種。清朝康熙皇帝提倡易學，更是不遺餘力，今天最通行的《周易》集注版本——《周易折中》，便是康熙命大學士李光地編纂而成。

《周易》固為儒家的經典，道家也將其與《老子》、《莊子》合稱「三玄」。於古籍中，同為儒、道兩家奉為經典者，非《周易》莫屬。從易學的發展來看，義理學派著重於闡發《周易》的哲學思想，象數學派則對傳統科技與民間文化有深遠的影響。從煉丹術、中醫學、氣功養生學、到天文曆法等，無一不與象數學派的發展息息相關。

以《周易》為振興傳統文化的起點

由此可見，《周易》不僅總結了上古中國人的智慧與經驗，更是歷代中國知識份子聰明才智的結晶。如果我們將讀書視為與古聖今賢對話之知性創造活動，則《周易》不愧為兩千年來歷代知識菁英對話的論壇與焦點。如同《四庫全書》所說：「易道廣大，無所不包，旁及天文、地理、樂律、兵法、韻學、算術，以逮方外之爐火，皆可援易以為說。」如此經典，即使在歐洲被視為各類學問源頭之亞里斯多德著作，也難以望其項背。換言之，要認識中國傳統文化，《周易》不可不讀。身為現代中國知識份子，只要肯用心研讀《周易》，對傳統文化就能有基本的掌握，也才能擔當承先啟後、繼往開來的重任。《周易》正是我們認識傳統、批判傳統、超越傳統，進而創新傳統的出發點，也就是重建文化主體意識的基礎。尤其對正處在劇烈變動中的中國社會而言，《周易》更能協助大家對「變」有更高層次的理解與實踐，甚至化被動的「應變」為主動的「求變」，以完成中國的現代化。

肆、「變」與「思想再啟蒙運動」

《周易》本就是一部談「變」的經典，卦爻的變化錯綜複雜，終始相因，所謂「窮則變，變則通」。即使在西方運用「辯證法」將「變」的哲學發揮到淋漓盡致的黑格爾（Hegel, 1770—1831），雖然向來瞧不起中國文化，卻也對《周易》中所蘊含的豐富辯證思想讚不絕口。其實，《周易》的思維方式遠較黑格爾的辯證法深刻、幽遠。

《周易》六十四卦，每卦各有卦時與卦義；每卦六爻，每爻各有不同的爻位關係。更重要的是，無一卦是獨立的，唯有兩卦對看，才能理解其中精蘊。至於兩卦合看的形式有二，不是「覆卦」（或稱「綜卦」），就是「變卦」（或稱「錯卦」）。

所謂「覆卦」是指卦畫順序與本卦顛倒而言，如屯卦（䷂）的覆卦為蒙卦（䷃）。然而六十四卦中有八個卦，其覆卦與本卦相同，於此情形下，就取其變卦。所謂「變卦」是指將本卦的陽爻變為陰爻、陰爻變為陽爻之後，所得到的卦，如乾卦（䷀）與坤卦（䷁）、中孚卦（䷼）與小過卦（䷽）。通行本《周易》六十四卦之卦序，即將二十八對覆卦、四對變卦，依非覆即變的原則來排列。

《周易》的範疇系統博大精深

《周易》的六十四卦卦辭與三百八十四爻爻辭，連同乾、坤兩卦的「用九」、「用六」兩條，合計四百五十條卦爻辭，相當於四百五十個範疇系統，可謂人類至今為止最大的思維範疇系統。學者若能悠遊於這四百五十個範疇系統，假以時日，必能達到合六十四卦為一卦的境界，亦即任何一卦皆可變成其他六十三卦。達此境界固為不易，然而最高意境卻是心中無卦。只要掌握了《周易》所蘊含的變化法則而運用自如，必可通權達變，古人的智慧與經驗必如活水源頭般，取之不盡，用之不竭。

面對現代化的挑戰，中國需要有求變的決心與智慧。為喚醒國人從既有思維習慣的桎梏中解放出來，為鼓勵國人勇於批判、勇於創造、勇於求變，我們亟需推動一場

「思想再啟蒙運動」。《周易》所蘊含的「變」的智慧與精神，正是推動「思想再啟蒙運動」的原動力。

「啟蒙運動」是歐陸文化史上最活潑、最具衝擊力的知識份子自覺運動。它針對當時的社會、文化進行全面的反省與批判，影響所及，扭轉了整個歷史發展的軌跡，歐洲正是經由啟蒙運動而進入近現代社會。

其實，自馬可波羅（Marco Polo, 1254-1324）以迄啟蒙運動時期，中國一直是歐洲各國豔羨倣效的對象。歐陸大哲學家和數學家萊布尼茨（Leibniz, 1646-1716），一生即對中國文化推崇備至。其最尊敬的統治者也是當時中國的康熙皇帝。萊布尼茨正是在一七〇三年研讀伏羲六十四卦方圓圖之後，才有信心將其論文〈關於僅用零與一兩個記號的二進制算術的說明並附有其效用及關於據此解釋古代中國伏羲圖的探討〉發表。萊布尼茨發現，以零代「陰」，以一代「陽」，則乾卦（䷀）之值為六十三（$1\times2^5+1\times2^4+1\times2^3+1\times2^2+1\times2^1+1\times2^0=63$），坤卦（䷁）之值為零（$0\times2^5+0\times2^4+0\times2^3+0\times2^2+0\times2^1+0\times2^0=0$），井卦（䷯）之值為二十六（$0\times2^5+1\times2^4+1\times2^3+0\times2^2+1\times2^1+0\times2^0=26$），六十四卦之值剛好對應從零到六十三。而二進位算術就是今日電腦的理論基礎。萊布尼茨做為歐陸理性主義的宗師，最推崇中國文化，受朱熹理學的影響甚深，尤其讚揚中國在實踐哲學上的表現，對後來的啟蒙運動產生了深遠的影響。

中國曾是歐陸啓蒙運動傾心仿效的對象

被公認為萊布尼茨傳人，也是啟蒙運動健將的吳爾夫（Christian Wolff, 1679—1754），亦盛讚中國雖然不是基督教國家，卻擁有極為良好的社會禮俗及典章制度，更推崇孔子能擺脫迷信的羈絆，「不語怪力亂神」，提倡理智的人生態度，處處「克己復禮」。

一七八九年的法國大革命標幟著啟蒙運動的頂峰。康德則總結了法國大革命前夕哲學思想的成就。康德的老師克努臣（Martin Knutzen, 1713—1751）是吳爾夫的學生，而康德在大學裡講授倫理學與法權哲學時所選用的教科書的作者——主要是包姆加頓（Alexander Gottlieb Baumgarten, 1714—1762）與阿亨瓦（Gottfried Achenwall, 1719—1772）——都是吳爾夫的學生。萊布尼茨與吳爾夫均對中國文化推崇不已。由此可見，康德也深受中國文化的薰陶與啟迪，難怪長久以來康德被稱為「哥尼斯堡的中國人」。也正因如此，才得以成就其宏偉莊嚴的哲學體系。總而言之，沒有中國的榜樣，就沒有以理性為主導的啟蒙運動。

《開放的社會及其敵人》的作者卡爾．波帕（Karl Popper）於一九五四年，為紀念康德逝世一百五十週年，應英國國家廣播電台（BBC）之邀，發表專題演講，題為〈康德—啟蒙運動的哲學家〉，將康德定位為啟蒙運動的導師。康德在《何謂啟蒙運動》（Was ist Aufklaerung）一書中將「啟蒙」界定為「一個人要從歸咎於自己的未成年狀態中走出來」。所謂「未成年狀態」乃是指若無第三者從旁指導，就無法運用自己理性的狀態。至於哪一種未成年狀態是該「歸咎於自己」呢？康德說，並不是因為他的心智尚未成熟，而是因為他缺乏決心、勇氣和擔當，致不敢獨立運用自己的理性。所以康德認為，「啟蒙」就是要求每一個人公開地運用自己的理性。每個人針對任何可以公開評論的事物，把自己內心的看法、感受講出來，讓別人可針對你的看法與感受提出評論。相對地，你也可針對別人對你的看法與感受所作的評論，再予以評論，這樣就形成了一個公開討論的情境，社會也就逐漸走向一個開放的體系。

真正的改革是思維方式的改變

理性的公開運用正是啟蒙運動的目的。《周易》獨特的思維模式正有助於活化思考，強化理性思維的能力。《周易》中所蘊藏的豐富哲理與獨特的思維方式對我們發揮啟蒙運動的精神大有助益。我們拒絕做個性與慣性的奴隸，而要獨立地運用理性，通權達變，讓個人的理論水平與實踐能力不斷提昇，社會、國家才能不斷變革、不斷進步。

在近現代的中國，以知識份子為主的五四運動，在某種意義上，本也可說是一個啟蒙運動，然而其最大的不幸，就是號召「打倒孔家店」，從根全盤否定了中國自己的歷史文化。到了十年文革期間，更全面而徹底地打擊傳統優秀文化。這使得原本立意良善、有除舊佈新的、進步意義的五四運動和文革，反過頭來阻礙了中國現代化的事業。

康德曾說：「經由革命固然可以推翻個人的專恣、暴虐，但新的成見取代舊有的成見，會繼續宰控大眾。真正的改革是思維方式的改變。」盲目的激情並不足以成事；惟有透過理性的反省與批判，立足於傳統，超越與創新才有可能。而《周易》正提供我們「思維方式的改變」，《周易》不僅是中國傳統文化的活水源頭，它也是我們完成中國現代化的銳利武器。

伍、以《周易》的現代化推動中國全方位的現代化

《周易》本為憂患之書，當世局之變，常能致大用。於今新舊世紀之交，《周易》不僅能作為重建文化主體意識的基礎與推動思想再啟蒙運動的助力，更足以擔當推動全方位現代化的重任。在過去兩千年間，《周易》作為個人進德修業的指南與君臣治國的戒鑑，在歷史上發揮了舉足輕重的影響。展望未來，面對全方位現代化的挑戰，總結前人心血結晶的《周易》必能再放光芒。

但是近人對《周易》的詮解，似乎無法切合中國現代化的需求。究其原因，一方面固然由於現代人閱讀古文能力有限，面對既繁且雜的《易》注，常常不得其門而入；但更重要的是，現代社會與傳統社會的特徵截然不同，現代人無可避免地必須體驗新的生活，面對新的問題。因此，如何就《周易》賦與創造性的詮釋，使古人的智慧與經驗重獲新生、再現活力，的確是當代中國知識份子無可推卸的責任。

筆者自弱冠，即以「振興易學，再造中華」為己任。爾後雖曾負笈德國鑽研康德哲學，取得哲學博士學位，然而對於闡揚易學則從不敢稍怠。筆者對於在西方哲學中

向以艱澀難解著稱的康德哲學，既能游刃有餘；《周易》乃中國傳統文化的大根大本，對於弘揚易學自亦責無旁貸。《周易六十四卦通解》與《易經白話例解》即為筆者致力周易現代化的初步成果。《易經白話例解》以語體文直解經文，闡發義理；並在每一卦、爻辭之後附加「例解」，結合歷史與當代現實問題，為該卦、爻辭提供了適當的詮釋；也為《周易》的初學者提供了入門之路。《周易六十四卦通解》則以最簡潔、洗練的文字，直解經文，摒除繁瑣之訓詁考證，俾讀者便於汲取周易思想的精髓，進而可以馳騁在兩千年來浩瀚的《易》注古籍之中，進而汲取千古不易的智慧之泉。以下筆者將藉著對幾則卦爻辭的詮釋，說明《周易》如何現代化，以及如何讓《周易》對中國的現代化事業做出貢獻。

《周易》可以成為現代人經世致用的寶典

以筆者去（一九九五）年在高雄市參選立法委員為例，《周易》困卦（䷮）卦辭即深深啟示了筆者。困卦卦辭說：「困，亨，貞，大人吉，无咎，有言不信。」這是說，對於處在困境中的人而言，固然有志難伸，但若能固守正道，則含藏脫困致通之道。然而，唯有大德之人處窮困之時，才能進德修業不輟，以靜待天命，必吉方能无咎。至於小人遭困，常為求脫困於一時，而偏離正道無所不用其極，反使自己困上加困。這就是「君子固窮，小人窮斯濫矣」的道理。而大凡處困境之人，其所持見解特難取信於人。因此，君子處窮困之時，應靜默自持，時然後言。

筆著去年請纓代表新黨在民進黨自認為是渠等台獨大本營的高雄地區參選，於困卦卦義深有體悟，乃以「大人」自許，謹以「有言不信」為鑑，不以高知名度而自滿，採用「方塊戰術」，將選區分成三十個小方塊用心經營，深入各社區，與當地民眾直接接觸；縱然遭受他人的污蔑與打擊，亦不改其志。終於擺脫重重圍困，在選戰中脫穎而出，順利高票當選。

再以最近台灣政壇上的熱門話題「大和解」為例，從「同人卦」也可以得到很好的啟示。同人卦（䷌）由離卦（☲）與乾卦（☰）組成。乾天在上，離火在下，而火性炎上，比喻火與天相和同，故「同人卦」有和同於人、不與人爭之意。與人相和同，必須做到卦辭所說的「同人于野」，意指與極郊野偏遠地區的人相和同，既然能與遠處的人相和同，更何況與左右鄰近的人呢？「野」字，本指地理上的郊野，我們也可將其引申為在意見光譜上的郊野，或政治立場上與己方南轅北轍的郊野。在政治上，只有培養寬容異己的雅量，理性的論辯才有可能，政策品質的提昇也才有希望。

「同人卦」的道理也可以應用於海峽兩岸的統獨問題。中共當局應該體認，台獨份子也是中國人，武力非但不能解決問題，反將使問題更加嚴重。台灣自一八九五年因馬關條約割讓給日本以來，至今一百年間，只有四年與大陸維持形式上的統一（一九四五－一九四九）。長達九十六年的分離，怎可能沒有「獨」的力量？就如中國大陸乃社會主義國度，豈能沒有「左」的力量？鄧小平為使改革開放在和平穩定的環境中進行，既可「防左而不反左」，為何不能以最大的智慧與耐心化解台獨問題，亦即「防獨而不反獨」？

其實，「防左而不反左」或「防獨而不反獨」的立場也和「夬卦」的道理相通。夬卦（䷪）由下面五個陽爻及最上面一個陰爻組成。從復卦（䷗）一陽始生於下開始，陽爻往上遞增，逼使陰爻遞減。這種陽長陰消之勢以事為喻，代表君子道長，小人道消。到夬卦時，陽爻已盛長至第五位，即將把上六－即最上位的陰爻－決除掉。然而夬卦告誡君子，即使處於絕對優勢，勝券在握，也不可急於決除對方。君子反而更需耐著性子，靜伺時機，讓上六小人認清局面，知難而退。因為從夬卦的卦義來看，夬卦由乾卦（☰）與兌卦（☱）組成；乾為健，兌為悅，夬卦講的就是「健而悅，決而和」的道理：也就是決除小人的最高境界，是當君子處於穩贏的優勢時，如何謀求和平決除小人，而兩不相傷。這種以柔濟剛，維持恆久和諧的精神，正是《周易》的終極追求。一般人多認為《周易》的「太極思維」是一種強調陰陽對立轉化的思維模式。其實，《周易》中任何的對立轉化，其最終目的都為達成一種持久的、且隨時適變的和諧狀態。這種「太和」、「中和」的思想才是中國文化的精髓所在。

即使就現代男女關係而言，「歸妹卦」也傳神地詮釋了箇中道理。古代稱女子嫁人為「歸」，少女為「妹」，所以「歸妹」就是少女出嫁的意思。歸妹卦（䷵）由兌（☱）、震（☳）兩卦組成。從人事來看，兌為少女，震為長男。一般而言，少女多嬌生慣養，不如長女懂事，能替媽媽扶老恤幼。少女配長男畢竟不如長女配長男來得恰當。歸妹卦的卦義是指少女主動在先，男方尚未提親，女方就急於出嫁，有失婚姻的禮節。誠如卦辭所說：「征凶，无攸利。」其實，無論社會多麼進步，女性還是必須維持適度的矜持，以免因失禮反常而自取其辱。男女交往之初，如果女方主動追求男方，一旦感情生變，女方往往難免吃虧受辱。歸妹卦是以「歸妹」的例子作為出發點，強調合禮守分的觀念。

改革創新當適可而止

由此可見，透過適當的重新詮釋，《周易》將呈現出另一種新面貌。身為現代的中國人，只要有心學習，假以時日，定能一窺其中堂奧而受益終生。以下筆者擬探討如何讓《周易》成為推動中國全方位現代化的原動力。

在現代化的過程中，西方國家的某些制度固然值得我們仿效。但是，在引進新制度之前，總要先做比較研究，確定某一套制度是在哪種特殊的歷史背景及特定的政治、經濟、社會條件之下，用來解決哪些問題。更重要的是，必須試圖從傳統文化中可資戒鑑者，賦予新意，以為創建該項制度的原動力。畢竟一項制度的建立，必先培養能與該項制度相契合的意識與精神，該項制度才能穩固而長久。

現代化是一場全面的改造工程，其輕重緩急究應如何拿捏？《周易》的「革卦」（䷰）就是談論革命之道，值得參考。革卦由離卦（☲）與兑卦（☱）組成。離是火，兑是澤，離火在下而炎上，兑澤在上而潤下。火燒得太過強烈，則澤水乾涸；澤水滿溢而潰決，則離火熄滅。澤與火，兩不相容，有相革之象。革卦卦辭說：「已日乃孚，元亨，利貞，悔亡。」革命的意義在於除舊布新。而人性多安於現狀，惡於變革，必得非革不可才革，切忌輕言變革。當世局敗壞已極，不革則無以救亡圖存，此時倡議革命，乃所以除弊亂而致祥和。唯當已革之日，弊已除，亂已止，大家才會信服。因此，革命含有元亨大通的道理。從事變革一定要固守正道，革而至當，其悔乃亡。

此外，革卦上六爻爻辭說：「君子豹變，小人革面，征凶，居貞吉。」這裡「君子」是指有德、有才、有位、有錢的人，「小人」反是。上六是革卦最上一爻，處革之終，革道已成。有地位、有名望、有資產的人本不會輕易附和革命，此乃人情之常。及新政權成立後，這些知名人士、意見領袖或大企業家馬上從革而變，大幅調整自己對革命政權的態度，有如豹之換毛一般清晰可見。至於一般老百姓則因為昏愚無知，平日不甚關心政治，只能隨波逐流，革其面，轉其向，順從新政權。這原本已經足夠，如果新政權還不知足，認為一般老百姓只是外表裝著順從，骨子裡頭卻是機會主義，從而還要深而治之，予以進行思想改造，則「征凶」。爻辭告訴我們，此時應貞固自守，確保革命成果，並儘快將革命時的號召一一落實，才能得吉。毛澤東就是不知革命應適可而止的道理，才犯了「不斷革命」的錯誤，而導致文革悲劇。

陸、現代化的國家理想

康德界定「國家」為「一群人生活在法律規範下的生活共同體」。要建立現代化的國家，就應先培養具有獨立精神氣象的現代國民。每一位國民獨立自主，國家自然獨立自主。而獨立自主的國民則以能自由決定其意志與行為為表徵。因此，現代化國家莫不以保障並實現每個國民「人格的自由、自律與自主」為其存在理據。每個國民亦不得濫用其自由，從而妨害他人之自由，甚或破壞國家的基本秩序。

易言之，國家存在的理據在於保障共同體中每一位國民「人格的自由、自律與自主」。國民就其服從法律而言，似與「自律」的要求相悖，而成為「被統治者」或「他律」。然而從法律乃是經由全體國民定期改選的代表依多數決原則所制訂。國民服從法律，其實就是間接服從他們自己本人的意志。如此，個體與集體、自由與法治、自律與他律等矛盾均得以化解。現代化的國家莫不透過法律形塑出國家基本秩序，藉以規範個體、集體與國家之間的關係。

國家基本秩序可概括分為三種秩序：首先是涉及權力分配的政治秩序，其次是涉及財富分配的社經秩序，最後是涉及價值創造的文化秩序。

蠱卦與「法治國」

在政治秩序上，現代化的目標要求建立「法治國」。所謂「法治國」（**Rechtsstaat**）就是要建立能夠保障每個國民「人格的自由、自律與自主」免於受到國家公權力恣意侵犯的政治秩序。「蠱卦」卦辭所說的「先甲三日，後甲三日」正與「法治國」的理想相呼應。蠱卦（䷑）是由艮（☶）、巽（☴）兩卦組成。巽為巽順，艮為靜止。巽卦在下，代表在下的臣民唯唯諾諾，巽順聽命。艮卦在上，代表在上的君王靜止不動，不思有所作為。上、下一片苟且媮安之象，時日一久，必定出現蠱亂。當蠱亂已成之際，必須大有作為，頒行新政令，以便大事整頓，所以卦辭說：「利涉大川」。至於「先甲三日，後甲三日」則涉及古代的曆法。古代以天干計日，新政令均選於甲日施行，象徵新的開端。所謂「先甲三日」，是指甲日的前三天，即辛日，「辛」與「新」同音假借，取其「改新」之意。新政令要實施的前三天，一定要預先公告週知，切忌不教而殺，這就體現了「仁道」的精神。所謂「後甲三日」，是指甲日的後三天，即丁日，「丁」與「叮」同音假借，取其「叮嚀」之意。新政令剛施行，若有人因不諳新政令而犯禁，也不要急於繩之以法，而應予以叮嚀告誡，這就彰顯了「恕道」的精神。

依照「法治國」的基本原則，任何行政機關要頒行新的行政命令前，應舉行聽證程序，邀請與該命令的施行有利害關係的團體代表或專家學者陳述意見，這對建立「法權意識」（Rechtsbewusstsein）與公權力的威信有很大的幫助。而新政令公告後也常有一段「緩衝期」，讓大家來調適。蠱卦卦辭的「先甲三日，後甲三日」標舉出仁道與恕道的精神，正與現代「法治國」的基本原則互相輝映。

損卦與「社會國」

在社經秩序上，現代化的目標要求建立「社會國」。所謂「社會國」（Sozialstaat）就是要建立能夠保障每個國民——尤其是工業革命後所產生的大量經濟上或社會上弱者——「人格的自由、自律與自主」免於受到資本經濟力恣意侵犯的社經秩序。建立一套以「助其自助」、「社會連帶」、「跨代契約」等原則為基礎的社會保障制度，乃是社會國的目標。因為在工業社會，核心家庭已無法扮演傳統農業社會中大家庭成員之間互通有無、風險分攤等社會保障的功能，所以有賴於重建一套新的社會保障制度，以協助社會中的成員自立自主或與其他社會成員互助協力解決生活困境。《周易》的「損卦」最足以詮釋社會保障制度的真意。

損卦（䷨）是兌卦（☱）在下、艮卦（☶）在上。兌是澤，艮是山。山下有澤，山上的土石剝落，從而壅塞了湖澤，所以山不再如以往之高，湖澤亦不再如以往之深。對山而言是損，對澤而言也是損。但減損本是拂逆人情之事，倘若有過與不及，或不當其時，必招致紛爭不斷和抱怨連連。因此，處「損」之道，一定要心存至誠、固守正道，損有餘以補不足，當損則損，不當損則不損，損道才能正固長久。社會保障制度必須符合「損有餘以補不足」，亦即「損過以就中」的原則，讓位居經濟強勢的族群分攤照顧老弱貧病的責任，才能實現公平與正義的要求，從而促進社會的和諧與進步。

蒙卦與「文化國」

在文化秩序上，現代化的目標要求建立「文化國」。所謂「文化國」（Kulturstaat）就是要建立能夠從旁協助每個國民充分發展其「人格的自由、自律與自主」的文化秩序。法治國與社會國是要保障每位國民「人格的自由、自律與自主」能免於外力（公權力或資本經濟力）的侵犯；文化國則是積極地要讓每位國民的內在才分得以充分地發展。

周易中的「蒙卦」頗能代表文化國的理念。蒙卦（䷃）是由下坎（☵）上艮

(☶)兩卦組成。坎為流水，艮為山，蒙卦象徵泉水源源不絕從山壁湧出，不知流歸何方。就像生物初生之時，蒙昧無知，需要滋養和啟發，才能成長茁壯。蒙卦卦辭說：「蒙，亨，匪我求童蒙，童蒙求我。」意指象徵老師的九二爻，以陽剛中正之才，行時中之教，能把握時機，因材施教。象徵童蒙的六五爻，以柔順中正之德，與九二相呼應，能虛心受教，是以才德日益精進，所以卦辭說「亨」。至於「匪我求童蒙，童蒙求我」，則是說，不是我求童蒙來學習，而是童蒙來求教於我。文化國的理想是充分尊重每位國民「人格的自由、自律與自主」，決不主動干預其價值創造方向，但應從旁提供必要的協助。就如孔子所說「不憤不啟，不悱不發」，乃是指學生必須自願發憤求學，老師才從旁予以開導。在「文化國」的理念中，國家應謹守分寸，尊重國民自主的價值創造意識，不宜過度介入文化生活領域。

以上這三個現代化的國家理想是三位一體、不可分割的。一個沒有法治國的社會國，那將是官倒橫行的共貧社會；一個沒有法治國的文化國，那文化政策將淪為鞏固政權的工具。一個沒有社會國的法治國，那將是強凌弱、貧富懸殊的社會；一個沒有社會國的文化國，那文化活動將成為有錢、有閒階級的奢侈品。沒有文化國的法治國或社會國，那將是一個沒有理想的國度。我們要完成全方位的國家現代化理想，必須將法治國、社會國與文化國的理想畢其功於一役。

柒、結論

自鴉片戰爭以來，傳統文化與現代化的關係，一直是為中國找出路的知識份子必須面對的嚴肅課題。《周易》蠱卦的六五爻對於這個問題提供了最好的解答。蠱卦六五爻爻辭說：「幹父之蠱，用譽。」蠱亂非一日之積，必世而後見，所以蠱卦各爻都舉親子關係說明治蠱之道。一般而言，兒子若獲有整治蠱事的美名，則親長多揹負造成蠱亂的惡名。整治蠱事若能無損於親長的名聲，善繼父親的善德，善用父親的美譽，如此子承父德，用譽以治蠱，正是治蠱之最善者。

引申到今日中國現代化的問題來說，身為炎黃子孫的我們必須懂得「子承父德用譽以治蠱」的道理。我們必須重新瞭解歷史傳統，確認中國人的智慧。我們的祖先在古代既能隨著不同的歷史與社會條件，造創令人讚嘆的良法美制。我們沒理由不相信，身為子孫的我們也同樣可以順應時代的需求，成功地完成現代化的艱鉅工程。傳統與現代化的關係猶如老幹與新枝的關係。只有正視傳統，對傳統負責，現代化才能成功。不明就裡，盲目指責傳統，歸罪祖先，是敗家子的行徑。因為一個對過去不珍惜的民族，如何規劃未來的理想與目標？拋棄了傳統，喪失了文化主體意識，則任何創造的發生，都將是偶然的，更不可能開創出恆久的未來。如何劍及履及地在傳統文化中抽取固有質素，賦予新的詮釋，以重建文化主體意識，是當代關心中國現代化的人士責無旁貸的重任。

作為傳統文化大根大本的《周易》正是重建文化主體意識的基礎。但是，面對現代化的挑戰，《周易》亟需重新詮釋，賦予新意，而後才能重獲新生力量。惟有自《周易》的現代化著手，立大根大本於傳統，重建文化主體意識，推動思想再啟蒙運動，中國才能跨出貧窮與落後，跨出一百五十多年來的屈辱，從而完成全方位的現代化，讓中國有尊嚴地與其他文化系統平等交流，進而豐富全人類的生活內涵。

（《哲學雜誌》一九九六年四月號）

再論「文化主體意識的重建」

——「心靈改造」與「精神文明建設」的文化基礎

海峽兩岸由於經濟的快速發展，分別呈現出人欲橫流、自私暴戾的病徵。大陸於是積極推動「精神文明建設」，以補物質文明之不足；台灣當局則刻意提倡「心靈改革」，以糾正消費主義社會中唯利是圖的傾向。朱高正認爲，這些亂象的根本解決，必須從「重建文化主體意識」著手。

早於一九九〇年五月四日，朱高正即曾以「文化主體意識的重建」爲題，在台灣大學發表演說，針對「五四」以來普遍存在於我國當代菁英階層的文化意識，提出綱領性的批判。

本文承襲九〇年之作，進一步將文化主體意識的重建與中國現代化事業相連繫。指出今天中國要完成全方位的現代化，應發動一場適合中國國情的啟蒙運動。鼓勵每個人運用自己的理性，培養獨立自主的人格。

面對二十一世紀的挑戰，朱高正不假外求，以立基於傳統優秀文化的「社會自由主義」，爲中國的現代化事業開闢出一條切實可行的途徑。「社會自由主義」追求人格的獨立自主，調合社會主義與自由主義的矛盾而取兩者之長，不啻爲重建文化主體意識之張本，更是確保「社會主義市場經濟制度」有效施行的不二法門。

壹、導　言

一八四〇年的鴉片戰爭是中國現代史的原點。傳統的、農業的中國面臨經過工業革命洗禮的西方帝國主義的強力挑戰。自此之後，內憂外患紛至沓來，中華民族蒙受了前所未有的屈辱與苦難，民族的自信心與自尊心淪喪殆盡，對傳統文化由失望、質疑以至徹底的否定，對西方各種主義（isms）則幾乎毫不加選擇地引入，眾說紛紜，莫衷一是。一方面將西方過度美化，彷彿西方即是我們未來的理想。另一方面則與傳統割裂，茫然無根，「文化主體意識」蕩然無存。

各個社會階層出現信仰危機

二戰以後，台灣回歸祖國的懷抱，一九四九年政府遷台後，一面排日並打壓本土文化，大肆鼓吹「國字號」文化，另一方面卻又淪為美國文化的附庸，崇洋媚外。自八十年代末民主化運動風起雲湧，中國傳統文化隨著「國字號」文化成為前衛人士批判的對象。到處刮起本土風，日本帝國主義的軍歌也挾雜在本土化運動中若隱若現。

有意無意地污衊傳統文化，刻意割裂本土文化與傳統文化的臍帶關係，在在令識者扼腕！

而一九四九年中共建政之初，遭到以美國為首的西方工業先進國家的牴制，彼此間的文化交流幾近中斷。六〇年代中、蘇共交惡，致雙方各項交流合作項目被迫中止。十年文革期間則形同閉關自守，雖然維護了主權的獨立，但封閉的心態也阻礙了中國現代化的進程，非但對西方的認知流於片面與淺薄，對傳統的無知與輕蔑亦斷絕了任何理性的反省與批判。直到一九七八年推行改革開放政策以後，才逐漸全方位地與國際接軌。然而，令人憂心的是，一股崇洋的風潮逐漸蔓延開來，用洋貨、學洋文、送子女出國成了普遍的時尚，而民族的的自豪感反未見伸張。市場經濟的推行，使原有的社會結構和思維習慣、價值觀念遭到強烈的衝擊，馬列主義定於一尊的地位急遽下降，而中國傳統文化又在文革「破四舊」浪潮中遭到致命的打擊，整個社會的價值觀念頓失憑據，各個社會階層均已出現信仰危機。

立足於傳統文化的超越與創新

海峽兩岸在原有威權瓦解，人的欲望獲得解放的情形下，拜金主義、享樂主義、消費主義席捲了人們的心靈，在在阻礙中國邁向一個現代化的社會。要解決這些複雜的問題，不能只停留在政治、經濟、社會層面來考慮；要正本清源非從文化層面著手不可。台灣當局刻正提倡「心靈改造」，而大陸也積極推動「精神文明建設」。其實，這個亂象的根本解決，只有從重建「文化主體意識」著手一途。

「文化主體意識」乃是指一個民族自覺到其所擁有的歷史傳統為其所獨有的，並對此歷史傳統不斷做有意識的省察，優越之處則發揚光大，不足之處則奮力加強，缺失之處則力求改進。因而對自己的民族文化重新予以認識，從而接受傳統、承認傳統為我們所自有、獨有、固有的，進而批判傳統、超越傳統，從而創新傳統。易言之，我們絕不僅僅是五千年傳統文化的繼承者而已，我們更肩負著檢討、批判、創新傳統的責任；我們不只是被動地、無意識地承襲傳統文化的「客體」而已，我們更是重新評價傳統文化，進而開創新文化的「主體」！如此的傳統才是活的傳統，如此立足於傳統文化的超越與創新，才是真正的文化自由創造！

筆者曾於一九九〇年為紀念「五四運動」，應邀赴台灣大學就「文化主體意識的重建」發表專題演講。文中對「五四」以來普遍存在於我國當代菁英階層的文化意識提出綱領性的批判。今擬就兩岸甚為關心的「心靈改造」與「精神文明建設」問題，再論「文化主體意識的重建」，希望能為跨世紀的國家現代化事業盡一點棉薄之力。

貳、以思想「再啟蒙運動」推動文化主體意識的重建

一個具有文化主體意識的民族，知道面臨問題時，如何衡量客觀的條件和主觀的能力，知道審時度勢，深入大環境，而後將問題加以解決。百餘年來，我們的文化主體意識淪喪殆盡，對傳統失去了回顧與反省的能力，以致面臨問題時，不知何所適從，遑遑如喪家之犬。須知追求現代化不能脫離傳統；全世界沒有一個國家可以徹底否定自己文化傳統，而能完成現代化的。由此可見，文化主體意識的重建，不僅決定了兩岸經濟與政治改革的成敗，更決定了中國全方位現代化的目標能否達成。為喚醒全民族有意識地接受、有意識地承認我們所獨有的傳統文化，以重建文化主體意識，就必須推動一場「思想再啟蒙」運動。

西歐經由啓蒙運動進入近現代社會

其實「啟蒙運動」是歐陸文化史上最活潑、最具衝擊力的知識份子自覺運動。它針對當時的社會、文化進行全面的反省與批評，影響所及，扭轉了整個歷史發展的軌跡，歐洲正是經由啟蒙運動而進入近現代社會。因此，今天中國要完成全方位的現代化，也亟需一場適合中國國情的啟蒙運動。

十八世紀的歐洲雖然已掙脫出神權政治的中世紀達三百年之久，也已受過文藝復興、人文主義及宗教改革的洗禮，但基本上，仍只是停留在整理古希臘、羅馬文化的階段以及局部性地承認信仰自由而已。個人在整個社會中的地位微不足道，貴族及高僧是天生的統治者，他們可以不識之無，卻仍然安居統治階級。反之，這些以哲學家自許的啟蒙運動人物，雖然學富五車，卻得聽命於不學無術的貴族及高僧。就在啟蒙運動的大洪流中，他們發現了「理性」的偉大，中國不就是活生生的一個例子嗎？沒有教會、沒有貴族階級的中國之所以發展出那麼典雅的禮俗文物、典章制度，有那麼大的廣土眾民，有如此悠遠的歷史傳承、傑出的科學成就，就是因為中國的古聖先賢很早就把理性運用到政治、社會、人事各方面。

沒有中國的榜樣就沒有啓蒙運動

其實，自馬可波羅以迄十七、八世紀，中國一直是歐洲各國艷羨倣效的對象。歐陸大哲學家和數學家萊布尼茨（Leibniz, 1646—1716）。一生即對中國文化推崇備至。萊布尼茨正是在一七〇三年研讀伏羲六十四卦方圓圖之後，才有信心將其論文〈關於僅用零與一兩個記號的二進制算術的說明並附有其效用及關於據此解釋古代中國伏羲圖的探討〉發表。萊布尼茨發現，以零代「- -」（陰），以一代「—」（陽），則乾卦（䷀）之值為六十三（$1\times2^5+1\times2^4+1\times2^3+1\times2^2+1\times2^1+1\times2^0=63$），坤卦（䷁）之值為零（$0\times2^5+0\times2^4+0\times2^3+0\times2^2+0\times2^1+0\times2^0=0$），井卦（䷯）之值為二十六（$0\times2^5+1\times2^4+1\times2^3+0\times2^2+1\times2^1+0\times2^0=26$），六十四卦之值剛好對應從零到六十三。而二進位算術就是今日電腦的理論基礎。

萊布尼茨最尊敬的統治者也是當時中國的康熙皇帝（在位期間一六六二——一七二二）。康熙皇帝不但精通當時由耶穌會傳教士帶來的西方科技，如天文、數學，也親自編寫數學著作《數理精蘊》；其對傳統文化的承續與發揚更是不遺餘力。康熙五十二年，他親自指派福建出身的大學士李光地編纂《周易折中》，總結了歷朝以來的易說。

康熙五十三年，他有感於朱熹「集大成而緒千百年之絕學，開愚蒙而立億萬世一定之規」的偉大貢獻，下詔升朱熹配祀孔廟「十哲」之列，朱熹的牌位從孔廟東廡移入了大成殿。而萊布尼茨本人也對數學與易學的發展做出了重大的貢獻，如發明微積分及發展易學的數理研究，難怪其言及康熙皇帝時，常流露出一份孺慕之情。萊布尼茨做為歐陸理性主義的宗師，最推崇中國文化，受朱熹理學的影響甚深，尤其讚揚中國在實踐哲學上的表現，對後來的啟蒙運動產生了深遠的影響。易言之，沒有中國的榜樣，就沒有以理性為主導的啟蒙運動。

十八世紀初，哈勒大學已成為啟蒙運動的重鎮。被公認為萊布尼茨傳人，也是啟蒙運動健將的吳爾夫（Christian Wolff, 1679—1754）於一七二一年出任哈勒大學校長的就職演說中，坦承他的道德哲學基本上和中國的孔子是一樣的。他盛讚中國雖然不是基督教國家，卻擁有極為良好的社會禮俗及典章制度。這個見解和當時歐洲人的歷史經驗大相逕庭。蓋希臘、羅馬以外的歐洲人皈依基督教以前野蠻無文，因此，認為任何尚未皈依教會的地域也都是野蠻無文。吳爾夫則認為這種推論是昧於事實的，他認為沒有教會的中國之所以能發展出如此高的文明，均拜孔子之賜。因為孔子提倡理智的人生態度，擺脫迷信的羈絆，「不語怪力亂神」，處處「克己復禮」。可見

「理性」除了在理論上可以發現、認識真理外，在實踐上也可以建立放諸四海而皆準的社會禮俗與典章制度。這與是否皈依基督教毫無關係。這種大膽的見解自然觸怒了當權的教會，因此被迫離開在哈勒的教職。三年後，才又回到哈勒，建立了徹頭徹尾的理性主義，以「理性」為人的本質，認為經由理性，一切的弊端均可掃除，經由理性，人類社會可以不斷進步，以至於完美無缺。

康德——啓蒙運動的哲學家

一七八九年的法國大革命標幟著啟蒙運動的頂峰。普魯士哲學家康德（Immanuel Kant, 1724—1804）則總結了法國大革命前夕哲學思想的成就。康德的老師克努臣（Martin Knutzen, 1713—1751）是吳爾夫的學生，而康德在大學裡講授倫理學與法權哲學時所選用的教科書的作者——主要是包姆加頓（Alexander Gottlieb Baumgarten, 1714—1762）與阿亨瓦（Gottfried Achenwall, 1719—1772）——多是吳爾夫的學生。萊布尼茨與吳爾夫均對中國文化推崇不已。由此可見，康德也深受中國文化的薰陶與啟迪，難怪長久以來康德被稱為「哥尼斯堡的中國人」。也正因如此，才得以成就其宏偉莊嚴的哲學體系。

《開放的社會及其敵人》的作者卡爾．波帕（Karl Popper）於一九五四年，為紀念康德逝世一百五十週年，應英國國家廣播電台（BBC）之邀，發表專題演講，題為「康德——啟蒙運動的哲學家」，將康德定位為啟蒙運動的導師。康德在《何謂啟蒙運動》（Was ist Aufklaerung）一書中將「啟蒙」界定為「一個人要從歸咎於自己的未成年狀態中走出來」。所謂「未成年狀態」乃是指若無第三者從旁指導，就無法運用自己理性的狀態。至於哪一種未成年狀態是該「歸咎於自己」呢？康德說，不是因為他心智尚未成熟，而是因為他缺乏決心、勇氣和擔當，致不敢獨立運用自己的理性。所以康德認為，啟蒙就是要求每一個人公開地運用自己的理性。每個人針對任何可以公開評論的事物，把自己內心的看法、想法講出來，讓別人可針對你的看法提出評論。相對地，你也可針對別人對你的看法的評論，再予以公開評論，這樣就形成了一個公開討論的情境，社會也就逐漸走向開放體系。

反觀日本在明治維新時期，也出現了一位被尊稱為「現代日本教育之父」的啟蒙思想家福澤諭吉，他也是現在日本慶應大學的前身慶應義塾的創辦人。福澤諭吉一方面引介西方思想，一方面竭力呼籲：要把日本建設成一個現代化的國家，其先決條件就是要培養現代化的國民，而現代化國民的特質就顯現在具有獨立精神氣象的人格之上。有獨立自主的國民，方有獨立自主的國家。福澤氏的思想促成了明治維新，對往後日本的現代化發揮了重大的影響。

五四運動與文革

在近現代的中國，以知識份子為主的五四運動，在某種意義上，本也可說是一個啟蒙運動，然而其最大的不幸，就是號召「打倒孔家店」，從根全盤否定了中國自己的文化。到了十年文革期間，更全面而徹底地打擊傳統優秀文化。這使得原本立意良善、有除舊佈新的、進步意義的五四運動和文革，反過頭來阻礙了中國現代化的事業。

康德曾說：「經由革命固然可以推翻個人的專恣、暴虐，但新的成見取代舊有的成見，會繼續宰控大眾。真正的改革是思維方式的改變。」盲目的激情並不足以成事；惟有透過理性的反省與批判，立足於傳統，超越與創新才有可能。

參、培養具有獨立自主人格的國民是重建「文化主體意識」的前提

「思想再啟蒙」運動的目標即是鼓勵每個人勇於運用自己的理性，亦即席勒（Schiller）所言：「敢於認識！」（Sapere aude）惟有發揮啟蒙的精神，勇於運用理性，拒絕做個性與慣性的奴隸，才有獨立自主的人格。換言之，建立具有獨立自主人格的國民，是重建文化主體意識的前提，也是「思想再啟蒙」運動的核心。

人格的自由、自律與自主

獨立自主的人格則彰顯在人格的自由、自律與自主之上，有關這個問題，在哲學史上康德探討得最為深刻，他在其晚年名著，即一七九七年出版的《道德形上學》中，將「自由」界定為「人可以獨立於一切經驗因素的制約，而讓純粹理性的要求成為實踐的能力」。經驗因素的制約指的是一般經驗法則的規制，如好逸惡勞、趨福避禍、貪生怕死等社會心理法則。人雖然會受到這些經驗法則的「影響」，卻不見得因而受其「決定」。人之所以有價值，在於人有自由意志，人不但可以認識經驗法則、運用經驗法則，尤其可貴的是，人也可以悖逆經驗法則來定其行止。亦即人可以超越經驗上的限制，擺脫外在誘惑或內心欲念的制約，而使純理的要求——不單單停留在

「理論的層次」——腳踏實地成為指導我們立意與行為的最高原則。易言之，由於人是有理性的，因此人的意志是自由的，所以人可以決定自己的行為，成為自己行為的立法者，這就是「自律」的意義。而因為人可以規定自己的行為，因此，人也該為自己的行為負責，這種自我負責的精神，正是人具有主體性的表徵。而人性尊嚴也在意志自由裡表露無遺。

舉例而言，某甲在人潮滾滾的路上撿到十萬元時，眾目睽睽逼得某甲只有將這十萬元送交派出所。雖說拾金不昧，但卻是外在條件決定了某甲的行為，故其行為並無道德價值可言。假若這十萬元掉在空無一人的荒野上，縱然將其據為己有，亦無人知曉，但某甲卻毅然決然地將這筆錢交給派出所，因為理性要求：「己所不欲，勿施於人」，非我所有者，即不應占為己有。道德價值就在這服膺理性的要求上顯現，這也就是自由。再假設當某甲在茫茫荒野撿到十萬塊時，其親人正患重病，亟需這筆款項；或者剛好失主對某甲積欠鉅額債務，遲遲不還。然而某甲仍然把這筆錢送交派出所，如此，尤見其道德價值之高。由此可見，當私慾愈強而能加以克制者，或者外在的誘惑力愈強卻能有所不為者，其道德價值就愈高，也愈能凸顯人的主體性。

「自由」是一切權利的根源

「自由」理念的嚴謹論證固由康德所完成；然而，早在二千五百年前，孔子就説過「三軍可奪帥也，匹夫不可奪志也」，簡潔地表達出「自由」的精蘊。後來被孟子闡發為：「生亦我所欲也，義亦我所欲也，二者不可得兼，舍生而取義者也」，視實現價值理念比人的自然生命更為可貴。到了宋代，儒家學者推出「理欲之辨」。朱熹（一一三〇—一二〇〇）倡導「克制一己之私欲，回復天理之本然」。王陽明（一四七二—一五二八）則主張「存乎天理之極，而無一毫人欲之私」。朱子與陽明先生做為傳統儒學的兩大流派——理學與心學——的宗師，於此並無異見，與前述康德對「自由」的定義若合符節，但前者遠比康德早了六百年，後者亦早了二百多年。他們所追求的「天理」，包涵孔孟所提倡的人格自主和自律在內，「自由」精神毋寧是傳統儒家的基本信念。

「自由」彰顯了「人為絕對的道德主體」這個命題，也説明了人有能力超越一切的經驗法則，而成為自己的主人，做自己行為的立法者。但誠如康德所言，自由必然有其自己的律則，沒有律則的自由比惡魔更可怕。任何人不得濫用其自由，任何法律也不應使根源於人性的自由要求成為不可能。自由的外部運用必然要求承認每個人有其不可讓渡的「自然權利」（natural right），每個人都是「絕對的權利主體」（absolutes Rechtssubjekt）。任何公權力皆有尊重並捍衛這個——與人性尊嚴密不可分的——「自然權利」的義務。這些「自然權利」當然包括「世界人權宣言」中所宣示的權利。

大陸在建立「社會主義市場經濟制度」的同時，個人的逐利心與情慾無可避免地被挑動起來，其實這也意味著激發起個人的積極性與原創力。為了確保「社會主義市場經濟制度」的健全運作，除了過去強調個人對社會、對國家的義務之餘，更應加強建立現代法律制度來保障每個人的「自然權利」，也才能真正培養出有尊嚴而守法紀的現代國民。

肆、社會自由主義調和自由主義與社會主義

台灣在民主化的過程中，尤應避免弱肉強食的情況出現。過去長期遭到犧牲的農民與勞工應妥為照顧，對受薪階級難以購得自用住宅問題應及早解決，對弱勢族群尤應提供必要的保障。

長期以來，人們多把社會主義與自由主義視為互相排斥的思想流派。其實，社會主義所批評的自由主義只是「與個人主義或資本主義相結合的自由主義」。而自由主義批評社會主義，亦並非全然否定社會正義和平等理念。至少康德發展出來的思想體系與社會主義不但不對立，且可相互輝映。十九世紀下半葉，也有一批康德學者投入社會主義運動的洪流裡，其中以福連德（Karl Vorlaender, 1860—1928）與阿德勒（Max Adler, 1873—1937）兩人最為著名，他們發表了一系列的專門著作，闡述社會主義思想與康德哲學的聯繫。相反地，共產主義領袖中，受康德感召者亦不在少數，其中以柏恩斯坦（Eduard Bernstein, 1850—1932）最為有名。何以康德哲學會出現社會主義，這根本上與十九世紀中葉以來激烈的工業革命所帶來的社會問題分不開。易言之，將康德批判哲學用來解決工業革命所帶來的不公、不平、強凌弱、大欺小的社會問題，就自然而然形成「社會自由主義」（Sozialistischer Liberalismus）。兼含「自由」與「平等」兩大理念的「社會自由主義」正好可以調和自由主義和社會主義。以社會主義修正自由主義的弊端，以自由主義補足社會主義的缺失。

「互為主體性」是「社會連帶」的基礎

「社會自由主義」追求「人格的自由、自律與自主」。但人也是一定社會條件下的人，個人無法脫離社會網絡而獨自存在。人只有在社會生活中與別人交往，才能發展出獨立自主的人格。所以，人在建立自己主體性的同時，亦必須承認他人的主體性，此即「互為主體性」（Intersubjektivitaet）。「互為主體性」的概念，在中國傳統思想中，正是和儒家思想重心的「仁」意義相通。二人為仁，仁就是討論個人與其他人之間的關係。曾子說：「夫子之道，忠恕而已矣。」盡己之謂忠，恕則是推己及人，推己及人正是「互為主體性」之意。

這種「互為主體性」的概念正是「社會連帶」（Soziale Solidaritaet）的基礎。社會連帶即是「團結」，也就是意謂著「人」與「人」之間、「團體」與「團體」之間、「階層」與「階層」之間的互助，也意謂著「世代」與「世代」之間、「文化」與「文化」之間的相連帶。在中國傳統文化中，所謂「上天有好生之德」的天道觀，和「不患寡而患不均」、「損有餘以補不足」、「裒多益寡」，「稱物平施」等思想，其實就是「社會連帶」觀念的古代版。

「社會自由主義」合於中庸之道

在此筆者要再度強調的是，「社會自由主義」絕非舶來品，相反的，是中國古已有之的寶貴精神遺產。中國是廣土眾民的大國，對不同的思想文化有著極大的包容力，這是中國文化與西方最大不同之處。舉例來說：在西方，「有神論」和「無神論」間的爭議綿延數千年而不絕，甚至從「有神論」發展為「一神論」，持「一神論」之見的不同教派勢不相容，終於演成慘烈的宗教戰爭。在中國，「無神論」與「有神論」的爭論，自從南北朝以來，釋、儒、道之間雖迭有爭論，但卻能保持開放的體系，相互寬容、相互吸收。禪學的出現意味佛學吸收了孟子與老莊的思想；道教練丹術的奠基者葛洪本身即為儒學大師；而新儒學更是明顯受到禪學的影響。釋、儒、道之間的爭論始終沒有演成宗教戰爭。此外，歷朝能臣的治國思想莫不兼採眾家學說之所長，而少有獨持一家之見者。這種兼容調和各家思想長處的「中道」思想，可說是中國文化史的一大特色。

其實，這種「中道」思想早就存在於中國人的心靈深處。孔子曾說：「君子之於天下也，無適也，無莫也，義之與比。」又說：「中庸之為德也，其至矣乎。」孟子也說：「子莫執中，執中為近之，執中無權，猶執一也，所惡執一者，為其賊道也，舉一廢百也。」這種「中道」思想可說是孔孟的中心思想。而中庸也說：「中也者，天下之大本也；和也者，天下之達道也。致中和，天地位焉，萬物育焉。」程頤特加以解釋：「不偏之謂中，不易之謂庸；中者天下之正道，庸者天下之定理。」依照中庸之道，古聖先賢向來不執一偏之見。而儒、道二家所共同尊奉的《易經》更將中道思想發揮得淋漓盡致。今日的「思想再啟蒙」運動所要求的「社會自由主義」正是淵源於這個中道傳統，調和了自由主義與社會主義，兼取兩者之長，而捨去兩者之短，化解了個人與集體之間的矛盾，調和私利與公益的衝突，為中國完成跨世紀的全方位現代化事業提供堅實的理論基礎。

中國原是世界上最文明的國家

緬懷歷史，直到十八世紀為止，中國仍是世界上最文明的國家。春秋戰國以來，即有私學，每個人經由自己的努力，布衣可以為卿相。歷來皇帝開科取士，即使門閥觀念最重的魏晉南北朝亦不會排除平民參政的管道。這一套文官制度，英國一直到十七世紀才間接由新加坡學得。中國雄據東亞大陸，自盤庚遷殷（西元前一三八四年）迄今已逾三千三百年，歷史未曾中斷。偌大之民族，繁衍不息，環顧古今中外，可謂絕無僅有，若非中國傳統文化有過人之處，擁有完備的典章制度，何以至此！

即使在明末清初因歐洲耶穌會傳教士來華傳教所帶動的中西文化交流之中，中國的禮俗文明與完備的典章制度仍極受歐洲知識界的推崇。只可惜清雍正帝因故禁止傳教士來華活動，中西文化交流因此中斷。經過一百多年的閉關自守，塑造了國民故步自封的偏頗心態。等到再度與西方接觸時，西方已經過啟蒙運動與工業革命的洗禮。面對西方列強的船堅砲利，中國毫無招架之力，原來唯我獨尊的天朝美夢徹底粉碎，民族的自信心與自尊心喪失殆盡，傳統文化遭受無情的污蔑與打擊。其實，近二百年來的政治菁英與知識菁英才應對近現代中國所蒙受的屈辱與苦難負起最大的責任。不明就裡，盲目指責傳統文化，歸罪祖先，乃是敗家子的行徑。今天唯有重新瞭解歷史傳統，確認中國人的智慧。我們的祖先在古代既能隨著不同的歷史與社會條件，迭創令人讚嘆的良法美制。我們沒理由不相信，身為子孫的我們也同樣可以順應時代的需求，成功地完成現代化的艱鉅工程。

伍、結　論

自鴉片戰爭以來，任何關心中國現代化的人士都必須針對以下兩個嚴肅的課題提出解決的策略：第一是如何解放國民生產力的問題，即工業化的問題，亦即如何讓市場經濟在中國發達起來的問題；第二則是在國民生產力解放之後，如何將創造出來的財富公平分配的問題，此即社會主義想要解決的問題。

一九四九年之後，台灣走市場經濟道路，中國大陸則實行社會主義。然而，台灣近年來的民主化，使得社會上的弱勢團體，如婦女、勞工、原住民等的地位漸受重視，社會安全支出逐年增加，即意味著台灣在社會政策上開始向左轉。而中共自一九七八年推行改革開放政策以來，揚棄左傾冒進路線，在經濟政策上開始向右轉。經過十四年的摸索與總結經驗，終於在一九九二年十四大決定建立「社會主義市場經濟制度」，打破了長期以來刻板的二分法——即將社會主義等同於計畫經濟，資本主義等同於市場經濟。兩岸的社會經濟政策漸漸有朝聯邦德國「社會市場經濟制度」匯流的趨勢，亦即朝「均富」或「共同富裕」的理想邁進。

但是，一項制度的建立，有賴與該項制度相配套的精神意識之支持，該制度才能穩固而長久。脫離了傳統，缺乏文化主體意識，任何創造的發生，都將是偶然，稍縱即逝。如何在傳統文化中抽取固有質素，賦予新意，以為「心靈改造」與「精神文明建設」提供文化基礎，以確保兩岸現有的經濟成就，乃當代各界菁英責無旁貸的重任！立基於中道傳統的「社會自由主義」正可做為中國邁向二十一世紀的意識型態理論基礎，也是重建文化主體意識的張本。我們需要「思想再啟蒙」運動，以喚醒全民族有意識地接受並承認五千年的傳統文化為我們所固有、所獨有，並進而認識傳統、批判傳統、超越而創新傳統。誠如《書經》所言：「苟日新，日日新，又日新。」惟有立大根大本於傳統，重建文化主體意識，滿懷自信，迎接挑戰，中國才能跨出貧窮與落後，跨出一百五十年來的屈辱，更跨進一個嶄新的時代，讓中國有尊嚴地與其他文化系統平等交流，進而豐富全人類的生活內涵。

精神文明建設的出路

——以「社會自由主義」重建新中國

在中國大陸生產力獲得解放後，精神文明建設的成敗便成爲完成中國全方位現代化事業的關鍵所在。面對中國大陸嚴重的信仰危機與社會問題，朱高正立足於中國傳統優秀文化，總結西方先進國家現代化的經驗與教訓，提出了結合人性尊嚴與社會連帶而極富務實精神與前瞻性的「社會自由主義」，俾爲中國大陸引進社會主義市場經濟制度後，進行精神文明建設找到一條切實可行的出路。

壹、導言

中共自一九七八年十一屆三中全會起推行改革開放政策，經過十四年的摸索與總結經驗，終於在一九九二年十四大決定建立「社會主義市場經濟制度」。這是鄧小平繼提出「有中國特色的社會主義」之後，在理論上的另一突破，打破了長期以來刻板的二分法——即將社會主義等同於計劃經濟，資本主義等同於市場經濟。當我們將「有中國特色的社會主義」界定為「在中國共產黨領導下，為提升綜合國力，增進人民福祉，以達成共同富裕的理想，而採行的廣為人民群眾所接受的政策的總稱」時，「社會主義市場經濟制度」也可以界定為「在中國共產黨領導下的社會市場經濟制度」。在聯邦德國行之有年的社會市場經濟制度反映在國家經濟政策上，乃要求維持一個平行四邊形，即除了經濟成長與物價穩定外，也兼顧充分就業與社會正義的維護，亦即堅持共同富裕的理想。

十多年來的改革開放，中國大陸的生產力獲得空前的解放，經濟保持高度成長。一九九六年中國大陸的國民生產毛額已突破八千億美元，成為世界前七大經濟體，而港、台、大陸的對外貿易總額也已超過日本，躍居僅次於美、德的全球第三大貿易國，一個新興的經濟大國已隱然在亞洲浮現。

精神文明建設是中國現代化事業的關鍵

然而，單是經濟成長並無法確保社會主義市場經濟的有效運行，沒有相應的社會保障體系、政治改革與精神文明建設，經濟改革的成果將很難確保。有關社會保障與政治改革部分擬另文討論，茲僅就精神文明建設與社會主義市場經濟的關係進行探討。首先要指出的是：社會主義市場經濟是給人們提供必要的物質基礎，以讓人們得以追求經濟以外更高的目標；就如同人需要強健的體魄才能充分發展其人格一般。事實証明，中國大陸的精神文明建設，在引進市場經濟之後，正面臨著空前的挑戰。如何建立一套能與「社會主義市場經濟制度」相輔相成的倫理道德價值體系，無疑是完成中國現代化事業的關鍵所在。

貳、中國大陸精神文明建設面臨的難題

在以往的計劃經濟制度下，個人的原創力和進取心受到壓抑，逐利誘因減弱，人的積極性因此喪失殆盡，生產力大幅滑落。社會主義原本「各盡所能，各取所需」的理想變成了「人人各取所需，卻未必各盡所能」，甚至連個人最基本的需求亦無法獲得滿足的後果。在文革期間極左冒進路線下，個人的獨立性和自主性更完全受到抹煞。

改革開放以來，隨著市場經濟的推行，原有的社會結構和思維習慣、價值觀念在遭到強烈的衝擊，人的慾望已被解放出來。市場經濟非但不再禁止追求個人利益，反而透過價格機制激發人的逐利心。然而新的經濟制度顯然需要一套新的行為規範，這就使得新的價值體系、倫理規範和法律制度的建立成為刻不容緩的任務。

精神文明建設不能與歷史文化傳統脫節

人的行為一方面受到良心、宗教信仰和倫理道德的內在約束，一方面則需要風俗、習慣，尤其是法律制度等外在強制加以規範。今天中國大陸，馬列主義定於一尊的地位正急遽下降，而中國傳統的倫理道德及宗教信仰卻又在文革「破四舊」浪潮中遭到致命的打擊。這使得整個社會的價值觀念頓失憑據，各個社會階層均已出現信仰危機。在原有的權威瓦解，人的慾望獲得解放的情形下，拜金主義、享樂主義、消費主義席捲了人們的心靈。正所謂「哀莫大於心空」，這是中國大陸目前最嚴重的危機。再加上剛剛起步的社會主義法制建設仍未臻完備，光九三年到九五年，新頒布的重要法律便超過三百套，可謂創人類史上的新紀錄，這對執法人員與人民而言，在短期內均無法有效適應新局。廣大民眾和一般中共黨員紛紛反映，當前社會治安空前惡化、社會風氣空前不正、信仰危機空前嚴重、黨政官員空前腐敗、黨的基層組織空前渙散。此「五大空前」正是目前中國大陸邁向現代化的最大隱憂。這也凸顯了一大問題，即精神文明建設絕不能與自己的歷史文化傳統脫節。

面對這樣的社會形勢，中共當局一再強調物質文明建設和精神文明建設要堅持「兩手抓」而且「兩手都要硬」。中共領導人更反覆要求加強「愛國主義、集體主義和社會主義思想教育」，要培養一代又一代「有理想、有道德、有文化、有紀律」的「四有新人」。然而要在今日的中國大陸恢復過去那套「學雷鋒」運動已是不切實際的想法。同時，「四有新人」的「理想」與「道德」豈能藉由宣傳由外部強行灌輸？必得先啟發其個人的自覺，任由每個人自己去設定其理想與道德，再從而矢志追求，並促其實踐，這樣才能真正培養出「四有新人」。由此觀之，要在市場經濟條件下進行價值重建的工作，就必須推動一場「思想再啟蒙」運動。

參、「思想再啟蒙」運動的內涵—追求「人的解放」

在十七、八世紀的西歐，以知識份子為主體的啟蒙運動，是歐洲文化史上最活潑、最具衝擊力的思想運動。它針對當時歐洲的社會、文化進行全面的反省與批判，影響深遠，也扭轉了歷史發展的軌跡，歐洲正是經由啟蒙運動而進入近現代社會。日本在明治維新時期也有一位被譽為「現代日本教育之父」的啟蒙思想家福澤諭吉。福澤諭吉一方面引介西方思想，一方面竭力呼籲：要建立現代化的日本，須先培養現代化的國民，而現代化國民的特質就顯現在具有獨立精神氣象的人格之上。有獨立自主的國民，方有獨立自主的國家。福澤氏的思想促成了明治維新，對往後日本的發展產生了重大的影響。

在近現代的中國，以知識份子為主的五四運動，在某種意義上，本也可說是一個啟蒙運動，然而其最大的不幸，就是號召「打到孔家店」，從根全盤否定了中國自己的文化。到了十年文革期間，更全面而徹底地打擊傳統優秀文化。這使得原本立意良善、有除舊佈新的進步意義的五四運動和文革，反過頭來阻礙了中國現代化的事業。

先進國家中的知識份子，往往扮演著承先啟後，帶動風潮的重要角色。任何一個社會，其知識菁英階層的文化意識足以影響國家興亡的百年大業。所以，今日中國的「思想再啟蒙」運動，就應從重建知識份子的人格尊嚴做起，也就是應以追求「人的解放」為其思想內涵。「人的解放」不僅是啟蒙運動的核心議題，也是馬克思哲學的終極關懷。對馬克思來說，共產主義的實現即為人的全面解放和全面復歸的完成，他理想中的社會正是一個「自由人的共同體」。而毛澤東同樣的把昂揚人的主觀能動精神、追求人類解放當作是他畢生奮鬥的目標。

確立「人格的自由、自律和自主」

追求「人的解放」，就是要從保障每個人的人性尊嚴著手。而人性尊嚴則體現在「人格的自由、自律和自主」之上。這正與孔子所倡導的「三軍可奪帥也，匹夫不可奪志也」相通。孔子說：「我欲仁，斯仁至矣！」又說：「為仁由己，而由人乎哉！」，這就是「人格的自由、自律和自主」。人是理性的社會動物。由於人是有理性的，因此人的意志是自由的，也正因為人的意志是自由的，所以人可以決定自己的行為，成為自己行為的立法者，這就是「自律」的意義。而因為人可以規定自己的行為，因此，人也該為自己的行為負責，這種自我負責的精神，正是人具有主體性的表徵。

另一方面，人是一定社會條件下的人，個人無法脫離社會網絡而獨自存在。人只有在社會生活中與別人交往，才能發展出獨立自主的人格。所以，人在建立自己主體性的同時，亦必須承認他人的主體性，此即「互為主體性」（intersubjectivity）。「互為主體性」的概念，在中國傳統思想中，正是和儒家思想重心的「仁」意義相通。二人為仁，仁就是討論個人與其他人之間的關係。曾子說：「夫子之道，忠恕而已矣。」盡己之謂忠，恕則是推己及人，推己及人正是「互為主體性」之意。

這種「互為主體性」的概念正是「社會連帶」（social solidarity）的基礎。社會連帶即是「團結」，也就是意謂著「個人」與「個人」之間、「團體」與「團體」之間、「階層」與「階層」之間的互助，也意謂著「世代」與「世代」之間、「文化」與「文化」之間的相連帶。在中國傳統文化中，所謂「上天有好生之德」的天道觀，和「不患寡而患不均」、「損有餘以補不足」、「裒多益寡」、「稱物平施」等思想，其實就是「社會連帶」觀念的古代版。

肆、以「社會自由主義」完善精神文明建設

上述由「人的解放」、「人格的自由、自律和自主」、「互為主體性」以至「社會連帶」正組成了「社會自由主義」的內涵。「社會自由主義」又稱「人格自由主義」或「社會主義的自由主義」（Sozialistischer Liberalismus）。長期以來，人們多把社會主義與自由主義視為互相排斥的思想流派。其實，社會主義所批評的自由主義只是「與個人主義或資本主義相結合的自由主義」！而自由主義批評社會主義，亦並非全然否定社會正義和平等理念。兼含自由與平等兩大理念的「社會自由主義」正好可以調和自由主義和社會主義。以社會主義修正自由主義的弊端，以自由主義補足社會主義的缺失。

「社會自由主義」調和了集體主義與個人主義

同時，「社會自由主義」強調「社會連帶」的觀念，一方面使得每一個人致力於

拓展自我的生活領域時，不致淪為自私的個人主義；另一方面，在追求公平正義的社會時，讓每個人都能享有充分發展其人格的空間，而不致成為完全否定個人的集體主義。因此若以「社會自由主義」調和集體主義和個人主義，則可使以集體主義之名，宣稱可合理兼顧國家、集體和個人利益，實際上卻抹煞個人尊嚴的境況，不再復現！

而以「社會自由主義」為其哲學基礎的社會市場經濟，用政府的宏觀調控來保証市場價格機制的有效運行，實結合了「放任的自由市場經濟」與「控制的計劃經濟」兩者之長，又可杜絕「放任的自由市場經濟」造成強凌弱、眾暴寡的慘狀，以及「控制的計劃經濟」無法有效解放生產力的弊端。

「社會自由主義」思想若能確立，將徹底改變以往一提及社會主義就想到集體主義、計劃經濟；一講到資本主義，就想到個人主義、市場經濟的僵化思考。「社會自由主義」實乃市場經濟條件下完善精神文明建設的一大利器！

「社會自由主義」合於中庸之道

在此筆者要特別強調的是，「社會自由主義」本非舶來品，相反的，是中國古已有之的寶貴精神遺產。中國是廣土眾民的大國，對不同的思想文化有著極大的包容力，這是中國文化與西方最大不同之處。舉例來說：在西方，「有神論」和「無神論」間的爭議綿延數千年而不絕，甚至從「有神論」發展為「一神論」，持「一神論」之見的不同教派勢不相容，終於演成慘烈的宗教戰爭。在中國，「無神論」與「有神論」的爭論，卻幾乎不曾成為思想界討論的主題。

證諸歷史，任何一偏之執的極端思潮不僅不易在中國生根，反而會對民族帶來巨大的災難。以民族主義為例，中國是多民族的大國，強調民族主義往往易招致各民族間的猜忌與對立，唯有以振興整個中華民族為出發點的「愛國主義」才能克服民族主義的危險。而導致先進國家肆意剝削後進國家的資本主義，和中國傳統強調「互惠」、「德被四鄰」的「貢舶貿易」完全背道而馳，亦不可能為我們所接受。歷朝能臣的治國思想莫不兼採眾家學說所長；而少有獨持一家之見者，即使諸葛亮也難免儒表法裡。這種兼容各家思想長處的「調和論」，在力求百家爭鳴的哲學思想領域，固不足取；然而在政治上卻是唯一務實可行的方向。中國自鴉片戰爭以來，屢遭帝國主義欺凌，民族自信心淪喪殆盡，對西方各種「主義」（isms），幾乎毫不加選擇地引入，眾說紛紜，莫衷一是。而一九四九年後，在政治上又陷入忽而極左，忽而右傾的擺盪之中。要跳脱此種困局，唯有力行淵源於中國傳統中庸之道，調和古今中外各家長處，有強烈務實精神的「社會自由主義」方是正途！

伍、追求現代化不能脫離傳統

此外，中國大陸實行開放政策以後，一股崇洋的風潮漸漸在年輕一代中蔓延開來，用洋貨、學洋文、送子女出洋成了普遍的風潮，民族的自豪感迄未伸張。另一方面，中共自一九八一年起厲行一胎化政策，製造了一批孤僻、固執、不善協同、自我中心、嬌生慣養、好逸惡勞的獨生子女——「小太陽」。一胎化政策也使得許多親屬稱謂和手足情誼不知不覺地消失，對中國傳統文化與家庭制度形成重大威脅，這在在阻礙中國邁向一個現代化的社會。要解決這些複雜的問題，並克服前述的「五大空前」，對中國傳統優秀文化的珍惜與發揚實刻不容緩。畢竟，追求現代化不能脫離傳統，全世界沒有一個國家可以徹底否定自己的文化傳統，而能完成現代化的。沒有過去，就沒有現在，更沒有未來！

中國大陸精神文明建設的成就，不僅決定了中國大陸經濟改革的成敗，更決定了中國全方位現代化的目標能否達成。我們深切地期待北京的領導菁英能夠務實地面對此一嚴肅的課題，也呼籲海內外全體中國人共同肩負起此一重任。我們亟需建立人性尊嚴，以搶救知識份子的自尊與自信，從而重振中國人民的尊嚴和信心。立足於中國傳統優秀文化，總結西方先進國家現代化的經驗與教訓，以「社會自由主義」調和集體主義與個人主義，並以之作為社會主義市場經濟的意識型態理論基礎，以期使中國現代化事業能夠穩健地進行下去，終底於成！

（日本《中國研究》一九九七年七月號）

改革開放　和平發展

——悼念「中國人民的兒子」鄧小平

鄧小平在一九九七年二月十九日逝世，海內外同表哀悼。沒有人可以否認，中國大陸自一九七八年以來舉世稱譽的經濟成就，應歸功於鄧小平一手主導的「改革開放」政策；而中共在國際社會上扮演日愈重要的角色，一洗中國自鴉片戰爭以來飽受列強欺凌、敵視的恥辱，也應歸功於鄧小平以「和平發展」，做爲外交政策的基本原則。

朱高正在本文中，除了對鄧小平表達深摯的哀悼之意，也對鄧小平的思辯方式和發展策略做深入的探討。在政策制定和執行的層面上，朱高正比較了蘇聯戈巴契夫主政時的「新思維」、「重建」和鄧小平的「改革開放」；在思想的層面上，朱高正則以中共革命先驅李大釗的言論來和鄧小平的主張相互參照。要了解鄧小平，本文提供了全方位的觀點。

鄧小平在人間經歷了九十三個寒暑，他的生命幾乎與二十世紀同始終。他見証了本世紀初中國的苦難，全程參與國共內戰，是中共建政的主要功臣。他與毛澤東等人領導人民革命戰爭，使中華民族擺脫帝國主義的壓迫，從而走上獨立自強的道路。其從政生涯，三落三起，終能在最後二十年，凝聚了畢生經驗與智慧的結晶，為中國邁向二十一世紀奠定了堅實的基礎。

鄧小平與孫中山一樣，畢生殫精竭慮，奉獻於中國現代化的偉大事業。孫中山在《實業計劃》、《建國大綱》、《三民主義》中所規劃籌謀的國家建設，在鄧小平手上已完成百分之七十以上。而鄧小平所做的，有一部分甚至是孫中山生前所未能想見，或未及想見的。

鄧小平的思路非常務實，使他能夠脫離口號與教條的枷鎖，超越前人的成就，為中國的長遠發展擬出一套具體可行的方案。鄧小平以「建設有中國特色的社會主義」，來揚棄教條主義，充份考慮中國特殊情況，一方面解放生產力，另一方面又要達到「共同富裕」的理想，這與孫中山的「均富」主張可說不謀而合。

鄧小平的思想非常靈活，不會只凸顯矛盾的對立面，而忽略了矛盾的統一面。一九七八年鄧小平策動十一屆三中全會確立對外開放、對內改革的政策，隨即逐步引進市場經濟，這與原來社會主義的計劃經濟制度大有不同，因此輒遭左派理論家的質疑。起初以「計劃經濟為主，市場調節為輔」，後來調整為「計劃與市場並重」的雙軌制。市場經濟與社會主義是否相容，本是一個嚴重的理論爭議。但鄧小平卻簡潔有力地主張「貧窮不是社會主義，社會主義要消滅貧窮」[1]，社會主義不是要限制生產力，而是要解放生產力、發展生產力[2]。因此，他認為市場經濟與社會主義不存在根本矛盾，可以互相結合。於是，他以「建設有中國特色的社會主義」來做為「社會主義市場經濟制度」的理論基礎。

事實上，「有中國特色的社會主義」可以界定為「在中國共產黨領導下，為了提升綜合國力，增進人民福祉，達成共同富裕的理想，而採行的廣為人民群眾所接受的政策的總稱」。這是一個實事求是的主張。依據鄧小平「實踐是檢驗真理的唯一標準」以及「摸著石頭過河」的行動方針，只要施政符合上述的標準，並充份考慮中國的具體情況，即使在馬、列著作中沒有提及的，也可以放手去幹；反之，則即使馬、列著作中雖有明文記載，也大可不必盲從。

一九九二年初，鄧小平南巡，為進一步確立「社會主義市場經濟制度」，而大力鼓吹「不堅持社會主義，不改革開放，不發展經濟，不改善人民生活，只能是死路一條」[3]。終能在世界經濟一片不景氣聲中，中國大陸一枝獨秀地創下高達百分之十二點八的經濟成長率。其實，自從一九八九年東歐以至蘇聯的社會主義政權相繼垮台，中共政權非但屹立不搖，而且更加落實改革開放政策，這應歸功於鄧小平的先見之明，及其穩紮穩打的經改策略。

一九八九年初，戈巴契夫獲頒諾貝爾和平獎。當時筆者即主張，就推動改革開放政策而言，鄧小平實比戈巴契夫更有條件獲得該獎。鄧小平與戈巴契夫固然同樣倡言改革開放，但卻也有三點不同：

一、鄧小平的改革開放是原創性的，無論就深度、廣度而言，都是無與倫比的。一九七八年之前，除極少數的社會主義國家如匈牙利、南斯拉夫曾嚐試過夭折式的經濟改革外，在一個像中國大陸如此大規模的經濟體系內實施改革是前所未見的。其實，中共在十一屆三中全會所確立的改革開放政策乃賡續一九五六年「八大」的決議。中國大陸在一九五六年後的二十年間，由於與蘇共關係惡化，又歷經「反右」、「三面紅旗」與「文化大革命」……，以致經濟發展停滯、倒退，一直到一九七六年毛澤東逝世，鄧小平復出後，才有機會推動一九五六年「八大」的決議，從事經濟改革。戈巴契夫的改革則是在一九八五年，至少落後鄧小平六年，而且是在中國大陸的改革取得相當成就後才提出的。

二、鄧小平的改革開放政策是主動的，與戈巴契夫被動的改革顯然不同。早在七○年代末，美國五角大廈的一份戰略分析報告即指出，蘇聯若再不大幅縮減軍費（包括裁減境外駐軍），則依其經濟結構，最遲到一九八五年，整個經濟體系就有瓦解的危機。但由於一九七九年及一九八○年相繼發生阿富汗事件與莫三鼻克事件，當時總書記布里茲涅夫騎虎難下，不得不增派境外駐軍，致縮減軍費問題懸而未決。即使在布里茲涅夫去世後，繼任的兩位短命總書記安德洛波夫與契爾年科也分別因為疾病纏身及年紀老邁，難以有所作為。直到一九八五年戈巴契夫接任總書記，才開始提倡「新思維」與「重建」。戈氏所推動的改革政策實際上是迫於形勢，情非得已，甚至是在七○年代早就應該做的，只不過當時的國際情勢不容許罷了。相反地，中國大陸在一九七八年，無論就國內或國際情勢而言，均無非改不可的壓力。其經濟改革是主動進行的，是在長達二十年過份頻仍的政治動亂後，才決定與民休養生息，致力經濟發展。

三、鄧小平的改革開放以實踐為基礎，是漸進而有步驟的；戈巴契夫則僅停留在傳播改革理念與調整共黨體質的階段。鄧小平掌權後所推動的第一件工作乃是在農村落實承包制，激發了占中國人口百分之八十的農民的積極性。不但改善農民生活，使農村出現一片難得的繁榮景象，更贏得廣大農民群眾對改革的信心與支持。依常理，經濟改革較易從城市與工商業做起。然而，城市的生活水平原就比農村高，改革也將拉大貧富差距，這正是大多數國家在經濟改革過程中波折不斷的原因所在。鄧小平則先從農村下手，使基層農民對改革的需要感同身受，從而為進一步的改革打下堅實的群眾基礎。

戈巴契夫的「重建」在經濟改革層面一直停留在觀念傳播的階段，不但人民生活絲毫未見改善，且其大部份時間都在從事黨內意見溝通、外交活動與裁減核武談判，未有具體步驟與策略來進行經濟改革，這也正是導致戈巴契夫下台的主因。戈巴契夫雖身為共產黨員，卻犯了唯心主義的錯誤，過份迷信政治權力，忽略了「經濟」這個「下層建築」的重要性。

反觀鄧小平，他早在一九七九年就提出「特區」的構想，並選定深圳做為特區。在當時的環境下，「特區」的構想本將遭遇很大的阻力。尤其是經濟政策的改弦更張，極易刺激教條主義者的反撲，以致改革事業前功盡棄。鄧小平為避免政策左右搖擺不定，並深化改革開放，藉著香港回歸祖國的問題，巧妙地運用愛國主義情緒，高舉祖國統一的大旗，使得左派對於深圳做為特區的構想無從反對。亦即為求及早收回香港，鄧小平提出「一國兩制」的構想——保持香港現行制度五十年不變，並選擇毗鄰香港的深圳做為特區。深圳的經濟若辦得好，自可穩定香港人心，香港回歸祖國的願望當可及早實現。

在選擇深圳做為經濟改革的前進基地之後，珠海、廈門、汕頭、海南等其他特區又相繼浮現，且領域不斷擴大。珠海之於澳門的意義，就如同深圳之於香港。而廈門是閩南地區的主要港口，汕頭則是粵東地區客家人的主要口岸，相應於台灣以閩、客為主的族群結構，這兩地的雀屏中選，決不是偶然的。至於海南，原為黎族所居，後則多為來自粵、湘的移民；就如同台灣本為原住民所居，後則多為來自閩、粵的移民。且海南與台灣又一樣是孤懸海外的島嶼，同屬亞熱帶氣候。就長遠的眼光來看，海南島劃為特區，對台灣自有其象徵性的意義。

鄧小平就從這五個特區開始了他全方位改造中國的宏偉計劃。隨著特區的快速發展，沿海又增設十四個開放城市，很快帶動了整個沿海地區的發展。時至今日，連極西的喀什也有卡拉ＯＫ廳，這本是特區才有的景象。顯然整個祖國大地在鄧小平務實而靈活的改革開放政策下，逐漸引進市場經濟體制，而走出貧窮、落後的陰影，一個嶄新、現代的中國即將呈現在世人的眼前。

鄧小平對十一屆三中全會所定的基調是：「解放思想，獨立思考，從自己的實際出發來制定政策。」❹正由於鄧小平超卓、獨特的思維方式，使他得以在辯證法和理念的層次上，對社會主義做最靈活的詮釋。他在改革開放的策略運作上，與戈巴契夫正好是成與敗的對比；而在結合社會主義理想與中國特殊國情的思想建樹上，則賡續了共產黨先驅李大釗對中國革命問題所做的探索。

李大釗參與了中國共產黨的發起和創建的工作，畢生致力於傳播社會主義的理想。李大釗早就強調，中國的社會主義要有自己發展出來的特色。他說，社會主義制度將是「共性與特性結合的一種新制度」❺，又說，考慮中國的問題，不能「置吾國情于不顧」❻。這其實已為鄧小平「建設有中國特色的社會主義」埋下了伏筆。李大釗主張「社會主義是要富的，不是要窮的，是整理生產的，不是破壞生產的。」❼這與鄧小平所主張的「貧窮不是社會主義，社會主義是要消滅貧窮」、「社會主義不是要限制生產力，而是要發展生產力」❽，可謂血脈相連。李大釗認為「社會主義亦有相當的競爭」❾，這已意謂著社會主義與市場經濟可以相互為用，兩者並不必然矛盾。李大釗自許「不馳于空想，不騖于虛聲，而惟以求真的態度做踏實的工夫」❿，他一再強調，在認識上必須「據乎事實，求其真實之境」[11]，這也與鄧小平主張務實、實事求是的態度如出一轍。

做為一位優秀的馬克思主義理論家，李大釗在文章中多次提到他「調和論」的立場。他說：「遵調和之道以進者，隨處皆是生機，背調和之道以行者，隨處皆是死路。」[12]他的「調和論」接近於《周易》陰陽對立轉化的觀點。李大釗在〈調和賸言〉一文中說：「宇宙間有二種相反之質力焉，一切自然，無所不在。由一方言之，則為對抗；由他方言之，則為調和……社會之演進，歷史之成立，人間永遠生活之流轉無極，皆是二力鼓蕩之結果。吾人目有所見，皆是二力交錯之現象；耳有所聞，皆是二力交錯之聲音。」[13]也因此，他認為「個人主義與社會主義決非矛盾」[14]，「真正合理的個人主義，沒有不顧社會秩序的；真正合理的社會主義，沒有不顧個人自由的。個人是群合的原素，社會是眾異的組織。」[15]

同樣地，鄧小平思考問題時，不僅看到矛盾的對立面，同時，也強調矛盾的統一面。因此，在經濟改革上，他說：「社會主義和市場經濟之間不存在根本矛盾」[16]、「計劃經濟不等於社會主義，資本主義也有計劃；市場經濟不等於資本主義，社會主義也有市場。」[17]至於許多人爭議不休的，經改與政改誰先誰後的問題，鄧小平則認為兩者必須配套並進，「現在經濟體制改革再前進一步，都深深感到政治體制改革的必要性。不改革政治體制，就不能保障經濟體制改革的成果。」[18]

鄧小平認為，「政治體制改革同經濟體制改革應該相互依賴，相互配合。只搞經濟體制改革，不搞政治體制改革，經濟體制改革也搞不通。」[19]他也具體地提出政治改革的內容：首先是黨政要分開，處理好法治和人治的關係，處理好黨和政府的關係。其次是權力要下放，解決中央和地方的關係。最後是精簡機構，克服官僚主義，提高行政效率，實現管理民主化。[20]

鄧小平已具體指出政治改革的必要性和緊迫性，並且初步擬定了改革的重大方針。遺憾的是，他的政改主張尚未能如經改一樣普及而深化，即離我們而去。為了賡續他的遺志，為了表示對他的深切懷念，我們應儘速落實政改，以便確保經改的成果。

鄧小平不僅帶領中國走出自鴉片戰爭以來的貧窮、落後，同時也帶領中國走向寬廣的世界，成為國際外交舞台活躍而受敬重的要角。

鄧小平簡潔有力地以「和平、發展」做為中國參與國際事務的基本原則[21]。「和平」是就政治的角度而言，「發展」則考慮到經濟的角度：「和平問題是東西問題，發展問題是南北問題」[22]。就在這樣明確而全方位的外交策略之下，中國在國際上逐漸取得與其幅員、人口相符的份量與地位。鄧小平最終是要國際社會相信：「中國現在是維護世界和平和穩定的力量，不是破壞的力量。中國發展越強大，世界和平越靠得住。」[23]

本著「和平、發展」的原則，過去對中國不甚友善的鄰國，如印度、馬來西亞等，都已大幅改變了他們對中國的態度。歐洲對中國的投資急遽增加，雙方經濟聯繫日愈緊密。美國也在最近由克林頓總統和國務卿歐布萊特正式宣告，在本任期內將以加強中、美關係做為外交工作的重點，所謂「圍堵中國」的論調，將不受歡迎。

整體來說，目前的國際環境對中國是友善而充滿期待的。鄧小平逝世後，各國元首紛紛致電推崇他在中國的高度成就和對世界和平、繁榮的具體貢獻。鄧小平以一己平凡的身軀，為中國贏取了國際上無數的崇敬與友誼。

一八四〇年的鴉片戰爭是中國現代史的原點，而中國現代史正是一部內憂外患不斷、綴滿斑斑血跡與綿綿悲情的民族苦難史。自鄧小平復出以來的二十年，可以說是中國近一百六十年來，得以休養生息、和平發展最長的二十個珍貴的年頭。正是在這樣珍貴的基礎之上，中共於一九九六年三月提出「九五計劃」和「二〇一〇年遠景目標綱要」，以延續並擴大改革開放的成果。也唯其繼承鄧小平的遺志，完成他所擬訂的政策目標，最能表達對鄧小平的哀思與感念。

自鴉片戰爭以來，我們從未享有過如此長久的和平歲月，在鄧小平之後，我們要竭力爭取另外一個二十年的和平發展期，亦即以另一個世代的努力，來貫徹鄧小平未遂的遺願。在祖國統一問題上，我們應本著最大的耐心與智慧，尋求最符合兩岸人民利益的解決模式。鄧小平生前擬定的對外開放（以尋求國際社會的和平發展）、對內改革（堅持社會主義市場經濟制度），仍應是中國跨世紀國家發展的最高指導綱領。

我們要深入瞭解並發揚光大鄧小平的思辯方式和發展戰略，以完成中國全方位的現代化。亦即：在追求生產力解放的同時，不應忽略了社會公平正義的要求；在發展經濟的同時，也應建立與之相配套的社會保障體系及政治改革。鄧小平畢生承擔了中國的苦難，卻又以他的生命智慧給予我們對未來的希望與期待。他說：「我是中國人民的兒子，我深情地愛著我的祖國和人民。」這一句話，在千百年後，仍將繼續撼動每一位中國人的心靈。

註釋：

❶《鄧小平文選》第三卷，頁一一六，北京，人民出版社，一九九三年十月。

❷同上，頁一四八—一四九，「只搞計劃經濟會束縛生產力的發展。把計劃經濟和市場經濟結合起來，就更能解放生產力，加速經濟發展。」又頁一三七，「社會主義的任務很多，但根本一條就是發展生產力。」

❸同上，頁三七〇。

❹同上，頁二六〇。

❺摘引自江澤民〈在李大釗誕辰一百周年紀念大會上的講話〉，收錄於《李大釗研究文集》，頁一—六。北京，中共黨史出版社，一九九一年六月。

❻摘引自胡喬木〈紀念中國共產主義運動的偉大先驅李大釗〉，收錄於《李大釗研究文集》，頁七—十六。北京，中共黨史出版社，一九九一年六月。

❼同註五。

❽見註一、註二。

❾同註五。

❿同上。

⓫同註六。

⓬見李大釗〈調和之法則〉，原刊於《言治》季刊第三冊，一九一八年七月。後收錄於《李大釗文集》，頁五四九—五五四。北京，人民出版社，一九八四年十二月。

⓭見李大釗〈調和賸言〉，原刊於《言治》季刊第三冊，一九一八年七月。後收錄於《李大釗文集》，頁五五五—五五六。北京，人民出版社，一九八四年十二月。

⓮見李大釗〈自由與秩序〉，原刊於《少年中國》第二卷第一期，一九二一年一月。後收錄於《李大釗文集》，頁四三七—四三八。北京，人民出版社，一九八四年十二月。

⓯同上。

⓰《鄧小平文選》第三卷，頁一四八，北京，人民出版社，一九九三年十月。

⓱同上，頁三七三。

⓲同上，頁一七六。

⓳同上，頁一六四。

⓴同上，頁一七七—一八〇。

㉑同上，頁一〇四。

㉒同上，頁一〇五。
㉓同上，頁一〇四。

（《海峽評論》，一九九七年四月）

鄧後中國政治改革的出路

——從建立制度化的人權保障做起

自一九八九年天安門事件以來，中國的人權問題即受到嚴重的關切。鄧小平生前的經改成就普遍獲得肯定，在人權問題上卻招來許多質疑和指責。他留下了不少主張政改的言論，卻始終未能落實。

朱高正素來對人權問題鑽研頗深，他一九九〇年在德國出版《康德的人權與基本民權學說》，於一九九二年第二季的《康德研究》得到極高的學術評價。一九九四年他應全球發行的《法學與倫理學年鑑》之邀，參與第三屆國際學術研討會，並發表論文，該論文以英文刊載於一九九五年出版的《法學與倫理學年鑑》。該屆會議主題爲「法治國與人權」，邀請了全球二十五位拔尖的專家學者與會，朱高正是唯一受邀的東亞學者。本文即脫胎於上述的論文，朱高正審愼地提出「建立制度化的人權保障」，做爲中國政治改革的方向。文中對於人權概念的演變，從歷史發展和社會變遷的角度，做了詳細的解析。

壹、導 言

鄧小平於今（一九九七）年二月十九日辭世以來，對其一生各界多予以高度評價，若有指責，大多集中在六四鎮壓民運，及生前未能落實政治改革。自一九七八年十一屆三中全會以來，在鄧小平主導下實施改革開放政策，尤其一九九二年發表南巡講話後，大力推動社會主義市場經濟，各界對鄧小平的經濟改革成就莫不給予肯定。唯自由、民主、人權等議題，長期以來就是民運人士與西方國家批評中共的焦點。

其實，一九九三年三月，亞洲國家在曼谷舉行世界人權會議籌備會，即曾質疑全球性的人權標準，有些國家甚至主張，應該優先考慮經濟發展與文化問題。該年六月在維也納世界人權會議上，非西方國家與西方國家的立場涇渭分明，彼此對人權的看法南轅北轍。隨著快速的經濟發展，東亞國家的民族自信心日漸增強，已然形成一套「東亞人權觀」[1]，不願再接受以美國為主的西方國家的頤指氣使。

自一九八九年天安門事件以來，中國的人權問題一直是個敏感話題。事實上，戰後的台灣人權問題與大陸相比，只是五十步笑百步罷了。一九四七年二二八事件中喪生的人數遠超過天安門事件。諷刺的是，這兩則不幸的歷史事件都導因於人民抗議政府嚴重的貪污與腐化。[2]自一九四九年至一九八七年國民黨在台灣實施長達三十八年的戒嚴統治，憲法上所保障的各項基本人權多遭凍結。台灣人權狀況的根本改善，乃歸功於筆者全程參與的國會改革與國會全面改選運動[3]。過去美國雖曾關心台灣的人權狀況，但大多止於個案或枝節性問題。而美國又基於不違反其本國利益的原則，其關心人權問題，確實給國民黨當局有「干涉內政」的印象，而在野的異議人士則又抱怨其「為德不卒」。美國對中國人權的關心大概離不開台灣模式，因此，柯林頓總統仍然秉持貿易與人權分開的原則，延續自一九七九年建交以來給予中國最惠國待遇的政策，並未因六四事件而有所改變。由此可見，「人權外交」固然有其理想性，但也掙脫不出國際現實的羈絆。「人權外交」自七〇年代中葉以來，並未能改善非西方國家的人權狀況，倒反掉入「雙重標準」的泥淖中。

本文的目的不在具體論述個別人權，而是探討人權一般如何在中國獲得制度化的保障。筆者首先從文化特質、經濟條件、意識型態與國際情勢等因素來剖析何以人權觀念在中國發展不起來。其次再從儒家人文思想、文化大革命後的改革開放政策、建設有中國特色的社會主義，及後冷戰時期的國際新局來論證人權觀念在中國可能發展的契機。事實上，人權侵害事件主要起因於公權力的濫用。惟有杜絕公權力的濫用，才能有效保障人權。上面所提的二二八事件與天安門事件都是因抗議貪污、腐化而起，而貪污、腐化正是公權力濫用的表徵。要杜絕公權力濫用，則有賴於設計一套有效貫徹權力分立與制衡的政治制度。中國在經濟改革已取得初步成就後，如何更進一步規劃政治改革方案，以保障基本人權，無疑是完成中國現代化事業的關鍵。筆者擬就如何落實黨政分開、如何改革人民代表大會制度、如何調整中國共產黨的角色等問題提出具體構想，希望藉此對鄧後中國政治改革有所助益。

貳、人權觀念難以發展的原因

「人權」對傳統中國而言，毋寧是極其陌生的。即使現代中國革命的先驅、首先將「人權」介紹到中國來的孫逸仙博士也不免要受馬克斯與列寧的影響，強調「人權」的革命色彩，從而大力抨擊自盧梭以降即已被自由主義者奉為圭臬的「天賦人權」學說❶。由此可知古典的人權觀念要在中國發展，確實困難重重，究其主要原因，大概可分述如下：

一、文化傳統的差異

自建元五年（西元前一三六年）漢武帝接受董仲舒的建議「獨尊儒術，罷黜百家」以來，中國官方基本上尊崇儒家思想，然而在民間卻普遍流行著道家思想。而《周易》這部古代的經書卻又是儒、道兩家所共奉的經典。周易主張「陰」、「陽」兩種力量相生相剋，任何一種力量發展超過一定限度時，就會向對立面轉化，這就是「物極則反」的道理。因此，《周易》一方面凸顯「對立」的現象，另一方面卻又強調「和諧」才是存有的本質。這種思維方式深刻地影響過去兩千多年的中國文化傳統。在政治上，「皇權」固然唯我獨尊，但不敢過度濫用，以致向對立面——即「人權」——轉化，這正是人權在中國難以發展的根本原因。揆諸中國自古以來即要求皇帝須「仁民愛物」、「君使臣以禮，臣事君以忠」❺，朱熹更提出「正君心」為治國之大本。亦即皇帝自古對其臣民不敢為所欲為，臣民自難能像君主專制時代的歐洲一樣，「向對立面轉化」，要求統治者立下權利書狀，以保障臣民的基本人權。

二、經濟發展水平不同

人權之所以在西歐、北美快速發展，其實與工業化密不可分。人權在萌芽階段，固然肇因於世俗王權企圖擺脱教會神權羈束之時，貴族大地主階級也努力爭取部份特權，以免於王權的恣意侵犯。後因新航路發現與工業革命促成工商階級的崛起，促使個人主義、自由主義思想勃興，渠等遂要求擁有參政權，一七七六年的美國獨立戰爭與一七八九年的法國大革命即是明證。及至十九世紀中葉以降，社會主義勞工運動風起雲湧，人權思想的內涵亦隨之充實，保護的對象亦漸次普及。因此，人權觀念能在西歐、北美迅速發展，其直接原因殆非工業革命莫屬。

反觀中國自戰國時代以來，基本上一直是個小農社會，農民既非封建歐洲的農奴，也非早期資本主義的工奴，而是自給自足的小農。自一八四〇年鴉片戰爭以來，西方殖民帝國接踵而至，大量白銀外流，無法有效積累資本，發達工業。西方工業先進國家荷、比、英、法、義、美等國倚賴榨取自殖民地的資源，供其母國發展工業之用。至於德國藉著打敗法國，日本則打敗中、俄兩大國，贏得鉅額軍費賠償，先後加入殖民帝國行列。中國面對殖民帝國的蠶食鯨吞，救亡圖存唯恐不及，遑論發展工業，迄今仍有八十%農村人口，中產階級尚未形成一股力量，此實普及人權觀念之一大障礙。

三、意識型態迴異

自一九四九年起，中國共產黨取得政權，馬克思、列寧主義也就成為官方哲學。馬克思不承認永恆的道德或法權價值，任何價值只是反映某特定社會的生產關係而已。人權屬於法權價值，當然也有其侷限性。他否認有所謂的「天賦人權」，主張「人權」不是從天上掉下來的，而是經由鬥爭得來的。馬克思雖然肯定早期資本主義的革命性，但卻以「動態的」、「發展的」觀點批評當年的革命者，如今已成反動者。他批評：「人權」只不過是資產階級將其「階級訴求」（如財產權神聖、自由契約、自由貿易）披上一層普遍化的外衣，以便藉著這些「人權」來「自由地」、「合法地」剝削無產階級。因此，中共要求不應只照顧少數人的人權，而要廣泛地照顧多數人的人權，因此強調生存權與發展權；除了自由權，尤其側重平等權；不僅注重形式平等，更要求實質平等，這就形成了「社會主義的人權理論」[6]。

中國一直是個小農社會，尚未歷經工業革命的洗禮，突然一下子就跳過資本主義——正是古典人權理論發展最重要的歷史階段——而進入社會主義，這真是一大遺憾。社會主義的人權理論固能補充古典人權理論之不足，但畢竟不能完全替代它，就像歷史發展固然是辯證的，但後一階段並不能完全否定前一階段。這只是就理論面來剖析，如果把文化大革命（一九六六—一九七五）的冒進、極左因素再一併考慮進去的話，人權觀念要在中國發展，真可說難於登天了。

四、國家戰亂的威脅

如上所述，自鴉片戰爭（一八四〇年）以來，傳統的舊中國外有殖民帝國的爭相掠奪，備受工業先進國家的蹂躪，對內則有層出不窮的內亂，諸如太平天國、捻亂、回亂、國民革命、軍閥割據、以迄國共內戰。直至一九四九年中共取得決定性的勝利後，長期的戰亂才得稍戢。在這一百一十年當中，中國隨時處於亡國或分裂的危機當中，哪有條件去發展人權觀念。依古典人權理論，在「個人自由」與「國家安全」之間總要找出一個平衡點，如若國家安全遭到嚴重威脅，則個人自由權利亦應予相當節制，第二次世界大戰期間或冷戰初期的美國最高法院判例均可佐證。此外，德國從一八四〇年到一八七〇年在政治舞台上亦有「國家主義」與「自由主義」孰先之爭，迨俾斯麥以鐵血手腕統一德國後，一切施政皆以維護這個新帝國的生存與發展為目的，自由主義的政治主張不得不偃旗息鼓，必得等到第一次世界大戰之後，才能再度活躍起來。中國在歷經百餘年內憂外患的情形下，自然是以維護國家主權統一為先，從而無暇顧及人權制度之引進了。

至於晚近工業先進國家（尤其美國），時常批評中國的人權狀況。殊不知歐美各國今日的人權水準，乃是各國新興中產階級在工業革命後，基於自覺，逐步爭取，歷二百餘年才得漸次普及。在此漫長過程中，人權問題無論在歐洲或在美國均屬各國內政問題，未曾成為國際間的爭議事項。現在常批評中國人權狀況的國家，原來就是曾經侵略中國的殖民帝國，中國在歷經國家統一與安全一再受到威脅之故，斥之以「干涉內政」，實堪可理解。

參、人權觀念得以發展的契機

聯合國大會於一九四八年通過「人權宣言」，其後又分別通過「民權與政治權利公約」（一九六六年）與「經濟、社會、文化公約」（一九七六年）。自此，人權國際化就漸漸成為世界的潮流[7]。上面筆者歷陳人權觀念難以在中國發展的原因，但這並不意味人權觀念根本無法在中國落地生根。現在，謹就人權觀念得以在中國發展的契機分述如下：

一、傳統優秀人文思想與人權的哲學理據相契合

古典的人權理論固然可溯及古羅馬時代斯多噶學派的自然法（ius naturale）思想，經由西班牙的沙拉曼卡學派（Salamanca School），亞圖西烏斯（Althusius, 1557-1638）[8]與普芬多夫（Pufendorf, 1632-1694）等人的努力，及至吳爾夫（Christian Wolff, 1679-1754）集其大成，提出第一份人權清單[9]。然論及人權的哲學理據——人的尊嚴，則完成於康德[10]。就如聯邦德國憲法第一條所宣示的：人的尊嚴不可褻瀆，人權是一切人類社會和平與正義的基礎。

康德以自由來論證人的尊嚴，他界定「自由」為人可以獨立於一切經驗因素的制約，而讓純粹理性的要求成為實踐的那種能力。亦即消極上，人可以克制私欲，不受外在經驗因素的誘惑。積極上，人可以完全依據義理來自定行止。與此種自由理念相通，孔子也說：「三軍可奪帥也，匹夫不可奪志也」，簡潔地表達出「自由」的精義。後來孟子闡發為：「生亦我所欲也，義亦我所欲也，二者不可得兼，舍生而取義者也」。偉大的儒者朱熹（一一三〇—一二〇〇）倡導「克制一己之私欲，回復天理

之本然」。陽明學的開基祖、也是朱熹的批評者王守仁（一四七二—一五二八）也主張「存乎天理之極，而無一毫人欲之私」。其實儒家就是以這種義利之辨、天理人欲之爭來捍衛人的尊嚴，這乃是自孟子以來即為儒家人文思想的精髓，正與康德「實踐哲學即自由哲學」的主張相通[11]。因此，以中國的傳統文化雖然發展不出人權思想，但傳統文化卻不排斥人權思想，甚至還為人權思想的推展提供一豐腴的園地[12]。

二、改革開放政策促進經濟與社會的發展

自一九四九年中共建政以後第一個十年，除了一九五〇年捲入抗美援朝戰爭、一九五四年「高、饒反黨聯盟」問題、一九五五年「胡風反革命集團」事件之外，尚且能夠與民休養生息。然而一九五八年中、蘇共間的意識型態爭議激化，俄援中止，掀起一連串的政治運動，直至文化大革命達於高潮，中國陷入激進、極左的政治狂流達二十年之久，及至一九七八年底中共第十一屆三中全會才通過對外開放、對內改革的政策，經濟成長率平均維持百分之八以上[13]。尤其自一九九二年初鄧小平南巡後，確立「社會主義市場經濟制度」，更使經濟成長率連續創下百分之十二的佳績，部份地區更以年成長率百分之四十快速成長[14]。這帶動了欠發達的內陸地區剩餘的勞動力

（據保守估計，達一億人以上）急速湧進沿海地區及大城市。這種高度的人口流動，造成觀念思想的快速傳播，對中國原有的社會結構與行為模式形成強烈的衝擊。

隨著經濟改革，引進三資企業，所有制也變得更具彈性與多樣性，除了原來的社會主義公有制（即全民所有制與集體所有制）之外，民辦企業的出現也象徵對私有制的讓步。尤其近年來大中型國有企業的機制轉換也與股份制結合在一起，鄉鎮企業更如雨後春筍蓬勃發展。三資企業、民辦企業與鄉鎮企業都是改革開放政策下的產物，它們將為未來中國培養大量的中小企業經營管理人才，一個新興的中產階級已經逐漸浮現。這對社會的多元化、現代化均有莫大的助益，進入工業社會的中國不可能排除與之相應的政治與法權制度，當然包括人權保障制度。易言之，經濟改革正為中國未來的政治改革奠定物質基礎。

三、「有中國特色的社會主義」

一九六二年鄧小平有句名言：「黃貓、黑貓，只要捉住老鼠，就是好貓」[15]。這套貓論後來被左派批評為「右傾機會主義」。復出之後，鄧小平態度轉趨謹慎，改口說：「黃貓、黑貓，只要捉住老鼠，就是好貓，但無論如何這隻貓一定要是社會主義。」[16]希望藉此來杜絕左派的抨擊。但到底什麼是「社會主義」，則未見進一步的闡述。隨著改革開放，引進市場經濟制度，這卻又與原來的社會主義計劃經濟制度發生扞格，因此輒遭左派理論家的質疑。在改革開放之初，是以「計劃經濟為主，市場調節為輔」[17]，後來調整為「計劃與市場並重」的雙軌制[18]。市場經濟與社會主義是否互相排斥，一直是一個嚴重的理論爭議。鄧小平主張「貧窮不是社會主義，社會主義是要消滅貧窮」[19]，又指出，社會主義不是要限制生產力，而是要解放生產力，發展生產力[20]。因此他認為市場經濟與社會主義不存在根本矛盾[21]，兩者可以互相結合，從而達到「共同富裕」的理想。至此，鄧小平提出「建設有中國特色的社會主義」來做為「社會主義市場經濟制度」的理論基礎。

「有中國特色的社會主義」揚棄僵硬的教條，具體考慮中國特殊情況，一方面要解放生產力，又要達到共同富裕的理想，這與孫中山主張的「均富」可說不謀而合。事實上，「有中國特色的社會主義」可以界定為「在中國共產黨領導下，為了提升綜合國力、增進人民福祉、達成共同富裕的理想，而採行的廣為人民群眾所接受的政策的總稱」。這無疑是一個極為務實的主張，影響所及，教條主義靠邊站。正因為在社會主義的基礎上引進市場經濟，使得人力從過去吃大鍋飯的國有企業解放出來，紛紛投入三資企業、鄉鎮企業和民辦企業，收入大幅增加，經濟上越來越能獨立自主，這種務實的觀念和做為，使得意識形態的阻力大為削減。因此，隨著「有中國特色的社會主義」的發展，人權觀念要在中國落實的意識型態障礙顯然正逐漸消泯。

四、後冷戰時期的國際局勢

隨著一九八九年柏林圍牆倒塌，東西德的統一牽動了華沙公約的解組與蘇聯的瓦解。冷戰時代已然結束、兩極對抗不復存在。以談判代替對抗，不再是空言。至於像一九九一年伊拉克入侵科威特，這樣粗暴併吞他國的行徑馬上招致國際社會的譴責與制裁。在這種國際政治氣氛之下，中國國家分裂與滅亡的威脅大為減低。而中國當局自八〇年代以來，也一直標榜「和平」與「發展」做為其外交政策的最高指導原則，並與各個鄰邦改善關係㉒。中國因此不再孤立，能夠平等地與世界各主要國家相互往來。這種良好而友善的國際關係，使中國受到戰亂威脅的危機大為降低。向來，國家安全和人權保障兩者之間，即存在著相當緊密的互動關係。國家有難，人權很可能會在「顧全大局」、「犧牲小我」等口號下被壓抑；反之，國家安全的威脅一旦降低，保障人權的體系自然就相對地較為完整。因此，國際關係的改善的確為中國的人權發展提供了有利的條件。

然而就像盧梭所言，真正的憲法是刻在人民心版上的憲法。人權不是從天而降，而是經由國內少數菁英份子的覺醒、提倡、奔走，兼由於客觀的政治、社會、經濟與文化條件的成熟，漸漸普及，而成為人民的共信。在這過程中，如何普及教育、發展傳播事業、培養公民文化、提倡啟蒙思想，都是使有效公共討論成為可能的必要條件。國際社會（尤其以美國為主的西方國家）與其一味指責中國的人權狀況，從而挑起中國人民與政府對帝國主義的仇恨回憶，毋寧從旁協助中國完成工業化，以為引進人權制度建立更牢靠的物質基礎。

肆、制度化的人權保障對中國現代化的重要性

自十九世紀末以來，任何關心中國前途的菁英，無論改革派或革命派，都必須針對下列兩個嚴肅的課題提出解決的策略：第一是如何解放國民生產力的問題，即如何引進市場經濟來完成中國工業化的問題；第二則是在國民生產力解放之後，如何將創

造出來的財富公平分配的問題，此即社會主義嘗試要解決的問題。

第一次世界大戰剛落幕，孫中山即提出「實業計劃」[23]，希望藉著大戰結束，引進西方國家的資本與技術，以發展中國的生產力。然而，當時西方列強對於「實業計劃」反應冷淡，反倒是領導蘇聯十月革命成功的列寧向孫中山所領導的南方政府伸出友誼的手，終於促成國、共兩黨的合作。之後孫中山更在一九二四年的「三民主義」系列演講中強調「民生主義就是共產主義，就是社會主義」[24]，高揭均富的理想。一九二七年，孫中山的繼承者蔣介石與共產黨決裂，遂發動「清黨」，國、共展開為期十年的內戰。一九三七年，國、共第二次合作，抵抗日本的侵略。但抗戰勝利不久，國、共再度失和。共產黨在毛澤東領導下，於一九四九年贏得內戰，取得政權。其實，自「清黨」以後，國民黨內部的左翼力量迅速消逝，由蔣介石領導的國民政府儼然已成資本家與地主階級的代理人，始終未能正視貧富不均的問題，致與廣大農、工群眾日漸疏遠；再加以一直無法建立有效遏止貪污、腐化的機制，終於逼使人民選擇共產黨。

反觀中共在一九四九年取得中國大陸政權後，起先還能與民休養生息，但自一九五五年底發動反右鬥爭，一九五八年後，政策愈益左傾，過份強調財富均等，忽視了發展生產力，終於演變成文化大革命。文革期間，毛澤東將其個人魅力發揮到極致[25]，連當時國家主席劉少奇都自身難保，遑論一般人民，文革浩劫正暴露出中國未能建立有效防止權力腐化機制的危機。

百餘年來，中國的有識之士無不致力於尋求國家現代化的道路。而如何解放生產力，及生產力解放之後所創造出來的財富要如何分配的問題，一直是大家困心衡慮的一個焦點。但是，由於內憂外患頻仍，有關政經體制的採擇始終沒有定論。今日，我們回顧這一百年來中國政治發展的軌跡，愈益覺得「社會主義市場經濟制度」彌足珍貴，因為它能兼顧解放生產力與公平分配財富這兩大課題。但是，從過去蔣介石與毛澤東的統治經驗來看，欲確保社會主義市場經濟體制的有效運行，建立有效防止權力腐化的機制乃是當務之急。

為了防止權力腐化，必須加強人權保障，而且是制度化的人權保障，以排除國家權力的濫用。這就有賴於建立「法治國」（Rechtsstaat）。康德是第一個提出法治國理念的哲學家，他藉著法權概念，將國家定義為「一群人生活在法律規範之下的共同體」。法治國是奠基在承認每一個人都是法權的主體，並尊重每一個人的尊嚴；亦即以保障每一個人的尊嚴及與此尊嚴不可分割的人權為出發點。

法治國蘊涵著國民主權的思想。國民主權係指將「制憲權」（pouvoir constituant）排他性地歸屬於國民全體；亦即國民全體透過憲法的制定或修改來規範整個國家機制的運作，並依權力分立與制衡的原則制定出「憲法所賦予之權」（pouvoir constitué）。

權力使人腐化，絕對的權力造成絕對的腐化。為了防止權力腐化，只得將權力分開，並使之互相制衡，這樣才能有效保障人權。根據這種權力分立與制衡的理論，康德將國家權力分為立法、執法與司法三種權力，並藉著邏輯學上的三段論法（即大前提、小前提及結論）來比喻三者之間的關係。一旦任何兩種或兩種以上的權力集中在同一個人或同一群人的手中，必然導致權力的腐化與濫用，人權就無法獲得保障。因此，唯有透過權力的分立與制衡，建立制度化的人權保障，落實法治國理念，才能確實防止國家權力的濫用，以確保中國現代化事業的成功。

法治國的目的在於維護每一個人的尊嚴及與此尊嚴不可分割的人權。唯有透過「國會至上」、「依法行政」、「司法審判獨立」與「多黨公平競爭的政治體系」等機制的落實，人權才能獲得制度化的保障。

為了保障人權，首先應確立「國會至上原則」(Supremacy of parliament)。人民藉著定期選舉，推出代表組成國會，依多數決原則議決法律。每項法律案的通過無異是國民總意志的宣示，國民服從法律其實是間接地服從自己的意志。政府亦須服從憲法與法律來行使公權力，這就是「依法行政原則」。公權力的行使應受到「法」的約束，嚴格恪遵比例原則、誠信原則、信賴保護原則及公益原則。政務官應隨著政策的成敗而進退，以體現責任政治的精神。事務官則應在政爭中保持「行政中立」的立場，獨立於各個政黨、利益團體之外，而處於公正、超然的地位，以維護健全的文官體制。政府除了「依法行政」外，仍需向國會負責，並接受其監督，這樣的政府才不會濫用公權力，人權也才能獲得保障。

除了立法、執法兩權外，司法權的獨立對於人權的保障尤具意義。司法權絕不能成為當權者迫害異己的工具，唯有排除各個政黨、執法權以及其他力量的干預，司法才有尊嚴，才能真正成為維護憲政體制與保障基本人權的守護神。

此外，現代與傳統社會的人口結構截然不同。在一個現代社會裡，社會階層多元化，各種不同——甚至相矛盾——的社會利益不可能全部由同一個政黨來代表。政黨的主要功能，就是反映民意、歸納民意、整合民意、代表民意，以參與建構國民總意志。唯有建立一個確保各個政黨公平競爭的政治體系，才能使各個階層的民意獲得充分地反映與尊重。換言之，政黨應針對社會大眾所關心的公共議題提出主張及解決策略。政黨也應培養有能力擔負公共責任的國民，以代表政黨參與各項選舉。藉著選舉，獲得過半數選票的政黨（或政黨聯合），即有權組織政府，行使統治權。此即體現了主權在民的理想。為建立多黨公平競爭的政治體系，必須保障人民組黨、入黨與退黨的自由，保障各個政黨發展黨務、宣傳黨的理想與主張的自由，並確保大眾傳播媒體獨立於各個政黨，自主運作。在多黨公平競爭的政治體系下，透過有效的相互監督與制衡，才能有效保障人權。

伍、政治體制的轉構是保障人權的前提

中國的宰相制度與皇帝制度有同樣久遠的歷史。自秦始皇統一中國（西元前二二一年），設置丞相，將相權自皇權中分離出來，宰相制度成為中國傳統政治的一大特色。皇位固為世襲，宰相則就文官中選拔。若皇帝昏庸無能，宰相卻忠貞幹練，也還能維持一個「主昏於上，政清於下」的局面。反之，若宰相貪贓枉法，師心自用，皇帝也還有機會更換宰相。除非皇帝與宰相兩者均極不稱職，才可能導致政權的更迭。

這個政治制度規範了二千餘年中國傳統政治的框架，且不失為一種權力分立與制衡的模式。

皇權代表皇室，相權則代表士族，甚至人民。皇室因久居深宮，不僅在血統上日趨退化，在社會生活上亦與平民百姓日益隔閡。相反地，士族來自民間，新血不斷注入，得以永保蓬勃的朝氣。尤其自北宋（九六〇—一一二七）以來，印刷術的發達促成了書籍流通的普及，一般農家子弟亦能參加科舉，晉身官場。正由於擁有一套理性而合理的政治制度，使得傳統中國無論在教育、經濟、社會與文化上均有傲人的成就。直至十七、八世紀，歐洲一流的知識菁英，如萊布尼茲[26]與服爾泰[27]，也都推崇中國在許多方面領先歐洲。

自孫中山領導革命，建立共和以來，推翻了傳統的政治制度。然而，在國民黨統治時期，卻一直未能發展出一套穩定的政治體制。其實，現代西方的政治體制，在相當程度上，乃是工業革命後的產物。工業革命解放了大量農奴，使他們離開農村，湧進城市，離開耕地，擠進工廠。於是，原有的封建等級被打破，造就了大量的工商階級、勞動階級，乃至白領階級。又隨著教育的普及，社會保障體系的完善，人民的參政能力與意識普遍提高。在政治運作上，代表社會不同階層的利益互相競逐，社會價值遂趨於多元化。由此可見，西方自工業革命以來，歷經三百年的摸索，為了適應新的社會與經濟活動形式，才發展出立基於「法治國」的政治體制。反觀中國傳統的政治制度，始終缺乏上述的物質基礎。

中共自一九七八年推行改革開放政策後，終能於一九九二年總結歷史經驗，找出一條穩健的現代化道路——「社會主義市場經濟制度」。但是，欲確保社會主義市場經濟制度的有效運行，必須改革政治體制。換言之，經濟改革的成果能否確保，端賴政治改革是否成功。然而，誠如鄧小平所言，政治改革由於觸及許多人的利益，因此比經濟改革要複雜而困難[28]。此外，政治體制的改革唯有在政治權力結構相當穩定的條件下才能進行。歷史一再地告誡我們，在政治權力結構的重組過程中，最忌諱同時進行政治體制改革。因為角逐政治權力的各個派系不可能理性地從事論辯以決定採擇那一種政治體制。他們只是在盤算，改革後的制度對其權力的消長有何影響。

當前中國政治體制改革的重點有三[29]：首先是黨政分開的問題，誠如鄧小平所言，就是要「處理好法治和人治的關係，處理好黨和政府的關係」。其次則是權力下放的問題，以解決中央與地方的關係。第三則是精簡機構的問題。但政治改革歸本溯源則是共產黨角色調整的問題。

其實，正如經濟改革要求政企分離，俾使企業自主經營，讓市場供需法則發揮作用，以發展生產力，並使經濟資源作最有效的配置；政治改革也要求黨政分開。黨政分開有兩項重大的意義：其一是讓各級政府依照憲法與法律的規定行使公權力，並接受同一等級立法機關的有效監督，而不再直接接受共產黨的指揮，這也就是「依法行政」；其次是保障各個政黨法律地位的平等，提供各個政黨公平競爭的機會。只要該政黨（或政黨聯合）能在選舉中獲得過半數的選票，就可以組織政府，這也就是「多黨公平競爭」的政治體系。如此不但可確保行政中立，更可落實主權在民的理想。

目前的黨政關係是黨領導政。各級行政首長之旁均設置一位職級較高的黨委書記，兩者的關係本是黨監督政的關係。然而依法要向立法機關負責的，卻是行政部門。黨務部門一則缺乏名分，二則權責不相當，三則易於濫權。在立法機關權利意識日漸抬頭的今日，已出現了黨配合政，甚至有黨委書記兼任行政首長的情形。況且，在中國高級人力資源極為有限的情形下，由黨委書記領導並監督行政首長，不僅是人力資源的浪費，亦與精簡人事、精簡機構的要求背道而馳。

筆者以為，如果確保行政中立的法律體系尚未制定，即將黨政突然分開，則依照憲法與法律的規定，各級人民代表大會固應負起監督各級政府的責任。然而，揆諸各級人民代表大會的組成方式、人員素質與運作模式，根本不足以勝任，反倒使法制化的努力功虧一簣。因此，目前應先鼓勵黨委書記兼任各級人大主任，如此即可依法監督行政首長。長此以往，黨政分開勢在必行，相應的制度設計則是制定確保行政中立的法律體系與人民代表大會制度的改革。

人民代表大會制度固然對政局的穩定有其貢獻，而中華人民共和國憲法第五十七條亦明訂全國人民代表大會為最高國家權力機關。然而，向來人大代表的參政意識太過薄弱，專業經驗與知識亦嫌不足，尤其缺乏專職化的歷練，致其發言內容多屬個案或地區性問題，無法涉及整體政策層面。為使行政機關接受立法機關的有效監督，可將各級人民代表大會的常委會予以專職化、專業化，並鼓勵由黨務部門釋出的人力投身常委會。至此，中國共產黨自可退居第二線，負起為國舉才的責任，提名德才兼備、積極性強的社會菁英參選各級人大的常委。

黨政分開的另一重要意義，乃是開啟多黨公平競爭的新局。隨著社會階層與利益的多元化，多黨競爭之局勢不可免。以台灣為例，創立民主進步黨的領導階層幾乎早年多為國民黨黨員。當初也許因為政治主張稍有不同，或人事安插不盡理想，而欲另謀出路。但卻一再遭到國民黨黨中央的冷落、抵制、醜化、孤立與打擊，甚至以「莫須有」的罪名送入監牢。雖然國民黨最後不得不接受民進黨存在的事實，但兩黨之間卻已積累了許多仇恨與怨懟，導致政黨間的競爭無法常態發展，情緒的對抗早就淹沒了理性的政策辯論。如此的政黨政治根本無法有效地反映民意、歸納民意、整合民意、乃至代表民意，兩黨耽溺於權力鬥爭而無法在參與建構國民總意志的過程中扮演建設性的角色。假使在五〇年代，蔣介石能接受「分黨」的建議[30]，主動將國民黨分為兩個黨，必能避免政黨間仇恨的滋長，有效地防制政黨政治的惡質化。其實在非西方世界的政治領袖，如列寧[31]與土耳其國父凱末爾（Kemal Atatürk）[32]亦曾有引進多黨制或「分黨」的構想。

中共應該記取台灣民主化的慘痛教訓，可考慮將共產黨分為甲、乙兩黨。甲黨為執政黨，其施政可側重發展生產力，以提高國民生活水平。乙黨則負起監督甲黨的職責，隨時督促政府在發展經濟的同時，是否也建立了一套與經濟發展水平相稱的社會保障體系。況且，乙黨在中央雖為在野黨，卻可能在部分省區是執政黨。如此即可避免出現「毀滅性的政黨政治」，即除了一個獨大的執政黨外，盡是些從無執政經驗、且在可預見的將來亦無執政希望的小黨，他們鎮日發表一些不切實際又不負責任的言論，從事煽動性的政治活動，破壞政局的穩定。換言之，甲、乙兩黨雖為相互監督、制衡的關係，卻也能培養兩黨對公共事務的責任感，有助於社會主義市場經濟制度的健全發展，以加速達成共同富裕的理想。惟分黨之前，必須在憲法中明訂各政黨所應共同遵循的根本原則。一旦有政黨違反此等原則，即得依法定程序予以處罰，甚或解散，以維政黨政治的良性發展。

一旦黨政分開的問題獲得妥善解決，讓各級立法機關能確實根據憲法成為最高權力機關，取代共產黨的地位來監督行政部門，原來的黨務部門菁英則經由黨的提名，參加選舉，被選為各級的人大常委，名正言順地來對行政部門行使監督權。至於其他的政治改革工程，即落實權力的分立與制衡，如司法審判獨立、依法行政等原則，自然水到渠成。唯有如此，人權才能獲得制度化的保障，也才能為鄧後的中國政治改革奠定堅實的基礎。

陸、結　語

不同的民族有不同的歷史、文化發展背景，鄧小平主張「我們搞的現代化，是中國式的現代化。我們建設的社會主義，是有中國特色的社會主義。」[33]正是在強調務實態度、重視文化傳承，以及自力更生的重要。西方的政經發展固然有其獨特的歷史、文化背景，不能一體適用地移植到中國來。然而，鄧小平也強調，要「吸取歷史經驗，防止錯誤傾向」[34]。因此，在改革、開放的過程中，也不應低估西方國家的經驗，反而應袒開寬闊的胸懷，大大方方地汲取其寶貴的經驗與教訓，以減少摸索、試誤的過程。「法治國」的機制畢竟是一個可以期待的、政治改革的範型。只有「法治國」才能保障每位國民的人權免於遭到國家公權力的恣意侵犯。這種制度化的人權保障不僅可以確保每一位國民的尊嚴，也是凝聚國民總意志的先決條件。

鄧小平在生前即相當關切政改的問題，他說：「政治體制改革同經濟體制改革應該相互依賴，相互配合。只搞經濟體制改革，不搞政治體制改革，經濟體制改革也搞不通……我們所有的改革最終能不能成功，還是決定於政治體制的改革。」[35]今年二月二十五日，江澤民在鄧小平追悼大會上所致的悼詞中，也提到要「把經濟體制改革堅持深入下去，與此相適應，把政治體制和其他方面的改革堅持深入下去。」中共十五大召開在即，根據各種跡象顯示，政改的推動顯然已提上了中共中央的日程表[36]。政治改革是漫長而艱辛的歷程，許多歷史的包袱和既得利益者的阻撓，都需要以最大的耐心與智慧去一一加以克服。為了爭取兩岸人民對政改的信心，也為了爭取國際社會對新中國的支持，建立制度化的人權保障是當前政治菁英們責無旁貸的一個課題。

注釋：

❶「東亞人權觀」基本上是東亞新興國家的領袖，諸如新加坡的李光耀、馬來西亞的馬哈地等，對以美國為主的西方強權動輒以「人權問題」為藉口，而干涉他國內政的反彈。其中以李光耀的言論最具代表性，他認為，「新興國家最需要的是『公平』，而不是『民主』，新興國家要求生存發展，應該先追求建立一個廉潔的政治體系，發揮公信力，然後才談民主。」見楊建成，《向李光耀學習》（台北：文史哲出版社，一九九一年五月），頁三—四。其他的東南亞國家領導人也不乏與他類似的看法。的確，民主體制的建立，需要一定的物質基礎和文化條件。大多數的東亞新興國家在二次大戰後才掙脫出西方列強殖民統治，八〇年代以後才有較好的經濟發展。如何在引進人權保障與建立民主機制的同時，維護民族的獨立自主與尊嚴，一直是個難題。相信在經濟更為改善，教育更為普及之後，東亞國家將能擺脫歷史包袱，較為坦然而有自信地面對人權問題。

❷關於天安門事件的部份，鄧小平也認為其訴求是集中在反對腐敗，他表示「要整好我們的黨，實現我們的戰略目標，不懲治腐敗，特別是黨內的高層的腐敗現象，確實有失敗的危險。」見鄧小平文選，第三卷（北京：人民出版社，一九九三年十月），頁三一三—三一四。關於二二八事件的部份，見《二二八事件研究報告》（台北，行政院「二二八事件」小組，一九九二年二月），頁十九—二四。

❸基本上，自一九四五年到一九八五年間台灣的反對運動，不管在民主憲政的追求，或在黨禁、報禁的突破上，固然有前仆後繼的仁人志士，卻都沒有重大的發展。直到一九八六年的公職人員選舉，筆者主導擬定黨外參選共同政見：㈠廢除臨時條款，回歸民主憲政；㈡解除戒嚴令，開放黨禁、報禁；㈢廢除萬年國會，定期全面改選。這些開創性的運動，筆者全程參與，後來也都一一完成，這才使得憲法上所明定的基本人權與民主機制漸次落實。

❹孫逸仙不使用「人權」，而採用「民權」。他認為民權不是天賦的，而是時代潮流的產物，盧梭的天賦人權觀是沒有根據的。見民權主義第一講，《國父全集》第一冊（台北：國民黨中央委員會黨史館出版，一九七三年六月），頁七四。

❺論語，八佾篇。

❻《中國的人權狀況白皮書》（北京：人民出版社，一九七一年）。

❼Kuehnhardt, Ludger," Die Universalitaet der Menschenrechte", pp. 86 ff., Bundeszentrale fuer politische Bildung, Bonn 1987.

❽Reibstein, Ernst, "Johannes Althusius als Fortsetzer der Schule von Salamanca", Karlsruhe 1955.

❾Wolff, Christian, "Grundsaetze des Natur-und Voelkerrechts", pp. 46 ff.,Halle 1754.

❿Wagner, Hans, "Die Wuerde des Menschen", Wuerzburg 1992.

⓫參閱康德，《純粹理性批判》，牟宗三譯（台北：學生書局，一九九二年九月修訂版），譯序。

⓬Leng Shao-chuan, " Human Rights in Chinese Political Culture" , in : Thompson, Kenneth W., (ed), The Moral Imperatives of Human Rights, Washington DC 1980.

⓭見中國國家統計局，《中國統計年鑑》，一九九五年。

⓮海南島於一九九二年的年成長率即高達百分之四十點二。見中國國家統計局，中國統計年鑑，一九九五年。

⓯一九六二年七月七日，鄧小平接見出席共青團三屆七中全會的代表，發表 題為

「怎樣恢復農業生產」的談話，其中引述劉伯承常講的一句四川話：「黃貓、黑貓，只要抓住老鼠就是好貓。」見《鄧小平文選》，第一卷（北京：人民出版社，一九八九年五月），頁三〇五。

⑯見龍平平「澄清對『貓論』的訛傳與誤解」，收錄於《鄧小平的歷程——一個偉人和他的一個世紀》（北京：解放軍文藝出版社，一九九四年八月），頁八七—九一。

⑰《鄧小平文選》，第三卷（北京：人民出版社，一九九三年十月），頁二二。

⑱同前引書，頁二〇三。

⑲同前引書，頁一一六。

⑳同前引書，頁一三七及頁一四八—一四九。

㉑同前引書，頁一四八。

㉒台灣除外，中共認為台獨乃受帝國主義所鼓動的民族分離運動，並一再強調，只要台灣一宣佈獨立，即將採取軍事行動。

㉓《國父全集》，第一冊（台北：中國國民黨中央委員會黨史委員會，一九七三年六月），頁五〇七—六六六。

㉔孫文，民生主義第二講，《國父全集》，第一冊（台北：中國國民黨中央委員會黨史委員會，一九七三年六月），頁一八五。

㉕高皋與嚴家其合著，《文化大革命十年史》，（天津：天津人民出版社，一九八六年九月）。

㉖見Widmaier, Rita, (ed.)," Leibniz Korrespondiert mit China", Frankfurt a.M. 1990.

㉗見Voltaire," Sur le siècle de Louis XIV", ch. 39, 以及Voltaire, "Diction naire philosophique", "de la Chine".

㉘鄧小平，「關於政治體制改革問題」，《鄧小平文選》，第三卷（北京：人民出版社，一九九三年十月），頁一七六。

㉙前引書，頁一七七。

㉚見胡適一九五一年五月三十一日日記，收於《胡適的日記》手稿本（台北：遠流出版社，一九九〇年）。

㉛列寧只說無產階級專政，並未提出共產黨專政。列寧仍容許多黨制繼續存在，包括社會主義革命黨。見《聯共黨史》(莫斯科：蘇聯中央委員會編集，一九四九年）

㉜見自由中國雜誌，卷十八，第十一號，一九五八年元月。

33 鄧小平，「路子走對了，政策不會變」，《鄧小平文選》，第三卷（北京：人民出版社，一九九三年十月），頁二九。

34 鄧小平，「吸取歷史經驗，防止錯誤傾向」，前引書，頁二二六。

35 前引書，頁一六四。

36 吳江，「中共十五大後可能推動政改」，中國時報，一九九七年四月七日，第九版。

中國跨世紀的全球戰略芻議

——港台、台、大陸經濟圈形成之後

一九九四年三月二日，朱高正應邀赴北京中國社會科學院向八個研究所聯合舉辦首次跨所學術報告會，提出本文。文中以中國爲主軸來分析跨世紀全球戰略的觀點，同時回應美國哈佛大學杭廷頓教授以英美觀點所提出的全球戰略構想。朱高正以宏觀的視野，剖析多元共存的國際政經舞台，主張兩岸共存共榮，積極參與世界新秩序的形成，以使中國能在全球政治經濟體系中扮演更重要的角色。如此中國才能走出屈辱的陰影，迎向光明的未來。

從〈化經貿實力爲外交戰略能力——規劃我國中長期外交戰略芻議〉到〈論台灣前途——從亞太經濟秩序的重組談起〉，再到〈中國跨世紀的全球戰略芻議〉，朱高正一貫以全局性、前瞻性的角度，站在兩岸三地全體中國人民的立場，爲未來中國前途勾勒出理想的藍圖。

一九七八年大陸農村實施「家庭聯產承包責任制」，調動農民生產的積極性，大幅提高農民所得。該年底中共十一屆三中全會更進一步推動對外開放、對內改革的政策。歷經十多年的摸索與努力，終於由鄧小平提出建設「有中國特色的社會主義」，化解了長期令人困擾的姓資或姓社的理論爭議，從而確立「社會主義市場經濟制度」，並決定引進「現代企業制度」，銳意進行在經濟領域內全方位與國際接軌。

發揚蹈厲的十五年

回顧過去十五年，是發揚蹈厲的十五年，也是險象環生的十五年。在這十五年中，八五年的通膨壓力，八七年的上海學運，八九年的六四民運，及緊接柏林圍牆倒塌後的骨牌效應等等，都未曾改變改革開放的既定政策。大陸各級領導幹部早已揚棄「多做多錯，少做少錯，不做不錯」的心態，勇於任事。其間雖也曾經濟過熱，導致通貨膨脹及公共投資的重疊與浪費。而工業部門每年以百分之十五以上的快速成長，相對於農業部門不及百分之一的低度成長，也顯示出工農發展失衡、城鄉差距與所得分配等問題的日趨嚴重。至於大中型國有企業的結構調整、鄉鎮企業的管理水平、教育及科研經費與公教人員待遇偏低等問題，更不在話下。然而去年實施宏觀調控、引進新會計制度、根除打白條問題，並在今年廢除外匯券，確立中央與地方分稅制度，卻也證明整個改革並未失控。

這個輝煌的改革成就已令世人刮目相看。德國一九九三年首度出現百分之二的負成長，而與中國大陸的貿易成長卻高達百分之二十。日本經團連所屬的大財團自九三年以來，其投資與增資計劃莫不與開發大陸市場有關。世界銀行與國際貨幣基金會先後預測中國在本世紀結束前將是坐二望一的經濟大國，這雖使得中國今後在國際社會爭取大筆優惠貸款形成困擾，但卻也肯定了中國經濟發展的巨大潛力。

中國將與美國、歐盟鼎足而立

相對於九二年全球經濟零成長、九三年僅只百分之一的低度成長，中國維持二位數的高速成長，可謂一枝獨秀。依據關稅暨貿易總協定公佈的資料，近五年來，香港、台灣與大陸彼此間的貿易、投資額是全球成長最快速與最密集的地區，一個新經濟圈已自然形成。港、台、大陸的對外貿易總額扣除三地間的內部貿易額，已高達四千九百七十億美元，已晉升為全球第四位，僅次於美、德、日三國。預計在一九九五年中國（港、台、大陸）將取代日本成為第三貿易大國。

此外，一九九二年中國（港、台、大陸）的國民生產毛額占全球百分之三，排名第七位。只要依此速度繼續努力，在本世紀結束前，可擠進前三名。一個新的經濟大國已隱然浮現在亞洲，中國將與美國及歐洲鼎足而立。這是自鴉片戰爭以來，所僅見的千載良機，所有關心國家前途的人士絕不能自外於這個嶄新的局勢。中國即將以經濟大國出現在國際社會，這對西方國家而言，是一件不太容易被接受的事實。畢竟近現代的世界史一直由西方主導慣了，面對一個歷史傳統文化比它們悠久而獨特的新中國，終難釋懷。因此，「中國威脅論」、「新黃禍論」最近相繼出籠，充份反應出西方國家即將失落優勢的惶恐。

海峽兩岸應速化解歧見

不容諱言地，近二十年的全球經濟深受「經濟合作發展組織」（OECD）與七國高峰會議（G-7）的影響，尤其是外貿總額佔全球百分之三十以上的美、德、日三國最具發言權。至於全球政治，在蘇聯解體之後，聯合國安全理事會則由美、英、法三國來主導。中國雖是安理會常任理事國，但由於葉爾欽承襲戈爾巴喬夫的親西方路線，相對地較為孤立。總而言之，今天中國在全球政治與經濟上的發言權是極其有限的。然而經濟與政治是一體兩面、相輔相成的。西方國家一再藉其全球政治影響力，來確保其經濟利益，再以經濟實力厚植其全球政治影響力，這也正是德、日兩國亟於爭取聯合國安理會常任理事國席次的原因。

為了確保我們進一步的發展，國民生產毛額居全球第七位，對外貿易總額居全球第四位的中國（港、台、大陸）應短期內在七國高峰會有發言權。海峽兩岸政權應儘速化解歧見，莫再在國際社會從事親痛仇快的外交角力。中國大陸除了堅持「和平共處五原則」外，也須進一步策定跨世紀的全球戰略，以確保另一個十五年的和平發展期。我們要致力於將國民生產毛額在「十年規劃」期間，亦即本世紀結束前，提升至全球的百分之八，以厚植綜合國力。我們要努力使中國在二〇一〇年國民生產毛額在全球的比重可以與其人口在全球的比重相稱，俾為建立公平的世界新秩序邁出關鍵的一步。

文化衝突取代兩極對立

眾所週知，自八九年柏林圍牆倒塌以來，促成了德國統一、華沙公約組織及蘇聯相繼土崩瓦解，牽引了全球戰略形勢的劇變。以冷戰時期「三分世界」的架構已無法詮釋近年來的國際衝突，連波斯灣形勢在「沙漠風暴」後，也有微妙的變化。冷戰時代雖已結束，但不同文化系統間的衝突取代了美蘇的兩極對立。亦即因宗教信仰（如基督教、東正教、回教、印度教、儒教等）不同而形成各個文化系統間的衝突，將成為國際衝突的主要形式，美國哈佛大學國際政治學教授杭廷頓（Samuel P. Huntington）稱之為「文明的衝突」（Clash of Civilizations）。他認為自新航路發現以來五百年的全球衝突，無論殖民帝國主義的爭霸，乃至冷戰時期意識型態的對立，都只是「西方世界的內戰」。隨著冷戰時代的結束，國際政治的焦點將是「西方」與「非西方」文化的衝突，而在此等非西方國家中對西方世界威脅最大者莫過於中國的儒家文明與回教世界。杭廷頓甚至毫不避諱地為西方國家借箸代籌，提出西方世界在這場與非西方文明系統對決中的全球戰略基本構想：

㈠強化西方國家內部的團結與合作；

(二)將原來對第三世界的經濟援助優先提供給東歐及拉丁美洲；
(三)拉攏日本與俄羅斯；
(四)減緩裁軍速度；
(五)慎防精確的飛彈導引系統與精密的電子偵蒐設備落入回教世界或中國手中；
(六)在東南亞繼續維持軍事優勢；
(七)防阻儒、回進一步聯手對抗西方，並培養儒、回內部親西方的勢力。

非西方的文化主體意識日漸覺醒

杭廷頓的看法頗值注意。波斯尼亞戰爭就是起因於佔人口百分之三十七的塞爾維亞東正教徒不願接受佔人口百分之四十四的回教徒統治，因而反對波斯尼亞自南斯拉夫聯邦中獨立出來。屬前蘇聯的亞塞拜疆退出獨立國協（CIS），而加入同屬突厥族的回教國家組織——中亞經濟合作組織，以對抗信基督教的亞美尼亞。北京爭取主辦二〇〇〇年奧運會，在國際奧委會投票過程中，西方國家圍堵中國，是政治干預體育的鮮活教材。至於俄羅斯與烏克蘭對於黑海艦隊與撤除核武設施雖有歧見，但因同屬東正教，終能和平落幕。因此，冷戰結束後，全球戰略形勢已發生根本的改變。而非西方的知識份子與中產階級多已從盲目的西化中覺醒，重新認同本身的傳統文化。日本有人高喊「再亞洲化」，阿拉伯國家則有「再回教化」的呼聲，印度則有「印度教復興運動」，諸如此類的「文化主體意識」的覺醒正不斷在滋長中。

雄踞東亞的中國逐步從軍事大國晉升為經濟大國，更使其成為這場文化系統對決的要角。中國本為東亞獨強，但自一八四〇年鴉片戰爭以來一百五十餘年，內亂層出不窮，外患紛至沓來，一直無法完成現代化事業。自鄧小平復出後，揚棄極左路線，銳意改革開放，對傳統文化的態度亦由文革時期的踐踏與破壞，轉為珍惜與發揚。這種自信的態度固然與近幾年經濟上的卓越成就有關，卻也與非西方世界的潮流若合符節。

回教世界重新崛起

回教國家這兩世紀經歷了與中國類似的命運。回教自七世紀崛起以來，快速擴展，東至印度，西入歐洲，勢力橫跨歐、亞、非三洲，曾有極輝煌的歷史與文化成就。十一到十三世紀的十字軍東征即意味回教與基督教的拉鋸戰。十四世紀阿提拉建立橫跨歐亞的大帝國，到十七世紀達於鼎盛，並曾兩度圍攻維也納。但嗣後工業革命為西歐國家帶來領先的技術與鉅大的財富，回教世界終於遭工業資本帝國主義蠶食鯨吞。二次世界大戰後，趁著英法等殖民帝國的沒落，回教世界重新崛起；尤其是阿拉伯半島蘊藏了全球百分之七十的石油儲量，更使其地位益形重要。而阿爾及利亞、利比亞、伊拉克、伊朗與巴基斯坦均擁有核武設施，其幕後供應國正是中國。回教世界不僅是中國與西方衝突的緩衝地帶，更有與中國聯手抗衡西方之勢。

在國際事務上，我們必須密切注視各主要國家政經情勢及全球戰略形勢的轉變，擬定對各主要國家與集團的外交戰略，以確保國家政經發展的順利推動。事實上，西方世界早已透過各種手段防止非西方世界力量的壯大。在軍事方面，透過國際公約的訂定，禁止核子武器的擴散與試爆。在經濟上，透過關稅暨貿易總協定（GATT）與世界貿易組織（WTO）壓縮發展中與低度開發國家的發展空間。以經濟壓力，如最惠國待遇與出口配額限制，脅迫非西方國家就範。其他如過於嚴苛的生態保護與智慧財產權保障，無一不對非西方世界的發展與壯大產生劇烈衝擊。

人權帝國主義不願中國統一壯大

近年來，更有「民主布里茲涅夫主義」的興起。所謂「布里茲涅夫主義」乃是指一個社會主義國家有權挽救另一個社會主義國家，使其免於世界帝國主義的危害，以維護社會主義體系的完整性。過去蘇聯正是藉此理論，將干涉東歐各國的行為合理化。今日西方國家動輒以人權問題作為干涉他國內政的藉口，不啻為「布里茲涅夫主義」的翻版，更是「人權帝國主義」的霸道作風。所謂「人權」、「民主」絕非一蹴可幾，而是在特定的歷史、政治、經濟、社會因素下漸次發展而成。以美國而言，建國之初，黑奴亦無法擁有人權。西方國家豈可以其歷經數百年發展而成的人權標準苛求非西方世界？最近的香港問題就是一個極為明顯的例子，若非美國撐腰，英國當不致如此。美、英等國意圖藉香港問題（就像六四問題一樣）打擊中國的國際形象與威信，以壓低中國全球政治影響力，俾西方國家得以繼續主導全球政治。相同地，美、日兩國也不願見到中國的統一與壯大，海峽兩岸政權均應高度警覺，以免成為歷史與民族的罪人。

在後冷戰時代這場不同文化系統的對決中，非西方國家近兩百年來首次擁有機會可以自主地開創屬於自己的未來。冷戰時代的結束並非意味美國成為超強，更非代表西方全面獲勝，而是預告國際政治多元發展時期的來臨。中國必然也應該在全球政治經濟體系中扮演更重要的角色，不僅自立自強，更應協助其他非西方國家自主發展，以建構一更合理的世界新秩序。唯有以前瞻而恢宏的心胸，兼顧全球化與當地化（Glocalization），充份掌握資訊，有方向、有重點地規劃中國跨世紀的全球戰略，才是對歷史負責的態度。

未來十五年是脫胎換骨的關鍵

中國大陸過去十五年已為更進一步改革開放奠定了良好的基礎，展望未來十五年——新舊世紀之交的十五年——將是中國民族脫胎換骨的關鍵時刻。配合建設「有中國特色的社會主義」，中共應實施可以有效提升綜合國力、增進人民福祉，並廣為人民群眾所接受的政策。加速社會主義法制的立法工作，俾為社會主義市場經濟制度建立更完備的法律框架，以全面地規範新中國的經濟與社會生活秩序。儘速引進現代企業制度，改善經濟效益，並提高國家生產力。建立與經濟發展成就相稱的社會保障體系，以實現財富公平分配與確保人人機會均等的理想。讓在中國走出來的道路成為未來世界的楷模，讓非西方國家也能與中國一起躍出落後與貧窮。為了實現這個目標，我們必須確保未來十五年的安定與和平，才能全速發展，再締佳績。任何的動亂與分離主義均是對歷史不負責的行為，中國是全體中國人的中國，任何有益國家、人民的意見均應以適當方式提出。海峽兩岸政權也均應廣納言路，拿出誠意與最大耐心對待異議份子，以爭取更多海內外知識份子投入建設現代化新中國的行列，讓中國真正成為全體中國人的中國。

中國應積極參與世界新秩序的形成

在國際社會上，中國應擔負更多的國際責任。大陸當局一向稟持「相互尊重主權與領土完整」、「互不侵犯」、「互不干涉內政」、「平等互利」、「和平共處」等五原則處理外交事務，最近也積極改善並加強與鄰邦的友好關係。今後應更進一步參與國際事務（諸如要求列席七國高峰會議，調整聯合國安理會結構等問題），積極投入世界新秩序的形成，策定全球戰略——尤其對俄羅斯、東協、日本與歐美的外交戰略——才能很有尊嚴地立足於國際社會，從而促成全球資源公平地重新分配。

俄羅斯聯邦在去（九三）年底國會改選，反西方的激進俄羅斯民族主義崛起，逼使葉爾欽大幅調整自戈爾巴喬夫以來的親西方路線，不論是經濟政策或國際政治均走向溫和的俄羅斯化，這對於國際政治的多元發展頗有助益，使其在波斯尼亞問題上的立場與中國不謀而合。但是中國大陸開放邊界貿易間接助長西伯利亞獨立運動的氣勢，對俄羅斯形成相當的困擾。中國應避免介入西伯利亞獨立問題，也應慎防西方國家利用西伯利亞問題製造中、俄兩國間的矛盾。

大陸應與台灣互助共榮

菲律賓、泰國、馬來西亞、新加坡、印尼與汶萊等六國於一九六七年為防止共黨滲透並免遭越戰波及，在美國協助下組成東南亞國協。但近年來隨著越戰落幕，越南也實施開放改革，東協六國對美軍駐守已不像往常的支持，而且其對中、越、柬、寮、朝、緬等國的政策也在調整中。今年七月在曼谷舉行的首屆亞洲區域論壇（ARF）將有十八個國家或地區與會，中、俄兩國同時應邀參加，美國、日本與歐盟也將與會。由於美國仍希望維持在東南亞的軍事優勢，而日本侵略者的陰影仍籠罩東南亞國家，東協六國絕不願淪為國際強權的棋子。大陸若能與台灣的「南向政策」相呼應，在經濟上予以大力提攜，以互助共榮為號召，並與華商在東南亞的影響力相結合，必能促成東南亞早日的繁榮發展。

日本對我向來深具戒心，尤其在中國（港、台、大陸）即將取代其成為全球第三貿易大國之際，一方面緊縮對中國的貸款，另一方面則積極推動海外派兵，建造兩艘戰車登陸艦（英國《詹氏軍事年鑑》指稱該型戰車登陸艦係日本建造航空母艦的中間性策略），並有意發展戰術核武，在外交上則緊隨美國。然而日本與其他工業先進國家矛盾日益尖銳。九二年七個主要工業國家之中，除了法國有十億美元的外貿順差、日本一千二百六十億美元順差外，其餘五國均有巨額逆差（美國五百八十億美元、德國二百六十億美元），合計高達一千五百億美元，日本呈現出獨贏的局面。今後日本將很難抗拒來自歐美的壓力，除透過貿易談判外，也要求日本調低每週勞動工時，並建立與其經濟發展水平相稱的社會保障制度，以削弱日本的國際競爭能力。

國際政治將多元發展

至於歐洲方面，我們應積極與法、德兩國發展更密切的合作關係。二次大戰以後，法國在戴高樂領導下，一直有獨立自主的外交政策，法、美兩國經常在國際事務上立場相左。德國自從統一後，也不願再滿足於「經濟巨人，政治侏儒」的角色。尤其隨著全球經濟不景氣，美國與其歐洲盟邦之間的經濟矛盾勢將更為尖銳。而法、德兩國在經營全球政治方面遠較美國起步早，自有其一貫的全球戰略，今後美國將更難駕御它們。且擁有高科技的法、德兩國與我們並無直接的戰略利益衝突，其壯大對國際政治的多元發展顯有助益。

面對後冷戰時代的文化衝突，擁有悠久歷史文化傳統的中國，有責任在從軍事大國晉升為經濟大國之際，與其他非西方國家攜手合作，並重新調整與各主要國家或集團間的關係，以走出屈辱的陰影，迎向光明的未來。海峽兩岸的中國人更應具有共識：未來兩岸問題，唯有在不牴觸中國跨世紀的全球戰略目標下，謀求解決，才是對歷史、對民族負責的態度。我們揹負著跨世紀的使命，要加速引進西方的工藝科技，重建文化主體意識，並尊重其他的文化系統。不但要使中國跨出貧窮與落後，跨出一百五十年來的屈辱，更要跨進一個嶄新的時代，讓中國有尊嚴地與其他文化系統對等交流，從而也豐富了後工業文明的內涵。

（《海峽評論》，一九九四年五月）

堅持一個中國　培養良性互動

——前瞻「江八點」的兩岸關係

「江八點」發表後，朱高正與牟宗三、吳大猷兩位大師撰述此文，以宏觀的視野，對兩岸關係的發展提出前瞻而富建設性的主張。文中愷切地呼籲海峽兩岸能彼此尊重，培養良性互動，擴大互信基礎，用最大的智慧和耐心面對問題，找出能爲中國開創新紀元的統一模式，以達成中國全方位現代化的國家目標。本文定稿之後，牟先生旋因病去世，本文可視爲牟先生對中國前途的最後見解。

一八四〇年的鴉片戰爭是中國現代史的原點。傳統的、農業的中國面臨經過工業革命洗禮的西方帝國主義的強力挑戰。自此之後，內憂外患紛沓而來，中華民族蒙受了前所未有的屈辱與苦難。

任何有心為中國前途找出路的有識之士皆無法迴避兩大嚴肅課題：一、是如何有效解放國民生產力，即如何在中國發達資本主義，完成工業化的問題；二、是國民生產力解放之後，如何公平分配社會財富，此即社會主義亟欲解決的問題。這兩個問題乃是中國完成全方位現代化的核心課題。

一九四九年以後，台灣實施有限度的市場經濟，重要工農業部門、原材料及土地資源仍掌握在官僚體系和大財團手中，只在中小企業層面適用市場法則，開放競爭，終能締造台灣八〇年代的經濟奇蹟。

反觀大陸自一九四九年逐步採行計劃經濟，一九五八年以後，隨著一連串政治運動的開展，極左的激進共產主義，竟然在中國大陸推行人類有史以來的最大實驗，終以文革悲劇收場。直至一九七八年中共十一屆三中全會通過「對外開放，對內改革」的政策，逐步揚棄極左意識形態的束縛，改採「以實踐為檢驗真理的唯一標準」的務實態度。一九九二年中共十四大更引進「社會主義市場經濟體制」，將改革開放推向另一高峰，從而創造了舉世矚目的經改奇蹟。

相對地，一九八六年台灣的黨外人士突破國民黨禁令，毅然建立民主進步黨。此後黨禁、報禁相繼開放、解除戒嚴、開放民眾赴大陸探親、改造萬年國會、宣告終止動員戡亂時期，一連串的民主改革措施，綻放出台灣的政改奇蹟。

我們認為，大陸自一九七八年開始的經濟改革與台灣自一九八六年以來的政治改革，都是中國現代史上最具革命性的現代化成果。台灣的政改打破了中國人不適合實行民主政治的迷思，而大陸的改革開放，尤其是一九九二年以來所建立的「社會主義市場經濟體制」更可視為自商鞅變法之後，另一次變法成功的典範。這些輝煌的成就，足令全體中國人同感驕傲，這也是中國走出苦難與屈辱的契機。

然而，就在兩岸中國人創造出傲人成就的同時，兩岸之間卻仍橫亙著重重心結，軍事對峙與台獨問題，剪不斷，理還亂。我們認為，台獨問題的產生有著複雜的經濟、政治、社會、歷史、文化等背景，台獨份子也是中國人，我們應予以同情地理解，並以最大的耐心和智慧來化解，切莫一味地予以打壓，就像大陸在改革開放的過程中對左的勢力也是採取「防左而不反左」一樣。此外，中國大陸也不應迴避政治改革的問題。若大陸能推行政改成功，不僅可確保經改的成果，對化解台獨問題也將會有莫大的助益。

今年農曆除夕，中共總書記江澤民發表對台八點政策主張，引起台灣方面廣泛的注意。為了兩岸全體中國人民的福祉，站在謀求中國全方位現代化的立場，我們認為，在兩岸政權皆無法輕易以武力併吞對方之際，若捨棄和平統一，而以武力相向，則台灣的政經成就可能毀於一旦，而且也將打亂大陸的經改佈局，本世紀結束前要達成「翻兩番」與小康的目標恐將化為烏有。

我們以為要促成兩岸和平統一，一個中國的原則實不容置疑。但是一個中國的內涵，雙方則宜尊重彼此的解釋權。畢竟一九四九年在大陸，中共是以武力的手段、而非透過民主選舉取得政權。在法理上，中華民國仍不失為中國合法的政府。況且七〇年代東西德一起加入聯合國，並不影響一九九〇年的德國統一，國際上亦未聞「西德併吞東德是侵佔他國的行為」。因此，大陸當局實不必貿然將台灣爭取擴大國際生存空間的努力與台獨畫上等號。

在邁入二十一世紀的前夕，兩岸簽署停戰協議，逐步邁向和平統一的條件已日趨成熟。我們愷切地呼籲，兩岸應增加對彼此如實的了解，努力增進共識，俾為和平統一創造有利的氛圍。

我們建議，在兩岸展開正式的政治協商之前，應儘速建立順暢的溝通渠道，以兩岸中央民意代表（大陸的人大常委和全國政協常委、台灣的立法委員和國大代表）為主體，並廣納各界具代表性人士，定期舉行會談。如此既可迴避「國對國」或「政府對政府」談判的敏感話題，雖不是官方的接觸，但卻具有官方會談的效果，因為兩岸民意代表對各自的行政部門均具有相當的影響力，又可落實已達成共識的協議。這種以兩岸中央民意代表為主體的定期會談，在當今的局勢，實不失為一項饒富創意的設計。

在後冷戰時期的國際政治經濟環境中，我們肩負著跨世紀的使命，要讓中國跨出貧窮落後，走出一百五十年來的屈辱，達成全方位現代化的國家目標。而兩岸的彼此尊重、培養良性互動、擴大互信基礎，則是此跨世紀使命完成的前提。只要雙方以最大的耐心和智慧面對問題，我們有優秀的五千年傳統文化庇蔭著，終能找出全體中國人民都能接受、能為中國開創新紀元的和平統一模式！

從歷史與國際變局談釣魚臺問題

釣魚台本為中國領土，位處台灣與琉球群島之間。自從日本政府縱容其右翼團體在釣魚台列嶼上興建燈塔以來，引起兩岸三地民間的強烈反彈。其實，釣魚台爭議源自琉球問題。琉球群島原是中國藩屬，自明洪武五年（一三七二年）琉球中山王入貢受封，洪武二十五年派遣「閩人三十六姓」赴琉球助其開化，中國與琉球群島之間的海上往來即不絕如縷，明清史冊多有記載，群島上亦處處可見中華文化的烙印。

唯自一八四〇年鴉片戰爭以來，中國即內憂外患不斷，日本乃趁機南進，先是於一八七四年侵台不成，由英國出面，與滿清政府在北京調停，繼而於一八七九年強行占領琉球。二次大戰末期，日本為避免本土受損，調集重兵於琉球與美軍決戰，導致琉球平民死傷近二十萬人。戰後，琉球由美國託管，成為美國西太平洋的重要軍事基地。到六〇年代末期，在國際反戰潮流影響下，琉球左翼勢力崛起，反美情緒高漲。美國在衡量利害關係之下，乃於一九七二年將琉球交給了日本。

美國逕自將琉球交給日本，在當時國際局勢之下，乃是基於其國家利益的考量。因為美國若是尊重歷史事實而將琉球交給當時與其有正式邦交關係的中華民國政府，勢將引起中共的抗議，使其亟欲與中共關係正常化的努力受挫，從而影響到其「聯中制俄」的戰略佈局。反之，若美國將琉球交給中共，則無異於宣示美國亦將自台灣撤軍，這違反了以琉球、台灣做為遏阻共產主義擴散的太平洋弧形戰線的構想。唯有將琉球交給日本，在美日安保條約之下，美國可繼續使用琉球群島上的美軍基地，同時經濟已然復甦的日本也可以分擔一部分的軍事開銷。對美國來說，這當然是最符合其國家利益的抉擇。

釣魚台位於台灣和琉球之間，日本自美國手中取得琉球之後，又因釣魚台礁層於六〇年代被發現有豐富的石油礦藏，乃繼而提出對釣魚台的主權主張。其實，從地理學上來看，釣魚台群島的八個小島同為台灣的附屬島嶼，它們散佈在台灣東北一百多公里的範圍內，位於東海大陸棚前緣，屬新三世紀砂岩層，水深在二百公尺以內。依據大陸礁層公約，台灣對釣魚台附近海域資源的探測開發擁有絕對的權利。而釣魚台與琉球之間則隔著既深且巨的海溝，即使琉球暫時歸屬日本，琉球與釣魚台之間在地理上也不相干。日本自稱擁有釣魚台主權，派出軍艦阻擋台灣漁民在其傳統漁場上作業，並縱容日本右翼團體上釣魚台興建燈塔，煽動虛偽的愛國主義情緒，顯見日本擴張性的軍國主義有復甦的趨勢。

台灣的李登輝當局迄今還一再強調與日本之間的「默契」，主張擱置主權，先就捕漁權問題與日本進行協商。日本既主張釣魚台主權在先，又以強硬態勢派遣軍艦進入該海域在後，我方卻主動擱置主權，李登輝且以「和平、理性」的堂皇理由，勸阻漁民前往釣魚台海域作業；這樣顢頇無能的駝鳥作風，無異助長了日本的氣焰。

相對於南韓或其他東南亞國家，台灣的軟弱已近乎喪權辱國的地步。南韓與日本之間同樣有竹島（或稱獨島）的主權爭議，可是南韓採取強悍的態度與日本周旋，迄今也未發生台灣當局所擔心的，所謂「擦槍走火」之事。日本國民所得遠高於東南亞國家，百姓已習於養尊處優的生活，他們也許蠻橫、傲慢，但是也普遍畏懼戰爭。台灣即使志在與日本談判，也不應自暴其短，而擠壓了談判的空間。

台灣內部也有人以七〇年代的保釣運動為戒，認為擴大保釣行動只會徒然增長統派的勢力。這種想法尤以台獨傾向者為最。其實，保釣是護衛國土的義舉，又豈是統派人士的專利呢？台獨主張者既堅持「台灣是一個主權獨立的國家」，就應該更積極地保護釣魚台這片從歷史上、地理上而言都是與台灣密不可分的國土。除非是敗家子，否則怎能將祖先遺留的土地任由外人侵奪呢？何況釣魚台長期以來一直是基隆、宜蘭漁民的傳統作業漁場，為了我們漁民的生計，更不可對日本輕易讓步。

保釣的聲浪同時在港、台、大陸三地掀起，這般民氣正是我方與日本談判的利器。可是台灣當局九月十二日所發表的釣魚台問題處置原則，即完全排除與中共合作處理的可能。其實，就目前的局勢來看，兩岸之間仍存在著一時難以化解的矛盾，短期內要攜手合作殆不可能。倒是香港方面對釣魚台問題的反應特別激烈，台灣方面可先考慮與香港的民間力量結合。至於與中共方面，即使目前不可能合作，至少也可試圖先做觀念上的溝通，以為往後實際合作鋪路，同時也可避免日本利用兩岸分裂狀態乘機謀利。江八點裡「捍衛國土完整」的主張，應可做為兩岸處理釣魚台問題的一個基本共識。

此外，日、韓之間的獨島之爭，日本當局對慰安婦問題、原台籍日本兵賠償問題等在在缺乏誠意的處理方式，普遍引起韓、台兩地民眾的反感。加上日本在教科書中竄改二次大戰史實，首相橋本龍太郎一再到靖國神社憑弔，更使得曾遭日本軍國主義荼毒的東南亞國家深感憤怒。新加坡的李光耀與馬來西亞的馬哈地在言談間已毫不保留透露出來了。這些歷史性的仇恨一旦被挑起，日本在東亞將陷於孤立。美國為了維護其在西太平洋的利益，也將刻意與日本保持距離，以避免迫使東南亞國家與中共進一步結合在一起。只要美國不介入，不做日本的靠山，日本的氣焰勢將大為收斂。民氣可用，國與國之間的矛盾也可以被重新挑起，一切只看當權者如何運作了。

（香港《明報》一九九六年九月）

從歷史上的反日風潮看當前的保釣運動

這一次的釣魚台風波，在台灣民間自動自發的抗議聲浪，遠高於政府嚅嚅、曖昧的委屈低調。在當權者強調與日方「默契」或主張「擱置」主權爭議的同時，民間反日的風潮不斷擴散，且港、台兩地抵制日貨的運動也有日愈壯大的趨勢。這使我們不自覺地想起中國現代史上的另外兩次反日風潮：一九一九年爆發的五四運動以及肇始於一九七一年的第一次保釣運動。這兩次發動自民間的群眾運動都源於外爭主權的反日抗爭，且對往後歷史發展的軌跡都起了一定程度的影響。

五四運動起因於第一次世界大戰結束後的巴黎和會。在一九一九年一月開幕的巴黎和會實際上由英、美、法、日、意五強所把持；而在五強默契之下，竟於四月三十日允諾將德國在中國山東的權利轉讓給日本，並明定於合約之中。消息傳到中國，與論大譁。五月四日，以「外爭主權，內除國賊」為口號的群眾示威首先在北京爆發，繼而擴散到全國。當時，對中國主權最大的威脅是以「二十一條要求」，強取豪奪，侵據中國漫無節制的日本；國賊則是指與日本進行詭密外交的親日派官僚曹汝霖、陸宗輿、章宗祥等人。

五四運動後從抵抗外侮轉為內省，即從對外反帝國主義到對內反封建主義、反官僚文化，認為後者正是中國積弱不振以致招引外侮的淵藪。五四雖然誤將中國傳統文化等同於封建、官僚文化而產生「打倒孔家店」的反傳統逆流，就整個運動的性質來看，在中國現代化的歷程中還是有青年自覺和文化啟蒙的意義。往後的國民革命、北伐以及抗日民族統一戰線的成立，都可以說是五四精神的延續。

同樣地，一九七一年以海外留學生為主力的第一次保釣運動，也是由對外的義憤轉為內省。雖然保釣的成員後來分裂成「祖國派」和「革新保台派」，前者回歸大陸，慢慢融合在「四個現代化」和七〇年代末期開始的改革開放潮流之中；後者返台在政界、學界發展，參與蔣經國接班前的整合以及往後的民主化風潮之中。第一次保釣，可以說是青年學生群起關心國是並積極投入國家現代化建設的一個自覺運動。

目前的保釣運動若是持續發展，很可能也會從對日抗爭轉為內省的方向。亦即認為國家富強、內政修明才是抵禦外侮的不二法門。在台灣，釣魚台問題對朝野都是嚴酷的考驗。國民黨在李登輝等親日派主導下，所表現出來的懦弱、顢頇，已讓民眾心生不滿。民進黨以「防共」、「拒統」為理由所表現出來的遲疑與顧忌，使它的態度與國民黨實質上沒有兩樣。

保釣的發展終將迫使我們檢討這樣的政治組合。一個政府若是連護衛國土的意願都沒有，則此一政府的正當性何在？保釣並非統派的專利，堅持主張「台灣是一個主權獨立的國家」的獨派人士，也應積極參與保護釣魚台這片從歷史上、地理上而言都是與台灣密不可分的國土。除非是媚日，否則怎能將祖先遺留的土地任由外人侵奪？但願在香港即將歸還中國的前夕，我們不需再喊出「外抗強權，內除國賊」的口號！

（香港《東方日報》，一九九六年九月二十一日）

287　從歷史上的反日風潮看當前的保釣運動

從台灣看香港的保釣運動

在當前兩岸三地的保釣運動中，以香港表現最為強烈，動員人數最為龐大，這是一個值得注意的社會文化現象。在九七回歸即將到臨的前夕，面對保釣的護土抗爭，香港人的心情無疑比大陸、台灣兩地的同胞更為複雜，同時也更為激動。

香港割讓給英國，是在一八四二年所簽訂的「南京條約」。英國為求在中國傾銷毒品的暢行無阻，於一八四〇年發動鴉片戰爭，戰後又強迫清廷簽下喪權辱國的南京條約，從此彷彿打開了潘朵拉的盒子，中國成為帝國主義者肆虐踐踏的樂園，列強紛紛以武力進逼，要求比照英國的模式分霑雨露，中國自此淪為被不平等條約束縛得幾近窒息的次殖民地國家。如果說鴉片戰爭和南京條約是中國現代史的起點，則香港是中國現代史上最原始、也最為明顯的傷口。

長期做為殖民地的子民，港人的亡國、失根之痛恐怕不是大陸和台灣的中國人所能想像。香港儘管在自由市場經濟體系下享有繁榮的成果，在政治上卻是必須仰仗英人的鼻息；因此，香港對國家主權的問題比誰都更為敏感，對政治上自治、自主的要求也比誰都更為殷切。如今面臨九七回歸，祖國的制度與香港迥異，解放後到文革前遍地烽火的政治運動也留下了許多令人驚悚的記憶。在回歸祖國懷抱的前夕，港人的心情可謂是百感交加，五味雜陳。釣魚台問題在香港所掀起的風潮，多少反映出港人的「九七焦慮症」。

藉由保釣抗爭，港人一方面發抒反日、反帝的情緒，另一方面則向大陸施壓，試探中國當局「捍衛國土完整」的決心。香港當初會在南京條約中割讓出去，是因為積弱不振而又內政腐敗的中國無以對抗船堅炮利而又野心勃勃的英國。如今，中國的軍事力量已遠非昔日可比，改革開放以來，內政日益穩定，綜合國力也大幅提升。此時此際，豈容日本軍國主義借屍還魂，又企圖染指中國固有領土？站在港人的立場，中共既視香港為中國固有領土並執意收回；釣魚台同為中國固有領土，何以中共迄今未明確表態？亡國喪權之痛於焉再度燃起。

此外，港人也想藉由保釣運動展現自治、自主的決心。一方面積極外抗強權，為祖國的壯大貢獻一份心力；另一方面則希望所回歸的祖國是一個民主的祖國，是一個尊重港人的祖國。畢竟，香港已是一個高度工業化的社會，對民主和多元化的要求也相對地更為殷切。

除了民主之外，還有文化認同的問題。香港的民主化剛剛起步，但是從港人對六四和保釣積極投入來看，港人對中國的文化認同問題都將是世紀之交的重大挑戰。在台灣，民主化方面已取得具體成就，但是在文化認同上則因統獨爭議而有逆流出現。相較於香港動輒上萬人的保釣集會，台灣卻仍有不少人對與自身利害息息相關的釣魚台問題不聞不問。當香港積極抗爭時，台灣卻採取自保、龜縮的態度，這實在是很大的諷刺。

民主隨著工業化而產生，而工業革命和帝國主義則同樣孕育於近代西方世界。兩岸三地目前面臨的共同課題是，一方面要吸收西方工業化的經驗和成就，另一方面又要對抗帝國主義的霸權擴張，而這兩者的兼容並蓄則有賴於「文化主體意識」的建立。

我們要喚醒全民族有意識地接受，有意識地承認我們傳統文化之為我們所固有、所獨有，進而認識傳統、批判傳統、超越傳統，從而創新傳統。釣魚台事件提供給港、台、大陸共同面對霸權和同時處理此一歷史文化問題的機會。兩岸三地若能從中凝聚共識，重建「文化主體意識」，則二十一世紀的中國人將能萃取傳統文化的優秀質素，滿懷自尊與自信，全方位吸取各文化系統足資我們學習的典章文物制度，以完成現代化的挑戰。

（香港《東方日報》，一九九六年九月二十二日）

徒法不足以自行

——談「組織犯罪防制條例」

「組織犯罪防制條例草案」已在立法院審查，其中第十一條規定：「犯本條例之罪經判處有期徒刑及宣告強制工作確定，尚未執行或執行未畢或執行完畢未逾十年者，不得登記為公職人員候選人。」本條文對於黑道藉由競選公職漂白，有一定的防範功能。

然而筆者認為，徒法不足以自行，要杜絕黑道涉入政壇，絕不是立個新法就可解決。在政黨政治的遊戲規則下，若不能健全政黨提名機制，則道高一尺，魔高一丈，黑道勢力還是會利用法律漏洞繼續滋生蔓延。其盤根錯結，橫跨黑白兩道的影響力還是難以翦除。依「法律不溯及既往」的原則，當前側身政壇的黑道大哥，即使觸犯過「檢肅流氓條例」，只要不違犯「組織犯罪防制條例」之罪，還是可以繼續在政壇占有一席之地。

其實，本法的最大受益者是國民黨。長久以來，國民黨早已與地方派系、角頭的利益糾結在一起。尤其在地方選舉，國民黨為求勝選，為了塑造其為縣市議會多數黨的形象，常不加選擇地拉攏黑道出身無黨籍的議員。事實上，地方議會的候選人以無黨籍居多，而鄉鎮市民代表也以無黨籍佔多數。國民黨在縣市議會之所以成為多數，則是倚仗不斷拉攏、提名黑道參選而來。可是當黑道在國民黨的卵翼下壯大，並逐步宰制地方議會之後，國民黨不僅無力駕馭，且嚐到了黑道反噬的惡果。

本法若順利通過，國民黨得以有法源拒絕派系的人情與黑道的壓力，因而得以改善其政黨提名機制，從而改善其長期與黑金掛勾的形象。從另一個角度來看，這對民進黨和新黨也未嘗不是一項挑戰。因為形象改善之後的國民黨可以促成政黨政治的良性競爭。過去民、新兩黨的候選人，只要開口罵黑道、罵國民黨，即可輕易當選。在黑道收斂，國民黨調整其提名政策後，在野黨的候選人也須要用心經營基層，深入了解地方，有相當的親和力和一定的學識基礎，才能夠在劇烈的選戰中脫穎而出。泛道德化的虛矯身段從此也將在政壇上缺乏訴求魅力。

有人想藉由「組織犯罪防制條例」禁絕黑道，這是不切實際的妄想。拉丁法諺有云：「有社會斯有法律，有法律斯有社會」（Ubi societas, ibi jus. Ubi jus, ibi societas.）「法律」與「社會」是不可分割的。有法律規範，就有非法組織，就像有白晝就有黑夜，有婚姻制度就有婚外關係一樣。黑道雖然生存於法律規範之外，卻也是構成社會的一部分，要全面禁絕幾乎不可能。古今中外，有辦法消滅黑道的，只有兩種政權，一是共產黨，另一個是納粹黨。但是消滅黑道的代價卻是極權政治的統治，這種選擇是否值得，大有爭議。「掃黑」，若是立意要把黑道勢力掃得一乾二淨，則很容易掉入白色恐怖（納粹）或紅色恐怖（共黨）的陷阱。

完全杜絕黑道既不可能，我們所能期望的是，黑道退回自己的原始地盤，不再介入白道。其實黑道人物一般不善於講演，政治本非其所長。黑道人士之所以參政，大多是出於自保的考慮。過去，白道官商勾結獲取暴利，並利用黑道做為操作的工具。黑道有樣學樣，乃想盡辦法跨入政壇，自行操作。因此，要杜絕黑道混入白道，首先就要整頓白道。官員不貪贓枉法，不官商勾結，黑道也就失去其在政壇混跡的空間。黑道退回自己的地盤，白道堅守自己的崗位，唯有在一個黑白分明的社會中，「法治國」的理想才能落實，從而也才可避免產生當權者以極權手段整治社會的誘因。

（《美華報導》，一九九六年九月）

從核四覆議案看台灣能源政策

一個決策的形成，一定要經過政治、經濟、法律、社會和策略運作等多方面的考量。

核四覆議案的爭執牽涉到憲政體制、能源政策、環保與核安等諸多層面，決不是單純的公共投資和民生建設的問題。首先，連戰「兼行政院長」的身份在憲法上的爭議迄未解決，不宜到立法院就覆議案提出說明。也就是說，核四覆議案在全院委員會的審查並不完備。國民黨立委卻一味袒護，並強力動員表決，這無非是對憲法和立法院議事規則的踐踏。

再者，台灣長期以來一直缺乏健全的能源政策，核四問題所造成的政治衝突和社會動盪正好暴露出政府在能源政策上的嚴重疏忽，筆者早在六年前即一再呼籲制訂國家能源政策的重要性和急迫性，誰知行政部門依然故我，一意沉醉在盲目發展經濟的迷思中，以為用電量增加，即經濟發達的保證。其實，台灣的能源使用效率一向偏低。記得在一九七一年，根據統計，以GNP成長一美元所需的用電度數計算，台灣的能源使用率為當時日本的70%。後來因為發生能源危機，日本政府實施「月光計畫」，全面性地制訂攸關能源的政策或法律，鼓勵生產節約能源的家電用品，耗電量高的產業則儘量敦促其停產或外移。台灣同樣經歷過七〇年代的能源危機，卻因政府的怠惰，未適時制訂出與國家經濟發展息息相關的能源政策。如今，台灣的能源使用率不及日本的四成。

在動用巨帑興建新核能廠之前，我們是不是應該先好好檢討國內的能源使用率偏低的情形，而充分利用現有的資源?此外，某些替代性的能源，也是可以慎加考慮的。譬如，目前許多大型工廠已有「汽電共生」的設備和供輸電力的能力，卻因台電故步自封的壟斷心態，不願在經營政策上加以配合。即使在經過多方考量之後，台灣的電力還是有擴充的必要，卻也不是非蓋核四不可。我們一向主張，若是要增加電力供應，與其興建核四，不如在核一、核二、核三廠址增建發電機組。七月十七日，連戰在行政院區廣場舉行戶外記者會。當記者問到核四之後是否還會興建第五座核能電廠時，連戰答道，核四若建成，可在廠內增加機組，所以不考慮再興建新電廠。可見，為了擴充電力，在原有核能廠內增建新機組的做法，是完全可行的。

台灣的施政一向以美國馬首是瞻，甚至消費的習慣也向美國看齊。我們若比較歐洲、日本、美國三地的能源政策，會發現有本質上的差異。在歐、日留過學的人，很快會發現，節約能源的政策是無所不在的，在日常生活裡也無形中養成了節約能源的習慣。反觀美國，做為一個典型的資本主義帝國，其政策一向以鼓勵消費為經濟成長的手段。因此美國以全球二十五分之一的人口，卻使用了全球逾四分之一的能源，濫用、浪費的情形時有所見。目前主導台灣財經政策的多是留美的技術官僚，其思維方式不脫美國主流思潮的陰影。美國奇異公司在核四覆議案尚未於立法院通過之際，即執意動工，這除了是對我國國會的極度不尊重，也是因為他們看準了我們的行政部門，在雙方一致的思考邏輯之下，一定會做「高度的配合」。

當前核四案的爭執，正可提供給我們對台灣的能源政策做一全盤檢討的機會。十月八日下午六點半，沈富雄委員和我共同向劉松藩院長提議，關於核四案的爭議，應由朝野三黨一派依3:2:1:1的比率，推出立委組成評估小組，在兩個月內，完全單純就台灣的電力供需問題來評估是否非建核四不可。原則上台北縣選出的立委和過去擁核、反核立場太過鮮明者都不宜參加。在野黨在此已有誠意地把環保和核安的問題排除在外，誰知國民黨仍不接受。國民黨執意馬上處理核四覆議案，這是濫用其即將喪失的多數。如今，國民黨果然一意孤行，強行表決通過這一對後代子孫影響重大的政策，不僅造成朝野的尖銳對立，社會成本的付出也是無法估算的。

核四的興建現在已追加到二千五百億台幣的預算，在當前政府財政並不寬裕的情況之下，是一沉重的負擔。一旦開工，則兩年後可能就要花掉六百億，五年後一千五百億可能就要消失，而核四至少要八年才能完工。但是，兩年後立法院改選，國民黨很可能就此喪失其目前已岌岌可危的多數。在此期間，有太多的變數，都可能使核四成為台灣人民一場無休無止的噩夢。

核四覆議案送到立法院已有四個月，國民黨何以就沒有耐心再多等兩個月，透過朝野共組的評估小組，就能源問題做細膩的協商和討論，從而制訂一長期而持久的能源政策。何況，立法院議事規則第六十二條規定，行政院依憲法第五十七條移請立法審查的覆議案，應由全院委員會邀請行政院長「到會說明」，未經此一程序，即表示審查會並不完備，也無從進行覆議案的投票表決。而連戰的「兼行政院長」身份，在憲法上尚有疑義，司法院大法官會議未完成釋憲之前，自不宜到審查會「說明」。國民黨在這種情況之下，竟還要濫用即將喪失的多數強行表決，使得中華民國的憲政運作平添更多的疑義，最後甚至可能危及整個國家體制的正當性。當局在處理核四問題時，實應展現更大的耐心與智慧，一方面化解當前的憲政危機，另一方面也為制訂可大可久的國家能源政策預做準備。

（《美華報導》，一九九六年十月）

政治獻金，自取其辱

正當美國總統大選進入最後攻防戰的階段，忽然傳出台灣秘密提供一千五百萬美元給柯林頓陣營的消息。這一政治獻金醜聞，經媒體大幅報導之後，已在美國政壇引起軒然大波，對台灣與美國之間的傳統友誼，以及台灣的國際形象，都有相當負面的影響。雖然台灣當局，包括李登輝本人，一概矢口否認，許多人還是「寧可信其有」。因為，一則這種以金錢攏絡，以為有錢可使鬼推磨的惡性習癖，在台灣大家早就習以為常了；其次是，很不幸的，這一次的事件，又牽涉到了劉泰英。

台灣在國民黨長期統治之下，金錢遊戲風行，官紀敗壞，賄賂、貪瀆的風氣幾乎存在於社會的每一個角落。因此，台灣提供政治獻金給美國總統候選人疑案，在美國雖造成強烈震撼，在台灣卻是我們見怪不怪的行為模式。再者，台灣一直是人治是尚，而法治觀念淡薄。國民黨自以為是的金錢外交，除了是不自覺地將台灣的惡性習癖延伸到國外，同時也因為它從來就不尊重民主政治的行為規範，缺乏法治國家最基本的常識。否則，依據我國選罷法第四十五條第二款的規定，「政黨及候選人不得接受外國團體、法人、個人或主要成員為外國人之團體、法人之競選經費之捐助。」在國內為法律所明令禁止的行為，國民黨當局卻一再施之於國外，結果不僅是自毀立場，也是自取其辱。

一九四八年，杜魯門與杜威競選總統，國民政府明顯表態支持杜威，結果杜魯門當選後，對中華民國極不友善。一九六〇年，台灣押寶甘迺迪的對手尼克森，甘迺迪當選後也曾對我們有所怨言。如今，當局不僅未能記取歷史上的教訓，而且變本加厲，逕行對總統候選人輸送金錢，結果不僅未蒙其利，反而騰笑於國際。

此次政治獻金事件牽涉到兩個美國人，其一是前白宮助理密道頓，另一位是美國在台協會主席鄔杰士。這兩人在台灣的活動，充其量只是政商掮客的行徑。尤其鄔杰士當初獲選為美國在台協會主席，所張揚的正是他與美國總統克林頓的關係，這已令人感覺相當突兀。就像台灣的當事人劉泰英一樣，他之擔任國民黨黨產管理委員會主委，所憑藉的純粹是他與李登輝之間的特殊關係。這一事件又牽扯上劉泰英，一點也不令人驚訝。國民黨過去幾十年來透過特權和行政手段所搜刮來的龐大黨產，除了李登輝和劉泰英二人之外，無人能夠過問；連黨的秘書長和中常委，都不能與聞。因此李登輝主事下的秘密外交或虛榮外交，心腹劉泰英是當然的執行者；而國民黨的富可敵國，自然使得劉泰英辦起事來財大氣粗。過去以天價聘請美國卡西迪公關公司在華府活動，正是劉泰英所出的主意。

劉泰英除了為李登輝在外交上鋪錢造路之外，在兩岸問題上也軋了一角。李登輝一方面在台灣要大家「戒急用忍」，一方面又以劉泰英為特使，頻頻與中共高層接觸。據我所知，劉泰英已在南懷瑾和尹衍樑的陪同下，不止一次地晉見中共決策階層。劉泰英不具任何公職身份，卻只因與李登輝關係密切，即不時被委以攸關台灣存亡的重責大任，如此不可告人之「秘密外交」，能不令人擔心？韓非子說：「以一人為門戶者，可亡也。」吾人能不慎乎？

據報導，台灣總統選舉之後，劉泰英與記者餐敘，曾誇示，美國以航空母艦為主的戰鬥群進駐台海，是他劉某某「花錢」請來的。而據知鄔杰士和密道頓來台，也以同樣的理由，要求台商或當局，以感恩之心付出「保護費」，亦即「捐助」派遣軍艦來台的克林頓。

其實美國軍艦擅自巡曳台海，純粹是霸權心態作祟。它名義上是要「保護」台灣，卻未曾知會台灣外交部；它與中共有邦交，卻無視於中共的反對。美國進出台海如入無人之境，完全不尊重台灣的主權，視台灣為無主之地。如今又以流氓心態，變相索取「保護費」。而台灣如劉泰英之流者，竟還引以為沾沾自喜，並可能涉及不可告人的暗盤交易。國家尊嚴淪落至此，能不浩嘆？

對美政治獻金一案，當事人迄今仍不自知反省，反而刻意轉移焦點，拋出「中共陰謀」論來搪塞。我們支持輿論界鍥而不捨，追根究底的努力，同時也要求監察院依據職權，對此一事件瀆職濫權的部份展開調查。唯其水落石出，國家的尊嚴才不致栽在少數幾個人手中。

（《美華報導》，一九九六年十一月）

從桃園縣長公館血案看民氣之濫用

十一月二十一日發生的桃園縣長公館血案，造成八死一重傷的慘劇，是台灣治安史上最為駭人聽聞的凶殺案件，其手段之殘狠，可謂絕無僅有。這一案件對台灣社會是一個重大警訊，不僅全國民眾陷入恐慌，許多政治人物也感危機重重，不得不加強個人警衛以自保。做為全國政治運作核心的立法院，也在一片驚駭聲中，擱下原先排定在議程中的「強制汽車責任保險法」，臨時抽出仍有待協商的「組織犯罪防制條例」，而草草三讀通過。全院在「向社會交代」的詭異氛圍之下，沒人敢提出異議，於是所有原先尚有爭議的條文，未經協商即全盤通過。當時筆者正在內蒙古訪問，聞知此一訊息，只能搖頭嘆息。

此一血案的發生，不僅是社會的警訊，也是台灣病態政治的一個表徵。尤其此案牽涉到一位縣長和兩位縣議員的生命，更顯示其不尋常。我們除了要求警方勿縱勿枉，查明真相，儘速破案之外；也應趁此機會，對台灣的地方政治生態做一深刻的反省與檢討。事實上，警方偵辦血案過程中所遇到的主要瓶頸也在於多位受害者錯綜複雜的人脈關係和利益網絡。在案情未明之前，我們自不宜多加揣測。但是，我們也不能否認，台灣地方政治獨特的互利共生或同仇相殘的複雜網路，已是社會不安的一個源頭。

猶記得一九八七年，當時擔任立法委員的蕭瑞徵及其妻子在台北住家的電梯口遭到槍擊。結果蕭瑞徵殞命，其妻林品貝重傷。此一命案亦曾驚憾台灣社會。後來察出兇手乃是與蕭氏夫婦有工程糾紛的李金原。李金原與蕭瑞徵同是雲林人，想爭取斗南田徑場擴建工程，由於沒有合格執照，透過介紹，向蕭瑞徵借得其旗下的龐盛營造公司執照參與投標。標到工程後，李金原籌措到一千萬元做為押標金。後來李金原本可取回押標金與預付的四百萬元工程款，卻遭到蕭某的百般刁難。李金原多方索討均無結果，又被債主逼得走投無路，遂認為蕭氏夫婦惡意吞沒其金錢，於是在一次嚴重爭執中憤而行兇。

蕭瑞徵案是公職人員因公共工程而與人結怨的一個例子。最近公共工程弊案層出不窮，從中正機場二期航站工程到西濱野柳隧道工程弊案的爆發，處處都可見到官、商、民代、黑道勾結牟利的影子。弊案所牽涉到的金額和層級，均有節節升高的趨勢。而各地方已被揭露或隱而未發的案子更是不可勝數。桃園血案發生後，有人議評地方政府首長與議員已是「高危險群」的職業，這種「危險」，正是錯綜糾結的利益結構所衍生的。劉邦友身為桃園縣長，實難免涉身類似的利益糾葛或地方派系的恩怨。他出身於水利系統，又積極介入農會系統的運作，而這兩個系統正是派系必爭且是黑道覬覦的對象。在桃園先後發生的中壢農會事件和平鎮農會事件，劉邦友處理的手腕不夠圓融，難免與人結怨。而在地方上，類似兩個農會的爭端，實不知凡幾。

立法院在命案甫發生的翌日即倉卒通過「組織犯罪防治條例」，這美其名是「民氣可用」，其實是「濫用民氣」。筆者認為，一個重大的決策，決不能在極度憤怒或興奮之中做成；所謂「剛僨適足以敗事」，法律的制定，一定要考慮其可以行之久遠，因單一個人或單一事件而修法或立法皆不足為訓。立法院做為最高民意機關，與其倉皇通過「反黑條款」，不如正本清源，徹底整肅官箴，根絕不法貪瀆，或許還可從此次血案中汲取教訓，裨益未來。

（《美華報導》，一九九六年十一月）

農地釋出之我見

農地釋出的問題牽涉到國土規劃的大幅更張，絕不可等閒視之。近年來行政部門將農地釋出視為振興經濟、刺激投資的利器。在立法部門中，國民黨亦持此種看法，強力主張農地全面釋出，並允許自由買賣。民進黨所提「農業發展條例」的修正案，主要即針對農地利用和農地買賣的問題，其立場亦傾向於開放農地的自由分割和自由買賣。

筆者認為，行政部門和國、民兩大黨都只片面地從經濟發展和市場自由化的觀點來看待農業問題，從而對國土資源的分配和利用形成極為粗糙而不負責任的決策。事實上，農業政策不僅是經濟政策，它也是生態保育和景觀政策，同時也是國防政策與社會安全政策的一環。

首先，就經濟層面來看，固然在自由化、國際化的衝擊下，農業難免受到波及，尤其台灣正積極尋求加入「世界貿易組織」（WTO），農業受到農產品開放進口的打擊已屬必然。但是儘管在自由化、國際化的浪潮下，不少先進國家對其國內的農業仍有一定的保護措施。如歐洲聯盟的「共同農業政策」（PAC）自一九六二年即開始運作，對市場、價格機制、融資和共同體優先等政策都有整體的規劃，不僅為歐盟這三十多年來的經濟發展和社會安全奠下穩定的基礎，同時也成為「關稅貿易總協定」（GATT）烏拉圭回合談判中與美國就農業問題討價還價的張本。如今行政當局的「農地釋出方案」也應就整體農業結構的調整和未來農業經濟發展的方向來做考量，而不應只是著眼於滿足工商業界對土地的需索。

其次，就生態保育和景觀政策來看，農民可以說是大自然的園丁，是國土的守衛者，也是俗文化的承繼者。農民不僅要負責生產維繫生命所需的糧食，守護國人賴以生存的空間，同時也透過勞動將大自然的節律轉化為人類文化的生態。鄉野景觀的功能對都市化日深的現代社會更形重要。鄉野景觀不僅滿足休閒的需求、維繫祖產，同時也是歷史、文化、生命的一個源頭。試想，農地一旦全面釋出，則沿著公路兩旁因得地利之便，一定很快成為建築用地，結果將是人口以帶狀方式聚居，車行過處，鄉野景觀與都市景觀無異，違反農村發展的律則。而瓦斯與水電等管線，也將依最不經濟的帶狀方式埋設，形成資源的嚴重浪費；至於垃圾、污水等的處理更是難題所在，從而將破壞整個生態環境。維護生態的秘訣在於居住者對其生存環境的積極參與。帶狀的聚居方式將不利社區關係的維繫，而傳統村落也將因而逐漸瓦解，原有的文化形態和人際關係亦將遭到重大衝擊，對於生態、環境的維護也就缺乏共同參與的意願。

最後，就國防和社會安全的角度來看，任何一個國家都一定要維持一定的糧食自給率。尤其台灣孤懸海外，一定的糧食自給率是國家安全的保障。眾所皆知，在冷戰時期，美國對蘇聯的小麥交易，是其國際戰略的一部分。最近聯合國對伊拉克的「以油換糧」計畫，也是意圖在經濟制裁和人道支援之間找到一個平衡點。在台灣，一旦農地大幅釋出，則糧食必然大量仰賴入口。以目前台灣一公斤稻米產地成本為新台幣十八元計，美國進口稻米的FOB價格，一公斤低於九元，若是來自東南亞地區，則更為便宜。因此，一旦農地大幅釋出，糧食開放進口，則必然導致台灣農業破產，嚴重破壞社會安定，並危及國家安全。

當局以振興經濟、刺激投資為理由釋出農地，事實上，以目前台灣的政治結構來看，農地一旦大幅釋出，必然馬上淪為財團和地方派系勾結炒作的標的。尤其目前中央的農委會不敢承擔責任，而擬將農地釋出的大權下放給地方政府。在地方上，財團和派系的影響力更容易滲透，從而也更容易操縱並謀取暴利。一般農民在農地釋出的政策中，最終還是扮演被犧牲者的角色。

辛勤終年的農民或許會對農地釋出政策抱持不切實際的期待。過去也的確有因農地變更為建地而一夕暴發的土財主。在民粹主義盛行之下，土財主的際遇令人豔羨，也是農民內心普遍的願望。目前農地買賣一甲的行情約為兩千萬元，卻也僅止於行情，不見得有真正的買方市場。而一旦農地全面釋出，則現有農地約九十六萬公頃，殆不可能全部成為建地，由於供過於求，地價必然大幅滑落。因此，農地全面釋出只可能圖利善於炒作、操縱的財團和地方派系，真正的農民是無利可圖的。

即使如當局所說，台灣工商業的發展遇到土地難以取得的瓶頸，卻也不該以大幅釋出農地做為因應。過去三十年來，台灣一共開發了九十五個工業區，而正在開發的工業區仍有十九個。當初這些工業區的開發多考慮到交通便利、勞力充足、水電供應不虞匱乏和污染處理等人文、地理因素。可是，實質上這些曾經經過苦心擘劃的工業區迄未充分利用，其中有許多甚至已空洞化或淪為住宅區。民國八十四年，為了翌年的總統選舉，當局又四處大開支票，以開發高科技工業園區攏絡地方，創造選舉的利多因素。可是，這些規劃中或開發中的新工業區在粗糙的決策過程中，令人也擔心將重蹈舊有工業區閒置或挪為他用的覆轍。

我們主張因應社會經濟結構的變遷，農地需適度地釋放，以舒解當前地價高昂，勞工與受薪階級勞碌終生亦無力購置一屋的困境。我們也重視工商業界尋找合理價位土地以投資設廠的需要。但是政府應先對現有的工業區做一普遍的清查和整理，俾能充分利用稀有的國土資源。而在釋出農地時，我們主張其決策過程一定要公開，並杜絕不肖財團操控，且充分顧及社會公平正義的原則，這樣的農地釋出政策才能有利於台灣的經濟發展與社會安全。

（《聯合報》，一九九六年十二月十二日）

315 農地釋出之我見

為「第二張選票」催生

德國兩票制近日又再度成為大家關心的話題，事實上筆者早在八年半前即為文詳加介紹，然而由於國人（包括國內黨政界人士）普遍對「兩票制」缺乏基本的認識，因此也造成在討論「單一選區」問題時，夾雜著層出不窮的似是而實非的論調。

「兩票制」又稱為「改良的比例選舉制」或「混合選舉制」，在德國已行之有年，且已為歐洲議會選舉所採行。其實，近代代議民主政治草創之際，均採行「多數選舉制」（亦即一個選區產生多席的民代，與目前台灣所採行的如出一轍），但隨著社會日趨開放與多元化，「一人一票」的公平性亦漸遭置疑。再加以政黨政治的勃興，不少歐洲國家乃改採「比例選舉制」，以期席次之分配更加公平合理，但「比例選舉制」也有不少後遺症。

因此，如何調和「多數選舉制」與「比例選舉制」就成為憲法學上的一個重要課題。「多數選舉制」的弊端在於只能反映出選票在「計算價值」（Zaehlwert）上的平等而已，根本無法落實選票在「成效價值」（Erfolgwert）上的平等。在「多數選舉制」選民所投下的票以「成效價值」面來分析，並非票票等值，至少可分為三大類：零值票（即投給落選者的票）、低值票（投給高票當選者的票）及高值票（投給低票當選者的票）。為了解決這個問題，憲法學者才發展出「選票的雙重價值理論」，希望藉著引進「第二張選票」，將零值票低值票與高值票通通變為「常值票」，而達成不僅「一人一票」，而且「票票等值」的理想。

這就有效結合了「多數選舉制」與「比例選舉制」，因此，「兩票制」又稱為「改良的比例選舉制」或「混合選舉制」。德國首先採用此制，並於一九五七年再引進「百分之五門檻條款」，既可避免小黨林立，又可維繫政情穩定，且能將選票合比例地反映在國會席次的分配上，這對社會公平、政治穩定與經濟發展都卓有貢獻。反觀國內，兩年前二屆立委選舉所採行之「部份比例代表制」雖不同於以往的「多數選舉制」，但仍不足以充份反映民意。當一般候選人以四萬票當選立委時，趙少康先生在北縣卻獲得二十多萬票的超高票數。然而，無論是四萬票或二十多萬票，當選者在立法院卻都是一席而已。如此以選票的成效價值來看，選民投給趙的票，每張約值二十萬分之一的立委席次，是超低值票，而投給一般當選者的票，則每張值四萬分之一席次，是高值票，但是落選者所代表的民意，卻無從反映在立法院裡，投給他們的票無論多寡，悉為零值票。選後縱有不分區名額產生，然所佔比例偏低，且選民投出的票無法合比例地反映到國會席次的佔有率上。

首創於西德的「混合選舉制」則無以上弊端。該制度賦予每位選民兩張選票，「第一張選票」用以直接投給各選區參選之個別候選人，「第二張選票」用以投給選民自己所偏愛的政黨，但是各參選的政黨須先公告列有先後順序的提名候選人名冊。至於應選席次，一半經由「第一張選票」在各選區的相對多數得票人出任，另一半則由各個政黨依其「第二張選票」得票數的比例，以比利時數學家翁德氏（de Hondt）所設計出來的最高商數計算法分配之。

假定在臺灣地區應選出立法委員兩百名，依照「兩票制」，則首先應將臺灣地區劃分為一百個選舉區。而在各個選舉區拿「第一張選票」最高得票數者，得當選為立委，如此即產生了一百名立委。其次是將應選出的兩百名立委依各個政黨所獲得的「第二張選票」，按照翁德氏的最高商數計算法分配給各個政黨，然後自各個政黨依此所得的席位減去在各個選舉區所贏得的席次，即是各個政黨得從被其提名的候選人名冊中依序推薦黨員出任立委的數目。至於如何將臺灣地區劃分為一百個選舉區，則當以兩院轄市及各省轄市及十六個縣份為單位，按人口之多寡，依序將各縣市的人口數列表出來，然後使用翁德氏的最高商數計算法，分配各個縣市應得的選舉區數目。這原則上應尊重現有的行政區劃分。但如果因人口異動，則必須重新劃分選區。

按照歷年來的選舉，可以推定採用兩票制，國民黨可以在絕大多數的選舉區獲勝，但是非國民黨籍人士卻也可以藉「第二張選票」保住應有的席位。

由以上觀之，「混合選舉制」兼有「多數選舉制」與「比例選舉制」兩者之長。假使「第一張選票」是零值票的話，那民意亦可經由「第二張選票」的「成效價值」反映在國會，且兩張選票都是直接選舉。區域候選人也可依其在黨內的分量列入該黨不分區的安全名單內，這對各黨領導階層人事的穩定，從而對政局的穩定均有莫大的助益。再者藉著「第二張選票」的民意也可鼓勵各黨將一些不擅演說，缺乏群眾魅力的專業人才送入國會，如此一來各方專家齊聚一堂，對立法院亟欲樹立的專業問政形象，定大有助益；以民意為依歸的全民民主時代，方可期盼。

（《中國時報》一九九四年十二月二十二日）

記取歷史教訓、開創現代中華

——讀《中國可以說不》有感

書　名：中國可以說不
作　者：宋強、張藏藏、喬邊、古清生、湯正宇
出版者：人世出版社（北京）
一九九六年五月

《中國可以說不》一書的出版並暢銷，是一九九六年的一件大事，在海內外引起廣泛的評論。論者多認爲該書充斥情緒性的宣洩，說理不足，並有鼓吹民族沙文主義之嫌。朱高正則視之爲一個「社會文化現象」，有其歷史和現實國際關係的背景。本文即以《中國可以說不》這一本書爲引子，重新檢視自鴉片戰爭以來的中國現代史，並以宏觀的角度，探討中國在國際變局中的位置轉換。

本文對於西方殖民帝國主義時期的土地征戰和市場爭奪，對於美、蘇恐佈平衡時期的冷戰結構，對於東歐共產陣營瓦解後的國際新秩序，乃至美國最新的東南亞政策和「遏阻中國論」，都有獨到而深刻的分析。因此，本文既是書評，也是中國現代史和國際關係的一個新的解讀。

《中國可以說不》一書自從今年五月出版以來，隨即在華人世界躍登為非文學類暢銷書的榜首，並在海內外引起廣泛的評論。一般多認為該書充斥情緒性的宣洩，說理不足，並有鼓吹民族沙文主義之嫌。其實，《中國可以說不》本來就不是一本學術論著，其成為暢銷書毋寧是一個值得注視的「社會文化現象」。該書作者毫不保留地陳述當代中國青年對「鴉片戰爭」以來的帝國主義的憤慨與厭惡。因此，唯有從歷史和國際關係的角度切入，才能探視到這一「社會文化現象」的本質。

二次世界大戰結束後，東、西陣營即進入以意識形態為名，以恐怖軍備競賽為實的災難性對抗。美、蘇兩大超強主導的「冷戰」格局從此規範了整個國際政治的運作。當時，由於中國的共產黨革命多少帶有布爾什維克的戳記，解放後的中國大陸普遍被西方世界視為是蘇聯在亞洲的一個附庸國。一九五〇年韓戰爆發，中共和蘇聯站在同一戰線與美國對抗，美國派出第七艦隊協防台灣，「中」美關係嚴重交惡。美國積極介入亞太地區的經貿活動和戰略部署，一九五四年美國一手促成的「東南亞國家公約組織」（SEATO），其實已有從經濟、軍事和外交上圍堵中共的企圖。

意識型態的戰爭

進入六十年代，冷戰愈加嚴酷，軍備上的恐怖平衡危如懸絲，有一觸即發之勢。從一九六一年的「豬玀灣事件」，翌年的古巴「飛彈危機」，到一九六五年美軍全面介入越戰，在腥風血雨中，意識形態戰爭的荒謬和愚昧逐漸被凸顯出來。美國內部面臨前所未有的道德危機，反戰、反政府的風潮四起，到一九六八年達到顛峰。反觀中共自一九五八年與蘇聯爆發意識形態的嚴重分歧，因此開始有意擺脫蘇聯附庸國的地位，積極與亞、非新興國家結盟，並逐漸確立其為第三世界國家盟主的地位。一九六九年，中、蘇邊界爆發「珍寶島事件」的流血衝突，更使中、蘇關係降到冰點。做為中國「頭號敵人」的美國，從此被蘇聯所取代。而在美國內部也開始醞釀「聯中制俄」的構想。

自七十年代開始，美國內部主張打「中國牌」的，政界以季辛吉（Henry A. Kissinger）為代表，學界則以費正清（John King Fairbank）最有份量。一九七一年，季辛吉秘訪北京，安排尼克森總統的訪華行程。費正清則在「紐約時報」上發表文章，指出「自一九五〇年以來，華盛頓官方送到月球上去的人，比送到中國去的人還多。」嗣後又與六十位知識分子在「紐約時報」發表一篇公開信，呼籲支持中共進入國際組織，尤其是聯合國。同年，中共成為聯合國安理會常任理事國，「中」美之間也以「乒乓外交」開始正式往來。

從敵人到盟友？

但是，「中」美之間真正建立互信，是在一九七九年的「懲越戰爭」。中華人民共和國和美國於一九七九年元旦正式建交，一月底，甫於七八年十一屆三中全會，以改革開放路線取得政治主導地位的鄧小平訪問美國。二月十七日，中共隨即向越南出兵。顯而易見，中共對越南發動的這一場以懲罰為名的有限戰爭，事先曾徵得美國同意。相對地，美國在聯合國內部運作對越南實施嚴格禁運的決議，則是在中共支持下通過的。波布政權得以在聯合國繼續代表高棉，也是中美通力合作的結果。七九年四月，中共更進一步通知蘇聯廢止「中蘇友好同盟互助條約」。從此以後，在國際爭端上，中共和以美國為首的西方國家，形成全球性箝制蘇聯的態勢。

中共主動實施對內改革，對外開放，並與蘇聯漸行漸遠，事實上已預告以意識形態做為集團界限的冷戰格局將面臨瓦解。果然，在全球性箝制的戰略佈局下，蘇聯的軍費負擔愈益沈重，長達十年的阿富汗戰爭更使得莫斯科如同踩在蜂窩裡難以脫身，老化的官僚結構積重難返，國內經濟則急遽惡化。戈巴契夫雖於一九八六年拋出重建（perestroika）和自由開放（glasnost）的藥石，卻已緩不濟急。先是柏林圍牆垮下，東歐國家紛紛脫離蘇聯老大哥的陣營，華沙公約組織形同解體；一九九〇年，兩德統一；九一年，蘇聯分崩離析。美國眼中的「邪惡帝國」自此從地球上消失得無影無蹤。

西起波羅的海，東至白令海峽，所有社會主義政權在骨牌效應下，幾乎紛紛應聲倒地。唯獨越南、中國和朝鮮不為所動。尤其是中國，早於一九七八年即開始實施經濟改革，實質上擋住了骨牌效應，成為冷戰結束後世界上最大的社會主義國家。

收回「中國牌」

蘇聯瓦解後，美國去除主要敵人，成為世界獨強。這時，「中國牌」成為多餘，「中」美關係隨而發生本質上的變化。事實上，二次大戰結束之後，中國始終奉行「反霸」的立場，刻意與亞、非、拉丁等曾受歐、美霸權蹂躪或殖民過的第三世界國家結盟。美國則因其本土在戰爭中從未受到戰火波及，戰後憑其雄厚的軍事力量和經濟資源，馴然成為非共國家的盟主。

若說美國在非共國家中曾遭遇挑戰，那麼其一是來自法國的戴高樂，其二則是來自中東的阿拉伯國家。戴高樂堅持「民族獨立」政策，退出北大西洋公約組織，不接受美國的軍事指揮；率先打破冷戰的僵局，主張與東歐國家和蘇聯「和解與合作」；並第一個承認中共，與中共建立外交關係……。至於中東的阿拉伯國家，石油一直是最重要的戰略物資，油田卻長期控制在英、美、法等西方強權的手裡。一九七三年，阿拉伯國家覺醒，運用「石油輸出國家組織」，掙脫以美國為首的西方國家對中東油田的操控，並以石油做為「武器」，用禁運、減產、調高油價等方式向西方國家施壓，終於爆發全球性的石油危機，美國百分之九十九的加油站大受影響，幾致歇業；英國為節約能源，也不得不將每星期工作天數減為三天。

但是，美國和法國之間畢竟有其歷史文化淵源，矛盾不致太過尖銳。尤其戰後歐洲殘破不堪，百業蕭條，美國以「馬歇爾計畫」協助歐洲重建經濟，直到一九五八年在比利時首府布魯塞爾盛大舉行國際博覽會，歐洲才呈現了復甦的跡象。一九六〇年，「經濟合作發展組織」（OECD）成立；到後來的「七大工業國會議」（G-

7），基本上都是以北美、歐洲、日本為主的「富國俱樂部」。因此，美國即使與其他先進工業國家有矛盾，其溝通管道仍是相當暢通的。

難以捉摸的中國

至於美國與中東阿拉伯國家之間的矛盾，由於回教文明和基督教文明在歷史上有其共同的淵源，在天文學、數學、曆法，回教國家對歐美曾有重大的影響，在小亞細亞出土的查士丁尼法典與希臘文版聖經對歐洲的法律與宗教生活影響至鉅。尤其經濟上歐美對中東產油國有能源上的依賴，中東則是歐美軍火業的最大市場。波斯灣戰爭甫結束，西方國家即向中東出售了五百億美元的軍火，其中美國佔據泰半。美國與中東阿拉伯國家即使有矛盾，但是其血緣較近的文化背景和經濟上的利害關係卻是永遠牽纏不清。

唯獨中國，有悠久的歷史傳統，獨特的文字，卻又與西方十分陌生。歐美國家始終覺得中國難以理解。即使中共實施改革開放後，與西方逐漸接軌，但是中共經濟的迅速發展，卻又很快脫離了西方的想像和掌握。加上中共現行的一套與美國資本主義截然不同的意識形態在主導國家和人民的生活。中共的壯大，使美國產生恐慌，雖然還不致威脅到她做為世界霸權的地位，但中共的發展模式卻是美國所難以掌控的。因此，在美國產生了「遏制中國」的聲音，在冷戰之後重新規劃的全球戰略中，也將中國設定為主要的假想敵。

幼稚的反遏制論

相對於美國的「遏制中國」論，《中國可以說不》的作者馬上提出「反遏制」的主張：「在美國所採取的每一個遏制中國的步驟中，我們都必須針鋒相對，絕不能有一點點姑息與寬容。」這是典型的機械式反射動作，缺乏泱泱大國應有的主體意識，充其量仍是受到美國一舉一動的制約。全書充滿著太多類似的反射式情緒，缺乏縝密的分析和有效的對策性思考，也缺乏作者所說的，做為一個大國應有的「優容」。因此，五位年輕作者對後冷戰時代的「情感及政治選擇」常常是「以戰止戰」、「以遏制反遏制」、「以貿易制裁反貿易制裁」……。如果國際政治的遊戲規則可以簡化為「以牙還牙」，那麼也不需要政治家的運籌帷幄，不需要外交家的折衝樽俎了。

做為一個文化大國，中國首先要確認自己在世界史上的地位。中國地處東亞，根據已出土的、散布在黃河中游的數以千計的部落遺跡，中華文化的歷史發皇已踰八千年。在長遠的歷史中蘊育出人文主義傳統和興亡繼絕的王道思想。中國最古老的經典《周易》，正是總結了上古社會實踐的智慧結晶，經過文王、周公、孔子的彙整和詮釋，形成往後樸實、敦厚、講人道的文化傳統，並不斷吸引周圍的族群融入華夏這個大家庭之中，如此的凝聚力可謂絕無僅有。

中國和西方的接觸除了東漢時甘英前往大秦（羅馬），中途折返之外，始於蒙古西征和傳奇人物馬可波羅的記述。成書於十四世紀初的《馬可波羅遊記》打開了歐洲人的視野，並使得中國傑出思想家的作品成為歐陸啟蒙運動的原動力。啟蒙運動初期的健將，如伏爾泰（Voltaire, 1694-1778），萊布尼茨（Leibniz,1646-1716）和吳爾夫（Christian Wolff, 1679-1754）都極力推崇中國文化，而啟蒙運動正是推動歐洲邁向近現代社會的知識分子自覺運動，這一運動扭轉了人類歷史發展的軌跡。

即使在經濟層面，一般人都以為「市場經濟」的概念最早是來自亞當．史密斯（Adam Smith, 1723-1790）出版於一七七六年的《國富論》。事實上，早在一七五八年，法國「自然管理學派」的經濟學家魁奈（François huesnay, lrθr-lφφr）即在

《經濟表》一書中提出自由市場的觀念，他認為私有財產是絕對的，經濟個人主義和市場都是構成經濟生活的基礎；而市場法則是和自然法則一樣專斷的。魁奈更明確指出，他心目中理想的模式正是中國的政治經濟型態。魁奈和其弟子都承認其思想來自孔夫子的啟發。

啟蒙運動與孔子思想

歐洲啟蒙運動健將對中國的認識多來自耶穌會傳教士。耶穌會教士最早是十六世紀隨著葡萄牙、西班牙的商船東來；到十七世紀，荷蘭和英國商船也接踵而至。當時，中國與西方是對等、互惠的交流，傳教士帶來天文學和數學，也將中國的典籍、制度介紹到西方。可惜在一七二三年，由於耶穌會傳教士介入清室奪嫡之爭，雍正皇帝頒布了禁教諭，從此東西方的往來阻絕了一百年之久。

中國原本是自給自足，雄據東亞的文化古國，但是自從一八四〇年，東西方再度接觸，卻伴隨著鴉片戰爭的慘酷烙印。西方首度以猙獰的掠奪者面目出現在中國人面前，赤裸裸、大辣辣地對中國傾銷毒品。自一八四二年簽下「南京條約」之後，中國被不平等條約捆縛得幾近窒息。在這個時候，整個西方只有馬克思為中國說話。他在「紐約論壇報」一再為中國仗義執言，譴責英、法等西方國家在中國的傲慢行徑和不當掠奪。馬克思對資本主義的批判會那麼快在中國被接受，是有跡可循的。

一部中國現代史即西方列強蠶食鯨吞中國的歷史。中國在長期的內亂、外患中，艱苦地在帝國主義的陰影下摸索著現代化的途徑。在鴉片戰爭以前，中國對西方帝國主義的巧取豪奪尚無警覺，一六八九年康熙在位期間，居然在三度勝戰的情況下與俄國簽訂「尼布楚條約」，糊裡糊塗地讓俄國拿走貝加爾湖到外興安嶺的大片土地。鴉片戰爭才使中國看到帝國主義的真面目，而喪權、辱國、割地、賠款的條約卻已紛至沓來。清廷的積弱、顢頇，令人憤慨。逮民國肇建，英、俄、日三國居然還提出要脅，分別以西藏自治、外蒙自治和滿蒙五鐵路的路權做為承認中華民國政府的條件。

《中國可以說不》一再提及的西藏問題，其實可做為清末民初帝國主義侵華的一個樣本。一八七七年，英國併吞印度，而西藏地處印度至中國的通商要道，英國乃處心積慮要控制西藏。以英國當時號稱「日不落帝國」的政經力量，印度都可以輕易吞下，染指西藏更是輕而易舉。一九〇四年，英印政府進兵西藏，入拉薩城，屠殺藏胞一千五百餘人，達賴喇嘛出亡青海，藏人被迫簽下「英藏條約」十款。英國一方面在印度大力鎮壓印人的獨立運動，一方面則在西藏鼓動藏人脫離中國而獨立。英國勢力早已進入西藏，一旦西藏成為「中立國」，英國即可隨心所欲予以駕御。

西藏的悲歌

今日的西藏問題是帝國主義侵華所留下來的歷史餘緒。前不久台灣的國民大會開議期間所爭執的外蒙古問題，其實與西藏問題如出一轍。俄國利用清廷崩亡之際，於一九一一年鼓動外蒙獨立，並隨即於翌年壓迫「庫倫政府」簽下俄蒙協約，俄國藉此全面控制外蒙，排除中國勢力。後來由於國民政府抗議，幾經折衝，才於民國二年換約，聲明「俄國承認中國在外蒙之宗主權，中國承認外蒙古之自治權。」

英俄的侵華策略，都是「捨名取實」，名義上是爭取藏、蒙自治，實質是慫恿其獨立，而後使其成為自己的「保護國」。所不同的是，外蒙於一九二一年終被蘇聯軍隊佔領，而後於一九二四年正式宣告獨立。西藏則由於英國國力日衰而未覆蹈外蒙的途徑。

至於五位作者不斷以激情口吻論述的台灣問題，事實上也在日、美帝國主義支配下達一百年。台灣在甲午戰後於一八九五年的馬關條約中割讓給日本，一九四五年雖歸還中國，又由於國共內戰、韓戰爆發而成為美國霸權所「保護」。戰時，日本以台灣做為南進基地，向東南亞進行攻擊。戰後，台灣又成為麥克阿瑟所說的「不沈的航空母艦」，是西太平洋上防堵共黨勢力向外擴散的戰略前線。

其實，早在一九四二年，美國「戰後和平方案問題研究委員會」即主張戰後於太平洋上建立一條起自夏威夷，經中途島、關島、琉球以迄台灣的防禦線，因此，台灣應由國際共管。這裡所謂「國際共管」，其實即交由美國管理。一九五〇年韓戰爆發，台灣地位更形重要，美國乃抛出「台灣地位未定論」的主張，以增加其在太平洋防務的游刃空間。杜魯門總統於一九五〇年六月說：「台灣未來地位的決定，必須等到太平洋安全的恢復，與日本和平解決，或由聯合國考慮。」這裡，似乎又給予日本對台灣問題的發言權，使得日本對台灣仍存有不當幻想，因而不斷暗中支助親日的台灣獨立運動，以從中圖謀政經利益。一九五七年，日本外務省官員即明白表示：「我們可以等到下一代，台灣將成為另外一個國家，那時候，日本將自兩個中國獲得最大經濟利益和最小政治冒險。」

台灣的命運

美國亦暗中運作「一中一台」或「兩個中國」的政策，以確保台灣做為美國太平洋防線上的一顆棋子。曾任美國副國務卿和駐印大使的甘迺迪總統密友鮑爾斯（Chester Bowles）即在一九六〇年四月的《外交季刊》上撰文道：「一個獨立的中台國（**Independent Sino-Formosan Nation**）可以顯出一個非共的近代化中國社會之特異……我們最好不惜費時使台灣在聯合國內獨立的地位得到承認……台灣成為獨立國家的前途，關係到自由亞洲的前途，尤其是與兩個地理上的政治安定力——印度與日本為然。」

中國分裂的狀態的確提供給美、日許多背後操縱和私相授受的機會。琉球群島原是日本利用清廷窮於應付內憂外患之際於一八七九年強行占領。二次大戰期間美軍占領琉球做為軍事基地，而後竟在一九七二年未照會中國的情況之下，逕自將琉球交給日本，日本並隨即將其劃為沖繩縣，併入日本領土。如今，有關釣魚台的爭執正是肇因於此。釣魚台距台灣東北角一百八十公里，位於東海大陸棚前緣，為台灣附屬島嶼。只因美國私自將琉球群島交予日本，又加上釣魚台海域被發現有豐富石油礦藏，日本乃提出對釣魚台的主權主張。帝國主義的乘虛而入、得寸進尺，於此又是明證。

美國在中國近鄰挑起的爭端不僅於此。為了遏制中共，使其疲於應付，美國先是默許中共的懲越戰爭，之後又積極改善與越南的關係，並挑起南沙群島的主權之爭，以擴大中、越之間的矛盾，拉攏東協（ASEAN），意圖在亞洲孤立中國。

「中國威脅論」

美國九十年代的亞太戰略是針對中國而設計的：在國際上散布「中國威脅論」，製造「遏制中國」的正當性；對中國則推動「和平演變」，意圖將社會主義國家轉化為資本主義國家。一九九一年七月，美國副國務卿鄒立克（R. B. Zoellick）在東協擴大外長會議中，具體說明美國未來在亞太地區的戰略部署：以北、中、南三線撐起防衛架構。其中，「北線」指美國與南韓既有的聯盟；「中線」指美、日雙邊關係和「美日安保條約」；「南線」是美國與東協的良好關係和美國對菲律賓、泰國與澳洲的安全承諾。明眼人都看得出來，此三線所形成的「新月形戰略線」所要圍堵的正是中國。同年年底，國務卿貝克（James Baker）在《外交事務》發表〈美國在亞洲——浮現中的太平洋區域架構〉專文，更指出美國的亞太戰略是：以美國為中心所輻射出去，從日本——南韓——菲律賓——泰國——澳洲所構成的……孤形「扇狀圖」。這一「扇形戰略」也明顯指向中國。貝克稱其扇沿為「新圍堵線」。

至於美國的「和平演變」論，可以其前總統布希的談話為代表。一九九一年底，布希訪問亞洲，行前在紐約發表演講，指出「包括北韓，實施社會主義專制的緬甸，以及中國，這些政權頑抗政治多元化的世界潮流，而且恣意散播危險的武器」。關於中國部分，布希特別強調美國的政策就是：保持接觸以使之發生良性的變化，即「和平演變」。克林頓總統比布希更強調「經濟安全」的重大意義，他將催化中共政權「和平演變」的戰略分為三個層面：一、防止核武擴散，管制傳統武器，限制中共軍力擴張；二、藉由經濟組織如GATT-WTO（關稅貿易總協定——世界貿易組織）的條約和規章，以及雙邊最惠國待遇以及「三〇一條款」等，迫使中共進行經貿體制的改革；三、在政治民主化與人權外交的前提下，刻意凸顯台灣地位以及西藏問題的殊異性，讓中共因內部政治壓力及地方特質發展的差異而「分權化」，弱化其做為單一國家的整體力量。

顛覆北京政權

美國所提出的「和平演變」，說白一點，即是要顛覆中共政權，並按照美國所想望的方向來重構其政府形式。其實，中共自一九七八年改革開放以來，即無時無刻不在調整其對內、對外政策，一方面彌補過去封閉的極左路線所造成的損害，一方面適應國際上新的政經局勢，努力與國際社會全面接軌；並希望透過有計劃的政策推行，提升人民的生活品質，解放國民的生產力和創造力。中國並不反對「變」，但是以中國那麼遼闊的國土和那麼龐大的人口壓力，最怕的是「變」得亂了套，「變」得失去章法。美國以自己設定的標準，要求中國遵循特定的「演變」方向，而完全無視於中國的主觀意願，這若不是霸權心態作祟，就是忽略了文明國家在國際外交上對他國應有的尊重和禮儀。

前面提到的「和平演變」的三個層面其實是相當可疑的。首先，美國始終拒絕簽署絕不首先使用核武的承諾，擁有的核子彈頭又遠遠超過所有核武國家，又有何資格要求限制中國的核子試爆?美國要求中共接受國際組織的規章和條約的約束，可是又百般阻撓中共爭取西元兩千年的奧運主辦權，始終不允許給予中共GATT和WTO的會員資格，動不動抛出停止最惠國待遇、祭出三〇一條款的威脅，這又如何讓中共在國際社會上與其他國家平等往來呢？

人權工具化

美國時常提出人權問題做為談判的交換條件，其實是將人權工具化、形式化。《中國可以說不》所提到的吳弘達事件、孤兒院事件，都顯然有CIA或主流媒體操作的影子。美國的人權主張，有太多的時候是「選擇性執法」。俄國總統葉爾辛炮轟國會、鎮壓車臣，死傷人數千百倍於——已成為美國人權圖騰的——天安門事件。可是美國毫不保留地支持強人葉爾辛，認為那是「不得已的選擇」，因為以俄國當前的狀態，一旦實施民主，就會變成無政府狀態。美國對昔日勁敵俄國的寬容，頗讓飽受指謫的中國感到驚訝。

一九九五年，五角大廈做過兩次中、美軍事交鋒的模擬演習。結論是：按照中國目前軍隊現代化和經濟成長的速度，到二〇一〇年，若是美國的海、空軍在太平洋西岸與中國遭遇，則美軍敗北。中國解放軍也做過同樣的模擬，獲得一樣的結論。

關於這樣的結果，美國內部有兩種看法。一種是認為：中國成為下一世紀的世界強權，已是無可避免的趨勢。因此，美國應及早理性地承認並接受這一事實，在重大的國際問題上，應主動與中國諮商，兩國的合作將可以有效維持世界的和平。另一種看法卻是：美國既然在十五年後即無法在軍事上屈服中國，那麼就應該把握時間，在十五年內儘量找些冠冕堂皇的理由來箝制中國，遏阻中國對外擴張，甚至找機會對中國開戰，以防患中國成為另一強權。

偏執的帝國主義 vs 狂熱的民族主義

後者是典型的、妄圖以主觀意志改變客觀現實的帝國主義者的想法。前者代表的是美國內部理性的力量。我們應該透過有效的溝通，明確告知美國人民，中國有愛好和平，及與人為善的文化傳統，俾壯大這股理性的親華力量。反之，若任令《中國可以說不》的憤怒情緒和報復心理蔓延，則狂妄的美國帝國主義者將更有理由搧風點火，製造事端。

狂熱的民族主義常是歷史悲劇的來源。我們相信，一個有悠久歷史文化的中國，必有其理性的力量，可避免從一個極端走向另一個極端，不會徒然地在媚外和仇外的情結之間搖擺不定。

日本右翼政客石原慎太郎於一九九〇年與新力公司老板合著《日本可以說不》。但是石原慎太郎始終認為日本當年對亞洲鄰國的侵略戰爭是為了使亞洲擺脫白種人的統治，受日本侵略的鄰國應對自己歷史上的失敗負責，日本沒有任何道義上的責任。對於日本的侵華戰爭，他稱之為「對支那進行大規模的進出」。《日本可以說不》暴露了日本帝國主義的本質和缺乏反思能力的悲哀。最近，日本首相橋本龍太郎又到擺置二次大戰戰犯的靖國神社憑弔，正可以看出，日本這股狂熱民族沙文主義的逆流仍然蠢蠢欲動。

中國人的集體憤怒

《中國可以說不》所表現出來的對美、日帝國主義的憤慨，我們可以理解。中國自鴉片戰爭以來，飽受強權的欺壓和凌辱。長期的壓抑需要宣洩的管道，《中國可以說不》正是某種形式的宣洩，這也是它得以暢銷的原因。中國人的集體憤怒，美、日要負擔大部分的責任。但是，憤怒是一時的，和平與希望才是長遠的；在憤怒之後，我們對於中國的未來前途仍要冷靜面對。

從發展心理學的角度來看，幼兒約在二歲半至三歲半之間開始會不自覺地說「不」。這個階段，自我意識甫形成，常會很情緒化地說「不」，故意唱反調，以証明自己的存在。父母親若是只知權威地加以壓制，而不知適時地疏導，子女的自我意識無以發展，會轉為下意識或潛意識的反抗。同樣地，中國過去飽受列強巧取豪奪，經濟上任人擺佈。如今，在積極實施改革開放之後，經濟上總算獲得初步成就，於是自我意識形成，也不知不覺進入說「不」的階段了。此時若是不妥為處理，善加疏導，對於往後整個國家社會的心理發展恐將留下不良的影響。

從「不」到「要」

其實，不知道說「不」，就不曉得說「要」，說「不」正是說「要」的前提。而一旦說「要」，也就牽涉到「自由意志」的問題。英文的Will，在動詞是「要」，在名詞則為「意志」。意志之所以是自由的，乃是因為它能依循普遍的律則來「要」，而非如同禽獸一般，做漫無限制的「要」。正因為人的意志會「要」得合於思維的律則，會「要」得不自相矛盾，所以各個人的意志也才能「要」得彼此不相矛盾、「要」得彼此和諧並存。也就是從個人的私欲（I will）擴展到整個社會的普遍意志（general will）。合理的國家秩序也就是這樣建立起來的。同樣地，合理的國際社會秩序又何嘗不然？每一個國家就像個人一樣，也都可以「要」得與國際社會的普遍意志並存不悖，中國可以說「不」，正是中國可以說「要」的前提。

從一八四〇年鴉片戰爭以來，中國出現過洋務運動、師夷長技以制夷、中體西用、全盤西化等等各種主張。推翻帝制後，國內又出現了幾股各行其是的力量：共產黨以蘇聯為師，蔣介石身邊有人效法納粹，胡適、蔣廷黻等人則唯英美是尚。在紛歧的、以自我經驗為中心的現代化提法中，始終未出現足以凝聚國人共識的現代化道路。所幸，自從一九七八年確定改革開放政策，一九九二年又以建立「社會主義市場經濟體制」為改革焦點，中國人終於摸索出一條現代化的道路。

鴉片戰爭是中國現代史的原點。一百五十年來，外有帝國主義的侵凌，內有太平天國、捻亂、回變、義和團、國民革命、軍閥割據、對日抗戰、國共內戰、十年文革等鉅變。其間稱得上是太平時期的只有二〇年代的「黃金十年」，一九四九到五七年的解放初期，以及一九七八年以來的改革開放。尤其一九七八年到現在，是歷來持續最久的和平發展期，百姓生活明顯改善，綜合國力大幅提升。這十八年來未曾間斷的改革開放，在中國歷史上，可以說是自商鞅變法以來最成功的和平改革範例。

重建文化的主體意識

改革開放的成就，燃起了中國人對未來的希望，也重建了中國因長期內憂外患而幾乎喪失殆盡的民族自信心。於是，傳統文化的價值終於有機會重新受到重視。綜觀人類歷史，全世界沒有一個國家可以徹底否定自己的文化傳統，而能完成現代化的。筆者認為，在此民族自信心甦醒之際，也正是我們重建「文化主體意識」的時候。文化主體意識的重建，不僅決定了中國大陸經濟改革的成敗，更決定了中國全方位現代化的目標能否達成。要重建文化主體意識，首先要喚醒全民族有意識地接受並承認八千年的傳統文化為我們所固有、所獨有，並進而認識傳統、批判傳統、超越傳統，從而創新傳統。面對現代化的課題，許多前所未有的問題，都將逐一浮現。唯其做為一個具有文化主體意識的民族，才能在面臨問題時，知道如何衡量客觀條件和主觀能力，審時度勢，靈活應變，而後將問題加以解決。

《中國可以説不》坦誠地説出中國當代年輕人的想法，也具體地表達了中國追求民族尊嚴的決心。部分評論對其外露的民族主義情緒加以撻伐，這是反應過度。放眼當今世局，日本有「再亞洲化」的呼聲，阿拉伯世界有「再回教化」的浪潮，印度則有「印度教復興運動」，即使在歐洲，當區域聯盟不斷擴張之際，「民族認同」（法文稱為 identit'e nationale）的問題也成為輿論爭執的焦點，可見「文化主體意識」的再興是世界性潮流，《中國可以説不》只是符合這股潮流而已。

鉅變不如微調

但是，內省式的重建文化主體意識，總比宣洩式的狂熱來得久遠，而且深刻。中國歷史的悲劇之一，就是有太多的「鉅變」，常常由一個極端走向另一個極端。如今，中國確定以「社會主義市場經濟」做為改革開放的張本，這是好不容易才找到的一條——能有效調和資本主義與社會主義的——現代化道路。與其週期性的「鉅變」，不如與時推移的「微調」。「微調」是穩紮穩打，隨時適變、應變，不是固守成規，也不是急功冒進。如同鄧小平所說的，「摸著石頭過河」，「以實踐做為檢驗真理的唯一標準」。《孟子・盡心篇》有謂：「子莫執中，執中為近之；執中無權，猶執一也。所惡執一者，為其賊道也，舉一而廢百也。」這也是告訴我們權衡時勢，隨機應變的重要。畢竟，為政之道，最怕的就是「執中無權」、「舉一而廢百」了！

《中國可以說不》激亢的反美情緒是對美國的一個警訊。美國可能是一個需要敵人的國家，但是它刻意設定中國為首要假想敵，對中、美雙方可能都將造成無可彌補的傷害。

《中國可以說不》也可以視為是對台灣的一個警訊。作者在書中將台灣問題形容為「中國的私處」，可謂敏感至極。在中共內部高昂的民族主義抬頭之際，台獨訴求更將刺激其情緒的暴漲。台灣與大陸之間，合則兩利，執意對抗則將釀成兩岸間的歷史悲劇。大陸方面應體認到，台獨問題的產生有著複雜的經濟、政治、社會、歷史、文化背景，與其一味地予以恐嚇、打壓，不如寄予同情的理解，並以最大的耐心和智慧來化解。同時，大陸也不應迴避政治改革的問題；若大陸能推行政改成功，不僅可確保經改的成果，對化解台獨問題也將會有莫大的助益。

至於台灣方面，對於美、日在亞太地區的擴張，應有高度的警覺，切莫援引外力來介入台海問題。身為中華民族的後代，台灣要極力避免成為帝國主義者侵凌中華的馬前卒。

兩岸的「政改」與「經改」

其實，大陸自一九七八年開始的經濟改革與台灣自一九八六年以來的政治改革，都是中國現代史上最具革命性的現代化成果。台灣的政改打破了中國人不適合實行民主的迷思，而大陸的改革開放，尤其是一九九二年以來所建立的「社會主義市場經濟體制」更是兼顧到有效解放國民生產力和社會財富公平分配的問題，也是變法成功的一個典範。這些輝煌的成就，足令全體中國人同感驕傲，這也是中國走出苦難與屈辱的契機。在後冷戰時期的國際政治經濟環境中，我們肩負著跨世紀的使命，要讓中國擺脫一百五十年來的苦難與屈辱，要開創現代中華的國家目標。而兩岸的彼此尊重、培養良性互動、擴大互信基礎，則是完成此跨世紀使命的前提。

（《光華雜誌》，一九九六年十月號。中、英、日、西文）

人人有貴於己者

——評《腦内革命》及其順民哲學

書　名：腦内革命
作　者：春山茂雄
譯　者：魏珠恩
出版者：創意文化事業有限公司（台北）
一九九六年十一月

日本醫師春山茂雄所著的《腦内革命》一書風靡日本，中譯本在台灣發行之後，也引發廣泛的討論。在國民黨高層知日派的推薦下，該書更成爲社交場合茶餘飯後的熱門話題。一本以健康、長壽爲主題的著作而能獲得這般的際遇，是一個頗堪玩味的社會文化現象。

朱高正認爲本書除了以新術語、新包裝論述一般人耳熟能詳的養生和保健觀念之外，其實還蘊含了某些似是而非的價值觀，某種集體麻醉的意識型態。其中最可議的，正是字裡行間一再傳布出來的「順民哲學」。這一套「順民哲學」對日本或許還不致於有太大的危害，因爲日本基本上已是一個富足、安康的社會，人民對生活已別無所求，最大的欲望是延續其滿足的狀態。在台灣，這樣的一套思維方式則可能被統治階層濫用，讓改革失去動力，扭曲人們對正義的訴求。朱高正以「永遠的改革者」的角色，對本書暗藏的意識型態提出嚴厲的批判。

日本醫師春山茂雄所著的《腦內革命》一書風靡日本。自一九九五年五月出版以來，短短一年半，銷售已逾三百萬冊。中譯本自一九九六年十一月印行以來，亦引發廣泛的討論。據知，在國民黨高層知日派的推薦下，該書儼然已成為該黨內部廣為流通的讀物，是社交場合茶餘飯後的熱門話題。類似《腦內革命》這樣藉醫學新知來論述養生之道的科普著作，可以蔚為風潮，是一個頗堪玩味的社會文化現象。

《腦內革命》的主要論點是依據現代醫學在腦生理學和分子生理學上的新發現，指出「腦內嗎啡」為主宰人體健康的關鍵。「腦內嗎啡」是分泌自人類腦內的一種近似嗎啡的荷爾蒙，其中最有效力的成分稱為「β內啡呔」（β-endorphin）。這種物質會使人的情緒變好，防止老化，提高免疫力和自然治癒能力。

作者認為，人的情緒或思考並非抽象概念，而是會轉化為化學物質，並在體內引起作用的。因此，一個人若是覺得愉快、滿足，腦內就會分泌出有益身體健康的β內啡呔；反之，若是處在厭惡、發怒、哀傷或感受強大壓力的狀態時，腦內便會分泌出一種「去甲腎上腺素」（Noradrenaline）的荷爾蒙，這種荷爾蒙「毒性僅次於蛇毒」，會傷害遺傳基因，引發疾病，加速老化。

作者據此將人類的思維區分為「正面思考」與「負面思考」。為了健康、長壽，作者鼓勵「正面思考」，以刺激人體分泌有益的腦內嗎啡。至於何謂「正面思考」，作者認為凡事往好的方面想，就是「正面思考」；反之，即是「負面思考」。作者認為，就醫學觀點來看，我們體內運行的機制是這樣的：「當聽到某人對你說話，而感到『真討厭』時，即會加速老化，或在體內產生促進致癌的物質。相反地，若能感到『慶幸高興』時，則會分泌能使身體健康保持活力的物質。」（頁十九）

作者春山出身於東方傳統醫療的世家，他自稱「八歲時，就因為得承全部秘訣，而取得醫師的資歷」（頁七）。嗣後，他又有機會在東京大學醫學院研究西洋醫學。他意圖結合東方醫學與西洋醫學的努力，值得嘉許。但他是否完成他所宣稱的「醫療觀點的思想革命」，則有賴進一步的探討。

日本是一個善於包裝與行銷的民族，本書基本上也是由一些看似玄妙的醫學名詞所堆砌而成的。它也許可視為一本科普著作，雖然其論述並不嚴謹。譬如，當作者要說明精神壓力是致癌主因時，他寫道：「若因致癌物質導致罹患癌症的或然率為百分之十的話，那麼受到某種強大的精神壓力時，則其致癌率會上升為百分之五十。」（頁二五）作者聲稱這樣的數據是來自於對老鼠所做的實驗。可是作者在另一個地方又指出，人類和動物腦機能上的差別，在於人類有獨特的「大腦新皮質」（頁三六）。既然如此，又如何能以老鼠的相關實驗數據來與人類相比擬？此外，作者認定人類的壽命應可達到一百二十五歲，其理由是：「人類的腦大致成長到二十五歲為止，腦部成長期間的五倍就是壽命，因此二十五乘以五就是一百二十五歲。」（頁一五四）這樣武斷的論述，未見作者提出更詳細的說明。

此外，作者在書中一再強調飲食、運動和冥想是健康的三大要素，這並不是什麼新奇的發現。適度的飲食和運動與健康息息相關，早已是眾所週知的常識。至於「冥想」，也無非是作者所說的「正面思考」。只是在這裡又多出一個「α波」的名詞。他指出，當分泌腦內嗎啡時，一定會從腦中發出α波的腦波。而「對於形成α波最有效的是冥想」（頁六四），「不管做什麼事，都能肯定地去接受，並心存感謝而進行正面思考的話，就可以呈現α波狀態。」（同上）其實，中國的儒、釋、道，乃至西方的基督教，在修身養性的教諭上，都有要人謙卑、逆來順受的觀念，這和作者所定義的「正面思考」並沒有太大的差別。

作者所提的「正面思考」與「負面思考」，其實是浮濫借用中醫學上的陰陽學說。我們可將「正面思考」稱為「陽性思考」，將「負面思考」稱為「陰性思考」。依中醫學的理論，身體健康與否，端視陰陽兩者是否能維持既對立又和諧的關係。中醫學將人體的抗病機能稱為「正氣」，將致病因素稱為「邪氣」。而正氣又分為「陽氣」與「陰精」。人體的生理活動是藉著陰精來產生陽氣，復藉由陽氣的作用不斷地化生陰精。陽氣與陰精兩者交互為用，滋陰補陽，培本固元，從而形成整個生理過程。要是兩者不能互為增益，終將導致陰陽兩虛，則生命也就終止了。《素問・生氣通天論》有言：「陰陽之要，陰密陽固。而兩者不和，若春無秋，若冬無夏。因而和之，是為聖度。故陽強不能密，陰氣乃絕；陰平陽密，精神乃治；陰陽離決，精氣乃絕。」這是說明陰精性本靜謐，陽氣質乃固秘。如果陰陽任何一方偏勝，而失去平衡，那就像一年之中，只有春天而沒有秋天，或只有冬天而沒有夏天一樣。因其本性，使陰陽調和，這是聖人養生之道。若陽氣過強而不能密藏，則陰精得不到化生；只有陰精平和，陽氣密藏，精神才能旺暢；要是陰陽離決，那麼陰精、陽氣就隨之而竭，當陰陽兩虛時，生命也就結束了。春山片面強調正面思考，完全背離了中醫陰陽學說的基本原理。他自稱八歲即得承東方醫學的全部醫療秘訣，實不無誇張之嫌。

本書以新包裝、新術語論述一般人耳熟能詳的養生和保健觀念，而得以在日本暢銷一時，是可以理解的。日本基本上已是一個富足、安康（well-being）的社會，人民對生活已別無所求，最大的欲望是延續其滿足的狀態。於是，健康、長壽成為眾人關注的焦點，並擴大為整體社會的共同期待。也正是在這樣一個將健康、長壽懸為最高價值的社會中，作者所主張的「肯定、感謝、愛」、「凡事都往好的方向進行正面思考」、「不必把腦筋纏繞在複雜的事情上，順利分泌腦內嗎啡出來就行了」等單一而過度化約的行為準則，才會獲得眾多的知音。為了健康，為了避免因憤怒、憂慮、壓抑而分泌出有毒的去甲腎上腺素，一切情緒都要導引向可以分泌腦內嗎啡的正面思考。譬如，對一位上班族職員來說，「即使進入社長室又被責罵了，也要認為社長所以罵我是為了我自己好，利用正面思考來心存感激就好了。」（頁二七）

台灣的社會狀態距日本的富足、安康還有一大段距離，經濟和政治都還處在摸索與發展中的階段，而在這過程中仍存在許多不公不義的現象，有待我們去克服。在這樣的社會中，憂懼與不滿是難以避免的，而適度的憤怒也是必要的。不滿與憤怒也許有礙個人的健康，運用得宜卻也可以有助於社會的進步。

中國傳統優秀文化強調「反求諸己」的恕道精神，這是比逆來順受更難得的一種內省工夫。《孟子．離婁篇》有曰：「愛人不親，反其仁；治人不治，反其智；禮人不答，反其敬。行有不得者，皆反求諸己；其身正而天下歸之。」儒家的「反求諸己」重在修身，而不在養生；慮在天下，而不在一己之軀殼。至於道家的「反求諸己」，則更志在達到天人合一的境界。《呂氏春秋．論人篇》：「太上反諸己，其次求諸人……何謂反諸己也？適耳目，節嗜欲，釋智謀，去巧故，而游意乎無窮之次，事心乎自然之塗，若此則無以害其天矣。無以害其天則知精，知精則知神，知神之謂得一，凡彼萬形，得一後成。」

其中「游意乎無窮之次，事心乎自然之塗」，也可視為是一種「冥想」的境界。「冥想」應不只限於《腦內革命》作者春山所指稱的「正面思考」，而是可飄然遠舉於社會現實之外的想像力，不囿於日常的成規，不向現實屈服，是著重未來面向的創造性思維，也是思想自由的體現。

的確，春山出身醫界而能將「冥想」融入醫理並加以闡發，殊屬不易。在現代社會中，一般人面臨重大的工作和成就壓力，透過冥想，確實可使身心維持平衡，這總比不堪壓力而自暴自棄，或藉由酒精、毒品來麻醉自己要來得「健康」。但是春山將冥想與飲食、運動等同，視之為養生的一個門徑。中國傳統的思想則將飲食、運動與修身結合，與冥想同樣可以提高生命的境界。

中國傳統文化的精髓當推《周易》，《周易》的頤卦就是專講飲食之道的。頤（䷚）卦由震（☳）、艮（☶）兩卦組成。從爻象言，上下兩陽爻，中為四陰爻，而陽實陰虛，酷似上下兩排牙齒，中間空無一物，有頤口之象。從卦德言，下震動而上艮止，有如人之咬嚼食物，下齶動，而上齶止。其卦辭曰：「頤。貞吉。觀頤。自求口實。」意即，頤養必須遵守正道，才能得吉。天地養育萬物，各得其宜，人亦須依循正道以養己、養人。觀察一個人的頤養之道（含養己與養人）是否依循正理，則可獲知他是否能得吉。

從頤卦的吉凶來看，其下卦三爻屬於震體，震為動，動則多欲，象徵口動不停，貪食而不知足，因此三爻皆凶。上卦三爻屬於艮體，艮為止，止則寡欲，象徵飲食節制，重視修養德行，因此三爻皆吉。

頤卦論養之為道，以養人為公，養己為私；自養之道，則以養德為大，養體為小。因此，中國傳統文化裡論飲食，論頤養，小者可以是局限於為求健康、長壽的「養生」，大則可以擴充為「養氣」。《孟子．公孫丑》有謂：「我善養吾浩然之氣。」這種至大至剛、充塞於天地之間的浩然之氣，可以使人理直氣壯，直道而行，而不只是委屈求全、逆來順受式的「正面思考」。

《腦內革命》強調運動的重要，但其運動是有目的性的，是為了「增強肌肉、燃燒脂肪」（頁八八）。中國傳統思想則將運動視為宇宙的常理，將剛健與義理相繫。

《周易・繫辭傳》：「生生之謂易。」其中「生生」可指宇宙萬物的運轉不息，也可以指人身的「終日乾乾」。《周易・乾卦・九三》：「君子終日乾乾。夕惕若。厲无咎。」其中，「乾乾」即是勤勉、行事剛健不息之意。需卦象辭有曰：「剛健而不陷，其義不困窮也。」在此，「其義不困窮」，正表示有無限的想像空間，則又可以與「冥想」參融並看了。

無論如何，作者提出飲食、運動、冥想為健康的三大要素，確已具體掌握了東方醫學的特質。我們若將醫學區分為預防、診療和復建三大部門，則東方醫學特別著重的正是預防的部門。誠如《腦內革命》中所說的：「東方醫學的醫生是為了不製造病人而有的。職責是在未發病之前的治療，使其不要成為病人。所以，當病人出現在眼前時，就會有一種這是自己失敗的想法。」（頁一〇二）事實上，即使在西洋醫學中，預防醫學所占的比重也逐年提高。有人說西醫是病理學，中醫是生理學，如今這兩者有逐漸匯合的趨勢。《腦內革命》其實也已透露出這個訊息。

最可取的是，作者提到，在診療方面，醫生擁有開藥、手術刀和話語三種工具，而「目前的醫療卻只依賴開藥和手術刀，其實，也可以憑藉話語來進行治療，所謂話語的治療，是指引出患者本身的自然治癒力而言。」（頁一六八）的確，西醫在診療技術上常把病人視為一部故障的機器，而以開藥和動手術做為「修復」機器的手段。中醫則把人視為一個太極，部分即蘊涵整體，重視調和的工夫。道教中更將引導、吐納、藥膳與房中術並列為養生四大祕訣。話語治療即透過觀念的溝通，使求治者對自己的身體狀態有正確的認識，進而調整行為和生活習性，使每一個人都是自己身體最好的管理者。

話語治療與問題青少年的輔導諮詢有異曲同工之處。問題青少年多來自問題家庭或不良的居家及社會環境，一個經過矯正的問題青少年，若任其回到原來的生活環境，很容易會因為沮喪、挫折而更加自暴自棄，因為他自認個人能力單薄，既無法改變——更無力脫離——其所處的環境。要有效解決青少年問題，首先要與他溝通觀念，使他自主調整行為模式，並幫助他營造比較健全的同儕團體，以避免其重陷窠臼。同樣地，身體與我們終日相隨，個人的生活習性和週遭環境對健康影響至鉅。話語治療正是提供諮詢，解決疑慮，為身體健康提供最恰當且因人而異的行為調整的治療方式。

如今西醫也傾向激發人體的自然治癒力。過去小孩一發高燒就是打針、服藥，現在則是教導父母將小孩浸泡在比體溫略低的盆浴中，讓小孩軀體自然散熱。過去流行割盲腸、剖腹生產，現在則強調順其自然，能不開刀者，儘量不開刀。同樣地，能吃藥解決者，儘量不打針（因前者只是進入消化系統，後者則直接進入血液循環系統）；能用外敷膏藥解決者，則儘量不用內服藥物。當然，最好還是平時就養成良好的飲食習慣，並從事適度的運動。《孫子》有云：「上兵伐謀，其次伐交，其次伐兵，其下攻城。」而最高明的戰略即是「不戰而屈人之兵」。對醫學保健而言，其最高境界應是不需動刀、用藥，而得以使病體痊癒。

《腦內革命》一書對習慣於西方制式教育者，有一定程度的平衡作用。作者以醫學新知闡明東方醫學價值的努力，值得肯定；雖然他對東方傳統思想的認知時而流於偏差與浮淺。其實，以新名詞包裝舊思想而得以引領出版界風騷的著作也不限於《腦內革命》，最近高居書市首榜的《ＥＱ》（情緒商數），只有書名新穎，內容其實平淡無奇。只不過在此講究功利與效率的消費社會中，這種教人「先學會做人，而後學會做事」的觀念，顯得特別動聽。中國傳統思想中「正心」、「修身」先行的觀念卻也藉此得以翻身，並在此功利社會中起了一定程度的平衡作用。

《腦內革命》最大的問題，還不在於科學上的論證和認知，而在於作者以科學包裝而意圖傳佈出來的某些似是而非的價值觀。

首先，作者以過份化約的唯心論觀點，認為「病由心生」，只要保持良好的心情，則大腦自然分泌腦內嗎啡，從而可以確保健康、長壽。接著，作者又以近乎神學的目的論來詮釋萬有，並指導期待健康、長壽的芸芸眾生一定的行為法則，至於個人的能動性和應有的道德責任則完全被排除在外。他說，「如果違反了造物者意圖，不管是多麼渴望得到幸福，也會被逼向相反的方向走」（頁一七一）又說，「腦的生命就是造物主的命令。」（同上）這種含混的唯心論和神化觀點，其實所要營造的正是現代版的享樂主義（**hedonism**），亦即世俗化的伊比鳩魯派快樂論（**Epicurean pleasure**），認為快樂是行為或做抉擇的唯一依據，強調單純的感官愉悅，從而迴避道德義務或社會、政治爭議。春山結合享樂與快感的論點，正為當前拒絕涉足公共領域，卻又標榜「只要我喜歡，有何不可以」的新人類個人主義論調找到合理化的基礎。

其次，作者以「往好的方向想，腦子就會分泌出良好的荷爾蒙，往壞的方向想，腦子就會分泌出不良的荷爾蒙」（頁五七）這種區別的方法，將人類複雜的思維分為「正面思考」與「負面思考」，並隨即將兩者對立起來，這種觀點又是宣揚庸俗唯物論，其論證方式也流於草率。作者輕易地抛出一個數據，說：「人類總是較常用負面思考來看待事物，大約有七、八成是採取負面思考。」（頁四七）其實，作者稱為「負面思考」的，我寧可視之為動物本能性的反應。人類憤怒、哀傷、焦慮等情緒，都是面對某種不如意、不順遂情境的反應。在一個競爭激烈的社會中，若是絕大多數的人都停留在本能性的反應「負面思考」，則善於控制情緒，並以冷靜、積極、樂觀的態度面對挑戰，從容處理問題的人，自然會高人一等。反之，若是絕大部分的人都如作者所鼓吹的，「為了健康著想」，以「慶幸、高興、肯定、感謝」（正面思考）來面對一切合理或不合理的處境，則這樣的社會心理條件難免不為野心家所利用，而成為獨裁統治的溫床。

作者極力鼓吹的「正面思考」，對個人的生理效應而言，可以滿足對快感的追求；但其社會效應則可能成為危險的「順民哲學」。若是一味地為了刺激腦部產生β內啡呔的快感荷爾蒙，而刻意採取所謂「正面思考」，則只要有人發明β內啡呔的注射劑，豈不就可以像英國作家赫胥黎（Aldous Leonard Huxley, 1894—1963）在《美麗新世界》一書中所描述的獨裁者一樣，輕易控制一批自以為快樂幸福的順民？

任何一個統治階級，為了管理的方便和權力的穩固，都會透過各種途徑提倡或灌輸對其繼續把持政權有利的意識型態。這種意識型態可以用來形塑並正當化某些特定的思想、行為，或者對另類的思想、行為加以壓抑和拒斥。日本做為國際經濟強權，主流文化充斥著因富足而衍生的自滿與傲慢，持盈保泰也因而成為整個社會的群體欲望。與持盈保泰息息相關的，就是養生之道的風行。

但是《腦內革命》所傳佈的，除了養生之道外，還有一種集體麻醉的意識型態，這種意識型態假借健康、長壽為目標，而自我建構了一套封閉的信念，從而扭曲了社會現實。《腦內革命》教導讀者，「不管做什麼事，都能肯定地去接受，並心存感謝而進行正面思考」（頁六四）；「如果心存『討厭』、『痛苦』、『怨恨』的想法，就會誘導至不快、生病、意外、對立、抗爭、失敗、灰心，以及自我毀滅的方向。」（頁六八）

這一整套思維其實也正是統治階級最需要的「順民哲學」。既然沒有一個正常社會應有的不滿情緒，則統治者的施為就不會遭到任何質疑，其權位自然可以屹立不搖。

其實，一個人要是對生活與處境完全——或幾近完全——滿足，他就不再有進步的空間。同樣的，一個自滿自足的社會，也就沒有改革的可能。適度不滿是社會改革的動力。人都有道德情感，追求正義或辨明大是大非的過程儘管艱辛，但一旦理想落實，所獲得的快感，絕對比《腦內革命》所描述的滿足狀態更為高亢，更為廣遠。因為那不僅是個人的快感，而是整個社會都將浸淫在是非得以分明、正義得以伸張的道德感動之中。

《腦內革命》所提的正面思考，其實也可視為某種型態的「情緒管理」，與《EQ》一書有異曲同工之處。只是前者志在健康、長壽，後者志在個人事業成就。在歷史上，也有一個值得參照的「情緒管理」的例子。

廉頗是戰國時代趙國名將；藺相如則原是一介布衣，因完璧歸趙和澠池之會大挫強秦銳氣，趙王拜為上卿，位在廉頗之上。廉頗不服，認為自己有「攻城野戰之大功」，而藺相如「徒以口舌為勞」（見《史記》）。於是百般羞辱藺相如，後者則一味隱忍，不願攖其鋒芒。門人質問藺相如，既與廉頗同朝為官，何以畏匿恐懼若甚？藺相如才表明，秦國之所以不敢對趙國用兵，主要是因為趙國有廉頗為將，藺相如為相，一旦將相失和，則趙國危矣！廉頗知道後，羞愧交加，負荊請罪。

若依春山的分析，則廉頗從原先的妒恨到後來的悔疚，固然都是有礙健康的「負面思考」，即使藺相如的壓抑和隱忍，也是有違養生之道的。問題是，正如思考不能簡易地以「正面」、「負面」來劃分，人類的情緒也有比悲、喜、愛、憎等單純的形容詞更繁複的層面。藺相如的自我壓抑，有比「情緒管理」更高層次的考量，廉頗的悔疚則讓我們看到道德情感的淨化與提昇。

此外，作者提到冥想是東方醫學的中心思想，卻又賦予冥想過於濃厚的功利性，而以促使當下情緒的好轉（以便刺激內嗎啡的分泌）做為目的。這使得冥想失去自由、寬闊的空間，並因為太執著於當前，而失去未來的向度。

事實上，冥想是人類特有的思維能力，更因為外界無以檢查、操控，不易被探知，所以是人類自由的保證。極致的冥想可將現實不存在者，想像其為可能存在；現實存在的，可想像其為可能不存在。這也就是「構想力」（Einbildungskraft）的發揮。人格上的自由即是超越現實，發揮構想力的自由。有豐富構想力的人不隨便向現實屈服，其精神內涵也更為充實、圓滿。因此，對冥想要做更具體的分析。

冥想不限於當下的玄思。有一種冥想，是以真善美價值理念為前提的，這種冥想可以是對未來「尚待實踐的自由」的追求，這也是人類歷史上藝術創作、科學研究與社會改革的最大動力。

就藝術創作上來看，藝術可以要求與實用的觀點決裂，可以不理會當即的需要，可以不受時空的羈限。藝術使人從現實的經驗世界中解放出來，只遵循個人內在的美的原則，追求的是一種無私的愉悅。而藝術創作所憑藉的正是冥想的能力，這種能力使人處於敏銳靈動、無窮無止的境界，而如《文心雕龍・原道篇》所說的「旁通而無滯，日用而不匱」；或者如〈神思篇〉所說的「寂然凝慮，思接千載；悄焉動容，視通萬里」，時間與空間的羈限，在創作的過程中，竟變成自由的表徵了。

科學研究需要敏銳的觀察和嚴謹的求證，科學的發明或發現則需要豐富的想像力，這與藝術創作是相通的。但這種想像力是基於求真的理念，大科學家愛因斯坦（Albert Einstein, 1879—1955），就有這樣的體驗。他說：「我們所能感受到的最美麗的事物，是生命中神秘的那一面。那是只有在藝術的搖籃和真正的科學中才能發現的深刻情感。」科學需要想像力，而想像力正是自由的體現。法國偉大的數學家龐加萊（Henri Poincaré, 1854—1912）是這樣說的：「自由之於科學，就像空氣之於動物。」

科學的研究不必然有特定目的，人類的進步是許多科學家天馬行空，自由冥想的成果。科學界的每一項重大發現，可以說都是對人類既定現實的一次革命，絕不僅止限於「腦內革命」。科學的冥想可能需要殫精竭慮，皓首困思，這與追求「腦內嗎啡」的分泌毫不相干。

社會改革同樣需要冥想做為動力，但這種冥想又是基於內心的正義感。馬克思被奉為現代社會主義革命的導師，在於其哲學思想已不再以詮釋世界為滿足，而是志在改變世界。古羅馬時期的革命家史巴達克斯（Spartacus）生來即為奴隸，卻可超越自幼即被奴隸主和統治階級所灌輸的順民哲學，組織奴隸，喚起他們的自覺意識，帶領無數的同志起義，以致動搖羅馬帝國的國本。這也是發揮冥想能力的成果。但是史巴達克斯所根據和所喚起的絕不是「慶幸、高興、肯定、感謝」的思維，而是對不合理社會制度的憤怒。釋迦牟尼創立佛教，主要也是不滿當時婆羅門教的種姓制度所造成的社會不平等。

最後，筆者要痛切指出，本書有把健康、長壽等價值絕對化的傾向。依據作者的論述，人類一切的作為、努力，乃至思維、情緒都指向單一的目標：健康、長壽。

健康、長壽固然可欲，是一種價值，但只是相對價值，不是絕對價值，更不是唯一的價值。如果長壽是最高的價值，那麼烏龜可以不食而壽，豈不是我們仿效的榜樣？康德（Immanuel Kant, 1724—1804）在《道德形上學的基本原理》開宗明義即說：「在世界之內，甚至根本在它之外，除了一個善的意志之外，我們不可能設想任何事物，它能無限制地被視為善的。」其意義是：機智、勇敢、果斷等氣質固然是可欲的，但是如果駕御這些氣質的不是一個「善的意志」，而是一個惡人的話，那麼這些氣質只會增益其惡。同樣地，冷靜沈著可以是構成人格的一部分，但是一個盜賊而具有冷靜沈著的人格，反而更為可怕。

康德並舉例說，權力、財富、健康和對自己狀況的滿足，都可視為幸福（Glueckseligkeit），但是擁有這些幸福的人，若不具備「善的意志」，則反而增益其自大與傲慢。

一般來說，一個人若擁有權力、財富，則為了延續其滿足的狀態，他會冀求健康、長壽。秦始皇和漢武帝在中國歷史上都是難得一見的，才大志高、功業彪炳的帝王。秦始皇統一度量衡、車同軌、書同文、立郡縣，為中國奠下了可大可久的典章制度。晚年卻為求長生不老，迷信方士，最後竟病死在訪求長生之道的旅途上。漢武帝破匈奴，通西域，開疆拓土，不可一世。但是他生性迷信，終其一生與巫醫術士為伍，最後還是難免一死。即使成就貞觀之治的一代英主唐太宗，晚年也因企求長生不老而服食丹藥，因而喪命。健康、長壽固然可欲，但是一位昏庸、專恣、暴虐的統治者若是身強體壯、長命百歲，反是人民的夢魘，國家的災厄。

司馬遷在〈廉頗藺相如列傳〉中讚曰：「知死必勇，非死者難也，處死者難。」

意思是說，對死亡有徹底認識的人，必是勇者；死本身並不困難，能從容面對死亡才是真正的困難。就這一點來看，秦皇、漢武，甚至唐太宗都不如藺相如面對強權時的從容不迫，有孚顒若。

關於人的價值，孟子也有天爵、人爵之論。他說：「有天爵者，有人爵者。仁義忠信，樂善不倦，此天爵也；公卿大夫，此人爵也。」（《孟子．告子上》）在這裡，「天爵」是指上天所賦予每個人的、無私的爵位，不假外求，無待於人。舉凡敦品勵學、進德修業皆屬天爵，只要個人努力，就會有相應的成果。「人爵」則是人世間的爵位，例如財富、事業、社會地位等，都必須在一定的社會條件之下，有一定的機運，才能擁有。人生在世，有些東西是不能強求的，沒有一定的條件和機運，許多心機往往只是徒然。唯其不把「人爵」絕對化，人才能活得灑脫、自在。

從倫理學的角度來看，只有人本身成為目的時，人的尊嚴才彰顯得出來，而「人本身即是目的」，無非就是指其人格的自由、自律與自主而言。作者春山將健康、長壽懸為最高價值，是錯把工具視為目的。相當於孟子所說的「既得人爵，而棄其天爵」。亦即為了養生，而忘了修身；為了追求健康、長壽，而忘了維護自由、自律與自主。

康德將「自由」界定為「人可以獨立於一切經驗因素的制約，而讓純粹理性的要求成為實踐的能力」。所謂「經驗因素的制約」是指一般經驗法則的規制，如好逸惡勞、趨福避禍、貪生怕死等社會心理法則。人之所以有價值，在於人有自由意志，可以超越經驗法則的限制，而使純理的要求成為行為的最高準則。一個自由的人是依純理的要求來決定行止，而不受制於社會心理法則的。所以一個自由的人只服從自己依純理的要求所定下的行為律則，不是他律，而是自律。他也因此成為自己的主人，而非他人（或社會）的奴隸，這就是自主。

欲求健康、長壽當然是人類經驗法則的一部分。春山的《腦內革命》不僅無意超越此一經驗法則，反而將其轉變為思想行為的最高準則。既然自甘困囿於經驗法則，也就捨棄了對「自由」的追求。一個不維護人格自由的哲學，就是順民哲學。

其實，早在兩千五百年前，孔子就已以說過：「三軍可奪帥也，匹夫不可奪志也」，這兩句話簡潔地表達出「自由」的精蘊。後來被孟子闡發為：「生亦我所欲也，義亦我所欲也，二者不可得兼，舍生而取義者也」，視實現價值理念比人的自然生命更為可貴。到了宋代，儒家學者提出「理欲之辨」。朱熹倡導「克制一己之私欲，回復天理之本然」。王陽明則是主張「存乎天理之極，而無一毫人欲之私」。他們所追求的天理，包涵孔孟所提倡的人格自主和自律在內。朱王兩人各為傳統儒學兩大流派——理學與心學——的宗師，於此並無異見，且與前述康德對「自由」的定義是相通的。

一個自由、自律、自主的人，可以不假外求，而有其內在的價值，可以不受社會條件和機遇的左右，這個人本身就是目的，絕非只是他人的工具而已。孟子在講述天爵、人爵之後，緊接著說：「欲貴者，人之同心也。人人有貴於己者，弗思耳。」所謂「人人有貴於己者」，就是指天爵，是與生俱來的。而人的尊嚴也就是指自由、自律與自主的「目的王國」（Reich der Zwecke）。而這個王國是《腦內革命》這類粗糙的唯心論和庸俗唯物論著作所無法想見的。

（《聯合文學》，一九九七年三月號）

371 人人有責於己者

《易經白話例解》初版四刷後記

書　名：易經白話例解
作　者：朱高正
出版者：台灣商務印書館（台北市）
一九九六年一月初版四刷

《周易》為群經之首，是我中華文化的活水源頭。

相傳遠古時代，伏羲氏仰觀天文、俯察地理而作八卦，之後八卦相重而為六十四卦。殷商末年紂王無道，拘禁西伯姬昌（即周文王）於羑里，文王在囚禁期間為六十四卦作卦辭。其子周公繼續為三百八十四爻作爻辭，並於乾、坤兩卦繫「用九」與「用六」兩條爻辭。一般所謂周易經文，即指此四百五十條卦爻辭，合約四千九百三十字。

根據史記描述，孔子晚年喜讀《周易》，至於「韋編三絕」。孔子整理《詩》、《書》、《禮》、《樂》、《周易》等古代典籍，以為教學之用。然而，孔子離《周易》的成書年代——即殷周之際——已超過五百年，由於經文古奧難懂，於是孔子及其門生作「十翼」，注解經文，揭露蘊藏於《周易》內深邃的哲學思想，通稱為「易傳」。藉著《易傳》的詮釋，《周易》逐漸由卜筮之書，轉化為探討宇宙人生哲理的典籍。所以，《周易》「人更四聖，世歷三古」，是總結中國上古社會經驗與智慧的寶典。《周易》不但是儒家的經典，道家也將其與《老子》、《莊子》合稱「三玄」。中國古籍中，同為儒、道兩家奉為經典者，非《周易》莫屬！

自從漢武帝建元五年設置五經博士，楊何出任首位「易博士」，到清光緒三十一年廢除科舉為止，在這二千零四十年之間，為《周易》注疏的就不只四千家。學者皓首窮「易」，可說歷兩千年而不衰。如果我們將讀書視為與古聖今賢對話的知性創造活動，那麼《周易》不愧是歷代第一流金腦袋對話的論壇與焦點。如此經典，即使在歐洲被視為各類學問源頭的亞里斯多德著作，也很難望其項背。舉凡中國的讀書人皆不可不讀《易經》！

然而，令人痛心疾首的是，自從廢除科舉以來，經學教育中斷，傳統優秀文化面臨西方工業文明的挑戰。五四運動視傳統文化為引進民主與科學的障礙，而肆意予以抨擊。文化大革命期間，傳統文化更在破四舊浪潮中，首當其衝。在台灣，多數人早已習慣將傳統文化視為「落後」與「不合時宜」的代名詞。台灣留洋博士比比皆是，其中會留心傳統古籍的，已是鳳毛麟角，更遑論精通易學。

其實，傳統文化非但不必然是現代化的障礙，更可以成為推動現代化的助力。全世界沒有一個國家可以徹底否定自己的文化傳統，而能完成現代化的。面對現代化的挑戰，傳統文化亟需理性批判、重新詮釋，才能獲得新生力量。周易是傳統文化的大根大本，想要重建中華民族的自信與自尊，想要有效迎接國家現代化的挑戰，必先從周易的現代化著手。

筆者自高二接觸易經，即以「振興易學，再造中華」為己任。之後雖曾遠赴德國鑽研康德，取得哲學博士學位，但是對於闡揚易學始終不敢稍有懈怠。身為朱熹的三十代孫，更感到責任重大。朱子集宋朝理學的大成，是中國八百年來最重要的哲學家與經學家。朱子所著《周易本義》也被視為易學入門的必讀之作。而康德在西方哲學界號稱顯學，尤其以艱澀幽晦著稱。筆者既能治康德有成，而《易經》向以古奧難懂令人望而卻步，因此，對筆者而言，弘揚易學自是身為現代中國知識分子無可迴避的責任。

去年國際易學研究院院長朱伯崑教授囑託筆者，邀請前中央研究院院長吳大猷博士出任國際易學研究院名譽董事長一職。當時吳大猷先生即出示蔣經國總統贈送給他的、由梁啟超先生所寫的《佛學講義》，說明傳統文化必須以現代人所能接受的方式重新詮釋，才能保持活力，進而湧現新義。他並表示，倘若筆者能以現代知識分子所能接受的方式重新解讀周易，則他願意接任該職。在吳大猷先生的敦促與鼓勵下，筆者許下注解《周易》的宏願。但是，身為政治活動家，事務繁多，以致注解工作一再延誤，直到今年二月中旬，才正式著手《周易六十四卦通解》的寫作。寫作期間，承蒙朱伯崑教授、吉林大學金景芳教授與徐志銳教授的鼓勵與指正。到六月初完稿，前後歷時四個月。《周易六十四卦通解》正是筆者致力周易現代化的初步成果。

此間，吳大猷先生曾向筆者提議，《周易六十四卦通解》以文言文注解古籍，易使現代人望文生畏，若能將其譯為白語，必大有裨益於易學的普及；此外，應多培養青年學子研讀《周易》，為易學的傳承與發揚奠定基礎。有感於此，筆者透過現就讀於國立台灣大學法律系的外甥楊登傑同學，物色數位台大學生，其就讀科系涵蓋人文科學、社會科學與自然科學，包括林思慧、潘少瑜、周百威、陳怡守及宋孔彬等人。

這些青年學子在筆者指導下，以《周易六十四卦通解》為底本，從事白話翻譯，並針對每一卦爻辭挑選適當例子，使易理更加具體易懂，終於完成《易經白話例解》一書。本書雖數易其稿，甚至比筆者親自撰寫來得費事，但是，看到《易經》豐富的哲理逐漸融入這批青年學子所思、所言、所行之中，不禁欣慰易學後繼有人。

本書自今年十月出版以來，短短兩個月內，三次印刷即將售罄，茲於增印第四刷之際補上此文。本書的目的在於易學的現代化與普及化。初學者之所以不得其門而入，關鍵在於周易古奧的文字與獨特的思維方式。針對前者，本書摒除煩瑣的訓詁考證，行文力求樸實清晰、簡明易懂；至於後者，讀者則可於本書代自序〈解讀周易的基本原則〉一文中，找到進入周易堂奧的門徑。

本書的最大特色在於針對每一卦、爻辭均附加「例解」，結合了歷史典故與現實經驗，為該卦、爻辭提供了適當詮釋。其實，在傳統易學的兩派六宗中，義理學派除了儒家、道家兩宗之外，另有引史證經一系，如宋代楊萬里所著《誠齋易傳》，對各個卦、爻義理的解釋，幾乎皆引歷史事件或人物加以闡發，將易道應用於社會政治生活。然而，這些歷史事件或人物對現代人多已陌生，若為瞭解史實而查閱史籍，恐怕只會模糊閱讀的焦點，反而忽略對易理的切實掌握。所以，本書特別採擇現代人較為熟悉、易為接受的典故或事例。筆者相信，凡是具有初中教育水準而年滿三十歲以上者或就讀高中的資優學生，閱讀本書後，必能逐漸瞭解易經獨特的思維方式與豐富的人生智慧。

《易經白話例解》固然是引領現代人進入易經堂奧的門徑，然而，筆者更深盼讀者在閱畢本書後，能進一步翻閱《周易六十四卦通解》，以最簡潔、洗鍊的文言文，汲取千古不易的智慧之泉，進而可以馳聘於浩瀚的易注古籍中，直接與中國傳統文化的精髓接軌，使傳統成為活的傳統，更成為落實現代化的原動力。

（一九九六年一月）

《易學漫步》台灣版序

書　名：易學漫步
作　者：朱伯崑
出版者：台灣學生書局（台北）
一九九六年十一月

《易經》是一部可以開啟智慧法門的奇書，更是中國文化的活水源頭。

相傳上古時代伏羲作八卦，逮周文王乃將八卦相重，演成六十四卦，並作卦辭。文王子周公作爻辭，至孔子乃作十翼。《易經》即指六十四卦的卦畫、卦名以及卦爻辭而言。《易傳》即指十翼，是為彖傳上下篇、象傳上下篇、文言傳、繫辭傳上下篇、説卦傳、序卦傳與雜卦傳，合為七傳十篇。周易的哲學思想體系就這樣歷經漫長的歲月，由卜筮中誕生、成長而脱胎換骨。歷來儒家莫不奉《周易》為群經之首，道家亦將其與老、莊並稱「三玄」。

兩千多年來，為《周易》經傳作注者，逾四千家，成就了博大精深的「易學」體系。然而，誠如四庫全書所云：「易道廣大，無所不包。旁及天文、地理、樂律、兵法、韻學、算術，以逮方外之爐火，皆可援易以為說；而好異者又援以入易，故易說愈繁。」

由於易注既多且繁，眾品雜陳，初學者往往無所適從。傳統上，學易者大多從朱熹所著《周易本義》入門，但是古書本不易讀，何況易經兼有義理與象數之學，對現代人而言，常有望《周易本義》而興嘆之憾。

高正從中學時代自學鑽研易理，深知治易不易。誠如朱熹所言，學易需有「門徑」，現代人學易尤需有「現代的門徑」。《易學漫步》一書無疑為初學者提供一最為方便的「門徑」。本書係脫胎於北京大學朱伯崑教授為「國際易學研究院」函授班所編纂的教材《易學基礎教程》，內文主要由該院學術委員聯合執筆，再由伯崑先生定稿。

伯崑先生係一代哲學史大師馮友蘭教授的大弟子，其成名作《易學哲學史》四大卷係為賡續並補強其恩師之名著《中國哲學史》而作。伯崑先生任教北京大學哲學系迄今四十四年，桃李滿天下，為目前大陸國家教委核可之唯一《易經》博士生導師。近年來，伯崑先生推動易學研究不遺餘力，結合同道，創辦「國際易學研究院」，被推選為院長，並聘前中央研究院院長吳大猷先生為名譽董事長，而高正則於今年為該院籌措成立「國際易學研究基金」。伯崑先生為弘揚中華傳統優秀文化所付出的心力，令人敬佩。

去年高正即在伯崑先生鼓勵與指導下，就《周易》經文的闡揚，撰著《周易六十四卦通解》與《易經白話例解》。該二書出版以來，再版已逾五刷，對易學現代化當不無裨益。唯讀者諸君若欲對易學有通盤性的瞭解（諸如易學源流派別、歷代治易名家、易學思維方式，以及易學與哲學、道教、人倫、科技、醫學、審美等關係），《易學漫步》一書當可為初學者提供一完整而正確的學易框架。

本書原文三十餘萬言，經高正考量台灣閱讀習慣，建議刪節到不超過二十萬言，由伯崑先生親自主持改寫事宜，數易其稿。台灣學生書局總經理孫善治先生向來熱心維繫傳統優秀文化，對伯崑先生早亦景仰有加，決定出版此書以饗讀者，邀序於予，豈敢推辭，是為序。

（一九九六年九月）

381 《易學漫步》台灣版序

《朱高正作品精選集》1996年學一版跋

書　名：朱高正作品精選集，三卷
作　者：朱高正
出版者：台灣學生書局（台北）
一九九六年十一月

《朱高正作品精選集》輯錄筆者最近十年來的作品，編為《現代中國的崛起》、《台灣民主化的經驗與教訓》及《縱橫古今談》三卷。

筆者自一九八五年九月由歐洲學成歸國，以迄一九九五年七月，合計發表約二百萬言，其中與《易經》有關的約五十萬言，編為《周易六十四卦通解》、《易經白話例解》與《乾坤大挪移》三書，由「台灣商務印書館」發行。今則從另一百五十萬言中挑揀出最具代表性的五十萬言，編為《精選集》三卷。

在此之前，筆者的作品大多蒐集在《和平革命》四書（依次為《春雷1986》、《驚蟄1987》、《大風起1988》、《雲飛揚1989》）、由天下文化出版公司於一九九三年印行的《和平革命》、《新社會》、《再造傳統》三書，以及由歐洲文教基金會於一九九四年編印的《撥亂反正》一書。

《朱高正作品精選集》乃筆者返台以來的人文思考所留下的實錄。自投入選舉以來，筆者一直被視為台灣最具爭議性的政治人物；此實肇因於筆者本就不宜以一般政治人物的標準來評量。筆者經營文字自成一格，《精選集》中幾無應景之作或國會質詢稿。大多數作品是具有高度針對性的思想論述和人文關懷，尤其是收錄在第三卷《縱橫古今談》的文章更是值得向讀者諸君推薦。此外，即使是對現實政治的批判或對當代人物的月旦，也莫不以學理為依據，以史實為借鑑。總之，收錄在第一、三兩卷的作品較能反映出筆者的襟抱與終極關懷；至於收錄在第二卷的作品則多與現實政治有關。

筆者涉身政治，總是抱持「但開風氣之先」的自我期許。一九八六年是筆者的

「黨外時期」，在風聲鶴唳的戒嚴體制下，毅然投入黨外民主運動。為突破黨禁，筆者運籌於內，衝鋒於外，乃能於九月廿八日圓山大飯店的黨外集會中，輔以「臨門一腳」，肇建了台灣第一個反對黨——民主進步黨。這段期間的作品，如〈組黨是人民的基本權利——一個憲法解釋的嘗試〉和〈辯證邏輯與民主政治〉（收在第二卷），都已是台灣邁向政黨政治的重要文獻。

一九八七到八九年是筆者的「民進黨時期」。這段期間，為了台灣的民主化，為了政黨政治的健全發展，從解除戒嚴、國會全面改選到廢除臨時條款，筆者無役不與，也常在緊要時刻扮演關鍵性的角色。對於「非常體制」違憲性的批判和國會全面改選的法理基礎，在第二卷有關「回歸民主憲政」的篇章中可以尋獲。筆者苦心孤詣，對民進黨發展過程中的偏差時常提供建言：〈政黨政治的省思與展望〉和〈民進黨健全發展的危機〉都是這一類的逆耳忠言。政黨政治的雛型在筆者縱橫捭闔之下亦得以確立，包括民進黨立法院黨團的組建及其與國民黨溝通、互動的模式，也是在筆者全力參與下逐漸完成的。及至後來民進黨悖離「住民自決原則」而採行「台獨」黨綱，筆者基於民族大義，義無反顧地離開手創的政黨。其實，早在八八年筆者即不反對台灣有一個主張台獨的政黨，俾中共蠻橫不講理或大陸又發生類似文革悲劇時，我們就可讓台獨的聲浪高些，以保障台灣全體同胞的福祉，並為建立一個尊重人權、政治民主、社會公平正義有保障的新中國保留一絲生機。但筆者可不希望民進黨就是這個政黨，因為這樣的政黨註定淪為他黨的籌碼，而不可能成為執政黨。而今台獨基本教義派也已決定由民進黨出走，自組建國黨，正應驗筆者當年的「逆耳忠言」，相信今後民進黨當可順利走出悲情的陰影，為我國未來政黨政治的發展做出更正面的貢獻。

一九九〇到九三年是筆者的「社民黨時期」。〈我對另組新黨的沈思——社會菁英的政治責任〉（第二卷）一文明確表達我對時局的憂心和組織新政黨、結合社會菁英以救國救民的初衷。嗣後，筆者的國家哲學——有關「法治國」、「社會國」與「文化國」的理論與實踐——則展現在第一卷有關「立足傳統的國家現代化理想」的篇章中。

一九九三年，新國民黨連線從國民黨出走，台灣政壇上的「第三勢力」起了結構性的變化。筆者於是積極參與促成「第三勢力」的整合，以與國民黨和民進黨相抗衡。〈與新黨對等合併之後，我們應有的努力方向〉（第二卷），一文提供了當初社民黨與新黨「對等合併」的第一手資料。終於在一九九五年底，筆者不計名位、毀譽，領軍跨越濁水溪，在高雄建立了新黨南進的橋頭堡。

筆者從政十年，不管遭逢任何橫逆頓挫，皆一本知識分子的良知，有所為，有所不為，絕不因現實利害的轇轕而扭曲應有的堅持。

最後，筆者要感謝「台灣學生書局」，在本《精選集》由筆者自行發行五千套之後，仍予以重新出版，俾更多人士得以接觸到筆者的作品。筆者同時也要感謝前中央研究院院長吳大猷先生慨然作序，更增添本書的光彩。

（一九九六年十一月）

387　《朱高正作品精選集》1996年學一版跋

不是達爾文的錯

——《大滅絕》讀後

書　名：大滅絕
作　者：許靖華
譯　者：任克
出版者：天下文化出版社（台北）
　　　　一九九二年四月

中央研究院院士許靖華博士所撰述的《大滅絕》一書，乃爲近年來科普著作中的精品，值得大力推薦。但其中反對「優勝劣敗」，主張「幸者生存」的部分，就思想性質而言，已不屬於科學領域，而屬價值哲學的範疇，故已非「實然」，而是「應然」的問題。科學技術的進步雖可增進吾人對「實然」的了解，卻不見得能增進吾人對「應然」的認知。科學家面對「應然」的問題，應懂得謙卑與自制。

「天下文化」最近出版由華裔著名地質學家，也是我國中央研究院院士許靖華博士所撰述的科普名著《大滅絕》的中譯本。原著於一九八六年以英文發表、中譯本則由大陸地質學家任克（筆名）翻譯。作者博學多識，廣泛地引用最近一、二十年來在地質學、地磁地層學、地球化學、古溫計、深海鑽探技術、中子活化技術與碳同位素梯度等各專業領域的最新研究成果，並以偵探小說的寫作技巧，來重構恐龍何以在白堊紀要進入第三紀前突然消失。《大滅絕》為科際整合提供了一個範例，也是值得大力推薦的科普作品。

質疑「適者生存」之說

作者雖然從十九歲以後即離開中國，長期居留在美國與瑞士兩地，從事研究及教學工作，但他對祖國的關心令人敬佩，作者不僅對中國現代史耿耿於懷，即儒道兩家的思想也深深地影響他的人生觀與宇宙觀。作者在書中一再地質疑達爾文「物競天擇」、「適者生存」的學說，而主張「共生演化」、「幸者生存」。作者並將現代中國的不幸歸諸嚴復翻譯赫胥黎《天演論》於先，梁啟超為文鼓吹於後。作者認為國民黨與共產黨都深受達爾文主義的影響，肇致中國的動盪不安。這種判斷與見解是否允當，容稍後再論，以一個地質學家而能有此人文關懷，亦已值得國內自然科學界的工作者引為楷模。

《大滅絕》這本書主要是在處理地質學上的一個熱門話題：化石地層介於「白堊紀（中生代最後一紀）與「第三紀」（新生代第一紀）之間有厚達一公分幾乎不含任何化石的「界線黏土」。按照達爾文演化論的學說，這層「界線黏土」似乎標示出地質紀錄的「間斷」。因為在白堊紀生命力最旺盛的恐龍、菊石、箭石、有孔蟲、厚殼蛤以及白堊紀鷹屬植物群，在界線黏土以上的地層中，就不曾再發現它們的化石。易言之，要不是地質紀錄出現「間斷」，這些中生代的動植物豈非突然消失，但是演化論卻無法解釋這種生物突然大量滅絕的現象。

作者先介紹地質學家如何運用地層疊置律，建立「地質年代表」，並用C-14同位素測年法確定界線黏土距今約六千五百萬年。其次引述磁性倒轉原理，確認界線黏土屬於「C-29-R」（即「新生代磁性地層第二十九反向期」），並利用「海底擴張速度恆常」與「大洋底正負磁性條帶相間」的理論，推出「C-29-R」距今六千五百萬年，且該磁性反向期長達四十七萬年的結論。從而否定達爾文「地質紀錄間斷」的說法，並證明六千五百萬年前，海水無碳同位素梯度，即表層海水並無C-13富集現象，證明當時海水浮游生物大量滅絕，海水PH值呈酸性反應，且以箭石標本為古溫計測出當時海水溫度突然上升5℃，造成地球的災難性事變，導致中生代生物高達七五%大量滅絕。

恐龍被彗星殺害

接著作者運用「化學元素豐度表」與「中子活化分析法」對界線黏土進行定性分析。「化學元素豐度表」可以區分地表岩石經過凝化作用後，其各種化學元素的含量與地外隕星大不相同。而「中子活化技術」則可以有效分析濃度只有10^{-11}的痕量元素。結果發現界線黏土有極為明顯的銥異常現象，這為恐龍滅絕的原因是來自外太空提供了鐵的證據。

最後作者模擬出六千五百萬年前有一顆直徑長逾十公里的哈雷級彗星，以每秒四十公里的速度撞擊地球，導致大規模核爆災難，製造大量氮氧化合物（NOx），嚴重破壞臭氧層，而NOx也是落葉劑，使得樹木因無法進行光合作用而導致森林死亡。冷卻後，又有大量酸雨注入河川、海洋，終致白堊紀末期（即Masstricht期）動植物突然大量滅絕。

作者通篇採用偵探小說的寫作技巧，為證明恐龍不是「自然死亡」而是遭外太空的巨大彗星所「殺害」，帶領讀者，抽絲剝繭，直指元兇，論證嚴謹，其科學辦案的精神，令人拍案叫絕，真不愧是優良的科普著作。

資本主義與社會主義都引用達爾文學說

美中不足的是作者對達爾文的指責顯然有失公允。達爾文花了五年的時間遠赴南美洲和太平洋蒐集標本，返英後，潛心研究二十多年，才出版《物種原始》，藉著敏銳的觀察及比較解剖學之助，提出「共祖」理論、建立生物系譜學，從而主張「物競天擇」、「適者生存」，對生物學貢獻厥偉。至於遠在美國的史賓塞（Herbert Spencer）硬要將達爾文的生物學說延引到社會學、哲學領域，因而發展出殘酷無情的「社會達爾文主義」，反對以任何社會安全政策來保障弱者的生存權與工作權，認為這將妨害社會演化的自然進程……，則萬不該歸咎於達爾文。這只說明史賓塞濫用達爾文生物演化的學說，來為當時美國的資產階級當鼓手罷了，資本主義的意識型態本來就主張應讓經濟上的強者能更加淋漓盡致的自由發揮，而無視於社會正義與社會和諧的正當要求。

豈止資產階級要利用達爾文的學說，「『科學的』社會主義」同樣也不能免俗。恩格斯就公開宣稱：「達爾文發現了生物演化的規律，馬克思則發現了人類歷史發展的法則。」其實，達爾文本人在一八六九年十二月二十六日寫信給澳大利亞探險家卡爾・馮・薛爾轍（Karl von Scherzer）就埋怨道：「多荒唐啊！在德國竟然有人要將物競天擇的演化論和社會主義結合在一起！」當馬克思要出版《資本論》英譯本的時候，原本要題獻給達爾文，但卻遭到婉拒，只因達爾文不希望他的學說被聯想成在攻擊教會。

無論是代表資本主義的史賓塞，或是代表社會主義的馬克思，立場南轅北轍的雙方爭相引用達爾文學說，正顯示達爾文在生物學上的非凡成就，且其影響力已不再侷限於生物學界。豈可反將有心人士，希望披上科學的外衣，來推銷個人偏見的過錯，歸咎於達爾文？

其次，許靖華博士對嚴復、康有為、梁啟超等人譯介、鼓吹天演論的指責，筆者也甚難苟同。嚴復是馬尾船政學堂第一批送往英國皇家海軍學院深造的菁英。康、梁則是戊戌變法的靈魂人物，尤其是梁啟超更是終其一生扮演現代中國思想啟蒙者的角色。幫助國人開展國際視野、掌握世界思潮，本來就是嚴、梁等人的責任，怎可獨漏達爾文、赫胥黎等人震古鑠今的名作呢？何況當時西方列強正挾其船堅砲利，在社會達爾文主義「優勝劣敗」的思想武裝下，已向中國沿海港埠頻頻叩關。不譯介達爾文學說難道就可倖免於列強的蠶食鯨吞嗎？還是當知己知彼、奮勵圖強，才能早日掙脫出歷史的厄運？

此外，作者將國、共鬥爭溯源於達爾文學說的解釋，尤其不妥。現代中國的革命與動亂，自有潛藏於內的歷史因素以及當代外在的國際背景。將之歸責於達爾文學說，未免過分膨脹了達爾文對現代中國的影響。其實，日本也大量譯介了達爾文學說，其結果，在日本並未發生類似中國的內亂。作者在這方面對達爾文的指責，顯然是欲加之罪，何患無辭。

科學工作者應懂得謙卑

其實，筆者認為，擁護達爾文的人，披著科學的外衣來促銷人類社會「優勝劣敗」的觀點，本身就是不科學的。同理，反對達爾文的人，披著科學的外衣來反對人類社會「優勝劣敗」，也是一樣不科學的。作者反對「優勝劣敗」，反對「適者生存」，主張「幸者生存」。其實這種問題的討論已不屬於科學的、而是屬於價值哲學的範疇。這已不再屬於「實然」（Sein），而是屬於「應然」（Sollen）的問題。面對這個界線，自然科學家應懂得謙卑與自制。

如果作者所主張的「幸者生存」是科學的真理，那麼儒家思想所要求的「克己復禮」、「進德修業」或「強勉」（以克服「人」自然的惰性）就變成多餘，一切只要聽天由命就夠了。反之，如果真的是「適者生存」、「優勝劣敗」，那任何道德概念都無法成立。是非、對錯只取決於實力，而且是赤裸裸的實力。這種「強權即公理」（Might is right）的主張，柏拉圖早在二千多年前就成功地反駁過了。

中國人一向奉行「盡人事，聽天命」的人生觀，正是調和了「適者生存」與「幸者生存」這兩種極端的想法。中國文化也談「強」，但不是壓在別人頭上的「強」，而是「自勝者強」，一種反省性的強，無待於外的強，除了自修、自勝以外，才有待天命的安排。科學、技術的發達與進步，固然可以增加吾人對「物」、對「實然」的了解，卻不見得能增加吾人對「人」（做為一個具有「理性」的存有）、對「應然」的認知。一個傑出地質學家對人生終極意義的探究，不見得比柏拉圖或亞里斯多德透徹；一個生物學諾貝爾獎得主對人性尊嚴的體認，也不見得能超越孔子或孟子，我們不要迷信披上科學外衣的偏見。地球的存在，可能是隨機的；人類的存在，可能是偶然的。但這絕不影響「人」做為一個「理性者」存在所應有的價值與尊嚴，面對這個「價值」與「尊嚴」，所有的科學工作者要懂得謙卑，否則，就是褻瀆神聖。

以上筆者雖然針對《大滅絕》作者的某些見解有所批評，但是畢竟瑕不掩瑜，作者的博學予人深刻的印象，不畏權威、且勇於向權威挑戰的精神，令人佩服，這不愧是一本頗堪玩味、並值得爭議的科普著作。

（《聯合報》一九九二年七月十一日）

正視謀略

一般受過正統教育的人，尤其是假道學，多不屑於談論「謀略」。這正好反映制式教育不重視「方法論」的缺失，也嚴重影響國家現代化的進程。朱高正以孔門弟子的身份，論「謀略」乃小自修身齊家、大至治國平天下所不可或缺的工具。全文立論引證宏偉、邏輯結構嚴謹，頗值玩味。

「謀略」這個概念本身即蘊涵著一定程度的弔詭性。正如孫子所言：「兵者，詭道也。」英國著名的戰略學者李達．哈特（B.H. Liddell Hart）從廣泛的戰史研究中也歸納出：古往今來，克敵致勝的一方皆與「間接路線」的運用有關。

「謀略」的弔詭性

所謂謀略的弔詭性，就是指乍看之下為不合理，實則合理。謀略的精義在於揚棄動物本能性的直覺反應，是經過深思熟慮，審慎評估客觀情勢、我方實力，並充分掌握對方心理狀態之後，才擬定的行動策略，所謂「謀定而後動」。因此，有時候要「能而示之不能」、「近而示之遠」，以達到欺敵的效果。李達．哈特所強調的「間接路線」就是指比直線思考更高一層的謀略作為而言，透過間接路線的運用往往可達到奇襲的效果，進而充分掌握戰場的主控權。

謀略，是立身行事的藝術，更是建功立業的利器。就立身行事而言，謀略可以改善人際關係，可將很多不必要的衝突化解於無形；就建功立業而言，有思考、有計畫、有步驟、有方向的謀略可獲致四兩撥千斤的宏效。直線思考模式或本能性的直覺反應對現實困境的解決無益，謀略的適當運用則往往能更有效達成預設的目標。因此，孫子主張：「上兵伐謀，其次伐交，其次伐兵，其下攻城。」光憑孟賁氣力之勇，暴虎憑河，反易敗事。人之所以異於禽獸，氣力不及禽獸而可役使禽獸，乃因人有「理性」。能運用理性，設謀定策，依計行事，自是較成熟的表現。所謂「多算勝，少算不勝」，而況於「不算」乎？

「謀略」是立身行事的藝術

茲先以立身行事為例。筆者長子膚色較為黝黑，次子則較為晰白。某日於登山途中，長子仰丘問：「爸爸，聽説弟弟出生時，爸爸用牛奶給弟弟洗澡，是不是真的？」這是一個相當尷尬的問題，涉及孩子的自尊，當時，筆者腦筋一轉，即答道：「是啊，弟弟出生時，爸爸是有用牛奶跟弟弟洗過澡。」這時仰丘顯得有點悵然，筆者緊接著説道：「但是，你不要忘記，你出生時，爸爸也有用咖啡跟你洗過澡啊！」仰丘這時兩眼一亮，露出可掬的笑容。

其次，以建功立業為例。在一個專制獨裁的國家，反對人士常常犯了太過直率、據理力爭的毛病。政治不能光講「理」，還需要有「力」。當權者容或理虧，但卻握有實力，面對反對人士的挑戰，當然不願退讓，因為退讓只會鼓勵對手得寸進尺，而造成「一步退，步步退」的結果。在「退此一步，即無死所」的危機意識下，當權者自然會運用現有的資源打擊對手，以確保權位。筆者從事政治改革一向秉持「衝兩步，退一步」的原則與國民黨當局週旋。亦即先挑選足以引起普遍共鳴的重要議題（如「國會全面改選」、「教科文預算違憲」），充分積蓄能量之後，「衝兩步」奮力一擊，在國民黨搖搖欲墜之際，主動退讓一步，頓住，確保戰果，並醞釀發動下一波攻勢的實力。就國民黨而言，在慘敗之際卻能因對手的退讓而得到喘息的機會，自能以「少輸為贏」的心態，接納改革。日後甚至體認到假使能事先主動改革，非但可免遭對手的攻擊，又能得到改革的美名，何樂不為？

筆者曾倡言：「政治是高明的騙術」，引起不少的誤解。其實，「騙」在古代乃扁馬之術，並無太多貶意，何況筆者刻意強調要騙得「高明」，這就是要經由精心設計的謀略，以最少的犧牲，獲致最大的效果，豈是不學無「術」之徒所能理解！

「謀略」自科舉制度後，遭知識階級排斥

談到「謀略」，一般人就想到克勞塞維茨的《戰爭論》或李達．哈特的《戰略論》，其實這兩部軍事經典所討論的只是狹義的軍事戰略。反觀《孫子兵法》並不侷限於戰略，而擴展至政略。他如《老子》、《韓非子》、《戰國策》、《說苑》、《增廣智囊補》等，其適用範圍大至逐鹿中原、小至處理人際關係，自修身、齊家、以至治國、平天下，無所不包。可見我國傳統文化中，有關謀略的研究可謂源遠流長，絕非泰西諸國所能望其項背。只可惜，自董仲舒以降，獨尊儒術，先秦的兵家、法家、縱橫家、陰陽家、雜家等等，均漸漸與新興的士族階級絕緣。尤其自隋唐開科取士以來，士子不是沈緬於詩詞歌賦，就是陷入宋明理學所刻意凸顯的「尊德性」與「道問學」的「泛道德主義」的泥淖中。傳道授業由於採用過分化約的二分法，窮義利之辨，極善惡之分，殊不知「現實世界」與「觀念世界」截然不同。人固然需要觀念世界的指引，但卻不能脫離現實世界，人只能使現實世界逐步接近觀念世界所揭櫫的理想而已。偏執的泛道德主義只會使人更加憤世嫉俗，造成過分強調目標與理想的正當性，從而忽略了手段與過程的重要性。無怪乎自古文人相輕，因為空談理想，當然難有交集。

「謀略」的工具性格

儘管如此，所幸中國歷史悠久，幅員廣大，經驗傳承既久，後人可繼受前人的著述，稍補「謀略」在正統教育中長期被忽略的弊端。何況在歷史上，仍有不少有心人，諸如顧炎武、曾國藩，致力於經世濟民之學，強調通經致用，以史為鑑。其實，「謀略」並不探討目的，而是研究如何達成目標的方法論，亦即Know how的問題。用英文來解釋，「謀略」屬於prudence（聰慧機智）的範疇，而非wisdom（智慧、無私的直觀）。謀略之所以易於遭到批評、甚至蔑視，無非謀略常常被奸人宵小作為逞其私慾的工具。然而替天行道者不也同樣可以運用謀略來作為實踐正義的工具嗎？正如一把刀，為善為惡端視持刀者的意念而定，刀本身並無善惡可言。我們不會因為有好訟者濫用法律知識而禁絕法學教育，也不會因為秦始皇、隋煬帝濫興土木工程而廢棄土木工程技術。因此，有愛心而正直的人毋寧更需要「謀略」，才能使善意得到善果。譬如諸葛亮滿腹韜略，自「隆中對」初定三分天下，及其治理蜀國，雖說「儒表法裏」，但無損於為一代良相。同樣，一代英王唐太宗為秦王時，置天策府、文學館，招賢納士，網羅各路豪傑為其效命，終有「貞觀之治」。

在多元化的現代社會，適當地運用謀略，對達成目標有很大的助益。無論是親子、夫妻感情的培養與增進，公司企業的經營與管理，或是國家機器的運作與國際關係的改善，在在都離不開「謀略」。在汲取前人的經驗與智慧方面，我們無需捨近求遠，在我國浩瀚的古籍中就有取之不盡、用之不竭的高明謀略，只要重新詮釋、賦與新義，便能在現代社會中運用裕如。

（台灣版《謀略叢書》序，一九九三年二月）

評朱高正著

《康德的人權與基本民權學說》

Georg Cavallar

書　名：康德的人權與基本民權學說
作　者：朱高正
出版者：哥尼斯豪森及諾伊曼出版社（德國威茲堡）
一九九〇年

本文係針對朱高正德文著作《康德的人權與基本民權學說》所做的書評。原載於全球性權威哲學專業雜誌《康德研究季刊》。作者卡瓦拉（Georg Cavallar）爲奧地利著名學者。

誠如第一章「導論」（頁九—二〇）所揭示，朱高正以其於一九八五年向波昂大學所提博士論文，加入當前康德法權哲學批判性格的討論行列。除相關論證外，作者特別駁斥文化相對主義，渠等主張人權受制於歷史條件，認為人權乃是十八世紀政治啟蒙運動的產物。天賦的權利（ius connatum）該當被詮釋為一種先天的理性概念，康德人權清單的有效性則應「不可動搖地予以捍衛」（頁十六）。朱高正撇開文化相對主義問題，以令人信服的論證指出，康德將天賦人權立證於「人性理念」（homo noumenon）之中（頁十七）。作者在其有關康德人權學說的研究中，對康德在其問世著作中僅提及九次，而從未精確定義過的「人權」術語，做了一番廣泛而深入的創造性研究，過去唯獨耶賓豪斯（Julius Ebbinghaus）在一九六二年曾對此一課題發表過一篇論文。

第二章（頁二一—三五）係針對康德法權哲學，亦即「自由之外部運用的形上學」（法權哲學，導論A：參照頁三一），做一般性介紹。與道德律一樣，嚴格意義的法權理念，也具有先驗特徵。然而與道德律不同的是，嚴格意義的法權理念具有強制力、外在性與否定性，因為法權理念與內心立意無關，並且也排除目的設定（頁三四）。

第三章（頁三六—九一）充份運用「康德人權學說的原始資料」，特別是手寫遺稿與授課筆記。從而各式各樣的定理之發展，變得一目了然。朱高正尤其專注於烏爾比安（Ulpian）的準則（即「勿傷他人」、「各得其所應有」與「做正直的人」），內在法律義務的概念，以及法權與倫理的分際。作者認為，這三個課題群是「詮釋康德人權思想之鑰」（頁三七）。瑞特（Christian Ritter）有關康德早期法權哲學的劃時代著作遭作者批評，謂其僅侷促於處理到一七七五年的資料，人本身即是目的之學說出現於八〇年代，至於自我強制的學說要到九〇年代才成形（頁三八）。在曼徹（Menzer）所編的倫理學講義中，康德將烏爾比安的三個準則視為「道德公理」，尚未承認內在法律義務（頁五十—五一）。對自己的義務固然被凸顯有其重要性，但卻都毫無例外地被界定為倫理義務。在費爾阿本（Feyerabend）所抄寫的自然法授課筆記（一七八四），康德首次提及對自己的義務，並區分「人性的權利」與「人的權利」（頁四一—六一）。

維吉蘭提烏斯（Vigilantius）筆記（一七九三—一七九四）將內在法律義務，即「在我們自身人格中之人性的權利」，批判地建立在人之雙重性格命題中。在我們自身人格中之人性（homo noumenon）是為有約束力者，而在現象界中的人（homo phaenomenon）則為受約束者，存在於這兩者間的強制關係，作者稱之為「超驗的」（頁六一—七八；參照頁九二—九三）。「人性的權利」的特色在於其係非交互，而「只」是片面的強制（頁七一）。由是，康德法權哲學的「理論漏洞」因自我強制，以及與此相關連的內在法律義務兩概念之引進，而得以彌補（頁六二）。在「九〇年代道德形上學先期論著」一節中，作者終於釐清權利概念與斷言令式間之關係（頁七八—九一），並將「人性的權利」劃歸道德哲學，即廣義的實踐哲學（頁八三—八四）。

第四章「康德的人權學說」是本書的核心部份（頁九二—一三一）。朱高正藉著區分「人性的權利」與「人的權利」來建立康德的人權學說。Menschheit（人性）這個術語，如作者駁斥耶賓豪斯所述，並非指經驗的集體（人類），而是指「理想的人格……是純理而且超感性的」（頁九九）。「人性的權利」是「人的權利」之基礎，而後者是指人與人之間的法權關係。藉助於散頁的E19，朱高正重構「道德形上學」一書中康德對「法權哲學的分類」：康德之批判自然法必得以「人生的權利」為其基礎最高原理，因為縱令是私法權與公法權也要「透過將對別人的法律義務納入對自己的法律義務之中」而導出（頁一〇七）。

天賦的權利與「人性的權利」並非疊合，前者乃「人性的權利」之外部運用，而隸屬於內在權利（參照頁一一〇—一一二）。做為外在權利，天賦的權利與他人有關，而與自己無關（頁一一四）。天賦的人權又是「一切取得的權利之必要前提」（頁一三〇），所以也是「康德法權哲學的基石」（頁一八〇）。天賦的人權固然「能」經由法律行為具體化為取得的權利，但前者卻獨立於後者。

康德對人權的立論表現在其前兩大鉅著：「純粹理性批判」，因為康德從區分人的經驗性格與睿智性格出發；「實踐理性批判」，因為做為目的本身之人的尊嚴學說亦構成批判法權哲學的基礎（頁一一五—一一八；參照頁一七九）。康德對人權的貢獻不在於「發明」這些人權或另外一份新的清單，而在於對人權的系統化，亦即對人權提出無懈可擊而完整的立論（參照頁一二〇—一二二）。

第五章「建立公共正義，以基本民權保障人權」（頁一三二—一七七）亦如同第二章一般，以通論方式介紹康德國家法學。朱高正論證人權既是公法權（頁一三三），也是「純粹共和」的指導原則（頁一四九）。人權到底如何由國家且在國家中予以保障？作者特別集中在兩個論題：一為康德對「走出自然狀態」這個公設之論證；一為康德的共和主義。康德對民主政治的嚴厲批評在歷史上遭到「錯置」：康德不贊成古雅典的直接民主，那時「行政權涵蓋立法、司法兩權乃取決於在市場聚集公民的偶然多數」（頁一四五）。

在論述「基本民權乃是強制性公法所保護的人權」（頁一五〇—一六五）時，朱高正遭遇到一個眾所週知的老問題，此即公民「獨立自主」——乃「經濟上免於他人的姿意」（頁一五二）——可否賦予「先天原理」地位的問題。作者固然先為康德與耶賓豪斯辯護（頁一五八），並嘗試以「法目的論」重構康德的論證（頁一六一—一六二），但隨即申論，要求公民在經濟上必須獨立自主，和法權上的自由與平等互不相容（頁一六三—一六四）。

對康德法權哲學長期遭到忽略的領域，朱高正以其研究做出了一項開創性的成果。其論證令人信服，而從康德的先期論著與授課筆記中，取材允當，尤見高明。作者對康德法權哲學批判性格的探討，貢獻甚鉅。對這個領域的專家而言，本書與克爾斯汀（Kersting），荷弗（Hoeffe）與慕候蘭（Mulholland）等人的著作，同屬必備。

（《康德研究》（Kant-Studien）季刊，一九九二年）

評介朱著《周易六十四卦通解》

呂紹綱

書　名：周易六十四卦通解
作　者：朱高正
出版者：台灣商務印書館（台北）
　一九九五年十月初版一刷

本書評作者呂紹綱現任吉林大學教授、博士生導師、中國孔子基金會副會長、國際儒學聯合會理事、國際易學研究院學術委員。呂教授著有《周易闡微》、《周易入門》等書，並主編《周易辭典》、《周易講座》。

《周易》這部中國最古老的經典，影響至為深遠。中國的思維方式直接受到它的制約，自不待言，亞洲國家重視它的也不少，近代以來甚至引起西方人的注意，最近二十年出現的《周易》熱，使它的影響面幾乎達於全世界。但是，仍然不能說人們已經對它的蘊含和價值真正透徹地有所了解。外國人不必說，中國學者就極少有站在中國立場考量它珍寶般的價值，把它看作傳統文化的脊樑，從而給它在中國現代化進程中派上用場。研究它的人，在兩岸不乏其人，書和論文年年不少地出，然而煩瑣考證依舊。如何讓《周易》為現代化服務的問題雖有人提出，卻未曾拿出有效的解決辦法。就我所知見的有限範圍而言，唯有朱高正先生明白確切地提出了以《周易》現代化推動中國現代化的呼喚，而且知行並進，說到做到。本人是《周易》愛好者，有過幾番研究，深知朱先生的思考乃真知灼見，難能可貴，以至於被他的大著《周易六十四卦通解》深深打動，不禁欣然動筆，做一評介。

《周易》包含經與傳兩部分。經的部份是六十四卦。每卦由卦劃符號和卦辭、爻辭組成。擴大一點說，筮法也是經的內容。傳的部分是孔子作的彖傳、象傳、文言傳、繫辭傳、說卦傳、序卦傳、雜卦傳等七種十篇解經的文字，後人稱做《十翼》。經是對世界的詮釋，傳是對經的詮釋，故比較起來，經是根本，傳是枝葉。解傳的目的在於解經。後世學者多經傳並解，其中不乏優秀者、成功者。弊端也是有的，自漢以來不少的人醉心於卦氣、納甲、爻辰、卦變、互體等易例，置經固有的蘊含於不顧，此其一。其二，另一些人在義理上著眼詮釋經傳，成就累累，蔚為大觀，發展下來則形成代代相因承襲的局面，多在老套子裡煩瑣考據，咬文嚼字，本來極簡約的易理反被掩蓋，變得蕪雜不精。至於晚近，由於古今語言隔閡加大的原因，此種情形更為凸顯，於今尤甚。面對這兩大弊病，當今兩岸易學家，嚴格地說，未能給予認真的對待，未能有意為《周易》的詮釋工作探出一條新路，讓《周易》的哲學精神與現實生活結合，積極發揮作用。

就我所知，只有朱高正先生在這一方面有所思量，有所創新。他提出一個旗幟鮮明的口號：以《周易》的現代化推動中國的現代化。讓《周易》為現實服務，與現代化掛鉤，大家都已注意到，做過一些努力，但未尋出一條可行的途徑。朱先生提出《周易》現代化問題，實乃震聾發聵之見。怎樣使古老的《周易》現代化，依朱先生的見解，是實現《周易》詮釋的現代化。具體而言，包括兩個層面，一是詮釋由博返約，去蕪取精。自身要博而不懼蕪，把古人繁雜的易注吃深吃透，然後殺將出來直解經文，摒除一些煩瑣的訓詁考據，以最簡潔最洗煉的現代語言揭示《周易》的精髓，俾使讀者得以在浩瀚的易注古籍中馳騁，進而汲取《周易》智慧之泉。二是融入新意，體現創造。孔子、王弼、程頤、朱熹，詮釋《周易》無不有自己的新意與創造。如今時代不同了，現代社會與傳統社會截然兩樣，現代人無可避免地要面對體驗新生活、處理新問題的挑戰。現代人若照搬孔王程朱舊說，了無新意，無異於舊瓶盛舊酒，裡外不美。現代人詮釋《周易》，須具創造性，體現現代精神❶。朱先生關於《周易》現代化的這兩點設想，可謂切中肯綮，觸及要害。

這部《周易六十四卦通解》是朱先生實踐自己主張的重要嘗試。嘗試是成功的，兑現了《周易》詮釋現代化的初衷。他不取經傳並解的老辦法，站在現代立場直接詮釋六十四卦經文，舊時陳陳相因，層層架屋，煩瑣訓詁，支蔓考據的老套數，全然不取，卻又恪守孔子《易傳》解經的體例。且看書中如何運作：卷首設《釋例》十六條，諸如陰陽、八卦、八卦之取象、性質，六十四卦之組成、次序，六爻之位、時、中、承乘比應、往來上下關係以及卦主說等等問題一一標出，作為通解六十四卦的依據。此舉看似平常，實有深意在焉。意在表明他與象數派易學體系決斷的態度卻又不作脱離象數，無根游談的決心。

《釋例》之後，從乾坤開始，直解六十四卦卦爻辭。解卦辭之前，先極概括地總論一卦之精義，讓讀者未曾觀玩，先對卦象、卦德、卦義獲一清醒認識，猶似有一根成竹在胸收緊著，展讀下去不至於因枝葉婆娑而思路迷惘。例如漸卦總論云：「漸為緩進、循序漸進之意。漸卦由艮、巽兩卦組成。從卦象言，艮為山，巽為木，山上有木，木之高乃因山而高，其高有因，乃其進有序也，故為漸。鴻鳥於春漸漸北飛，於秋漸漸南飛。漸卦六爻取鴻鳥往來有時、先後有序為象，以示漸進不亂之義。」漸卦何以名漸，漸取何象，象有何義，簡單數語，豁然給出，乾淨俐落，給人以「刪繁就簡三秋樹」之感，各卦莫不如此。這一作法很像程頤《易傳》，但是程頤在解一卦之前先解《序卦傳》，本書則不然。本書對程傳是繼承，也是改造。

總論以下解卦辭、爻辭，尤透徹、精彩，抓住了《周易》的精髓。鄭玄有一易含易簡、變易、不易三義之說。鄭說出自《易緯》，《易緯》出自《繫辭傳》，確然可信。朱先生於易之三義穿之透之，融會為一。這「一」不是別的，就是西方自古希臘哲人以來一再發揚的辯證法學說。而《周易》之辯證法高過西方，《周易》講變更講通，講對立更講和諧，講自然更講人事。朱先生對此感悟良深，以至於能在《周易》四百五十個範疇系統中悠游自如，視六十四卦為一卦，甚乃心中無卦。他顯然在追求著孔、孟、荀的意境。孔子說：「加我數年，五十以學易，可以無大過矣。」❷荀子說：「善為易者不占。」❸孟子口不言易而易會通於心。

《周易六十四卦通解》釋卦爻辭，處處體現《周易》辯證法的精神，例如它釋乾卦辭云：「乾象天，坤象地。乾主動，坤主靜。乾以純陽而至健，坤以純陰而至順。乾之道，大通而利於正固。故曰：『元亨利貞。』」釋乾用九云：「乾者純陽而至健，當柔和以待下，切忌肆用其剛，而為物之首，乃可得吉，故曰：『見群龍无首吉。』」釋坤卦辭云：「坤之德，以其純陰而至順，必待唱而後和，若居先則無以和而迷。唯居後乃有以和而得其主。為人臣者宜行坤陰柔順之道，則得其朋類之助；苟行乾陽剛健之道，則與陽相敵，而失其朋類矣，故曰：『利西南得朋，東北喪朋。』」釋坤上六云：「坤者臣道也，當固守其柔順之道，以從陽為尚。切忌陰極而敵陽。」釋坤用六云：「陰柔至極，濟之以陽剛則有利。蓋陰柔不足以固守，唯變為陽剛，方能常永貞固。」只是詮釋，原原本本，自然天成，不加些許議論。唯其如此，讀者稍為留心，便會悟出《周易》辯證法的特點。乾坤（與陰陽無異）是個對子，作用不同，乾純剛至健，自強不息，萬物資之以始；坤純柔至順，厚德載物，萬物資之以生。因為二者異而不同，所以才相互依存，處在密切和諧狀態，誰也離不開誰。這乾坤二而一，一而二的特種思維，是我們祖先仰觀俯察天地、日月、寒暑、晝夜、男女、夫婦、父子、君臣、首足、難易、禮樂、喜憂、哀樂等現象得來的，是古代中國人偉大智慧的結晶，與西方人大異其趣。西方辯證法雖也講對立統一，卻不看重對立統一的普遍性、重要性，更不知對立統一之兩方面一健一順，一剛一柔的道理。朱先生繼承程傳朱義的易學思想，解乾對著坤，解坤對著乾，而且簡約之至，乾坤合德的道理躍然紙上，與程朱比，有過之而無不及。嚴靈峰先生曾有用《周易》〈易簡原理〉取代從西方翻譯過來的〈辯證法〉一詞的建議❹，我很贊成。我想，朱先生心中必有相同的想法。參照他另外兩部易著（《易經白話例解》、《周易與中國現代化》讀此《周易六十四卦通解》，可知作者正是懷著這樣的理念寫作的。《通解》是純粹詮釋之作，未便直抒己意，然而若讀者細心體會，其深意畢竟歷歷可見。

《通解》一書完成了作者《周易》詮釋現代化的心願。以《周易》的現代化推動中國現代化的另一半心願，主要由上邊提及的二書兌現。不過《通解》對此亦有所努力。詮釋每一卦都特別重視由天道往人事上落實這一環節。釋同人卦說：「大凡君子固守貞正之德，公爾忘私，以正道與人相和同，故能致天下大同，其亨可知。」釋蠱卦說：「〈先甲三日，後甲三日〉，謂治蠱之道當思慮其先後三日。蓋推原先後，方為救弊可久之道。」釋損卦說：「蓋減損本拂逆人情之事，如有過與不及，或不當其時，必致紛擾不已。惟以至誠，損有餘以補不足，當損則損，則可貞固常行，而利有所往。」釋困卦說：「窮困可以動心忍性，激勵潛能。處窮困之時，而能固守正道，則含藏致通之道。」釋革卦九三說：「九三宜守貞正之德而常懷危厲之心，徵詢各階層民眾對革命與否之意見，以至於三，而无不贊成，如此方可信而不疑，致力革命大業。」釋漸卦說：「猶君子處潛藏之時，切忌急於求進、諂上媚俗以求高位，唯固守其貞正之德，循序漸進，乃可得吉。」等等，都在詮釋卦爻辭之同時，有意把道理落到人事上。《周易》〈冒天下之道〉，由天道推及人事，是它本有之義，歷來注疏家無不注意及此。但《通解》有所不同，朱先生詮釋六十四卦卦爻辭，完全立足於現代立場，懷著現代意識，充滿現代精神，釋義簡約質樸，圓融準確，現代人讀來，分外具現實感、親切感、信任感，會覺得此書乃為自己而寫。古代任何詮釋六十四卦的書，對於現代人來說，均不可能顯出這般效果。

朱高正先生之所以勇於提倡以《周易》現代化推動中國現代化，並且身體力行之，寫出專著來，與他的學養有關。換言之，學貫中西，既得西哲之真諦，復熟諳傳統之精華，形成堅確的民族文化主體意識，促使他對傳統文化大根大本的《周易》不能不如此投入、熱衷。一般說，留洋博士，對民族文化容易冷淡，甚乃不以為然，而朱高正先生自有他的高超之處，身為洋博士，卻鍾情土文化，視《周易》為民族文化瑰寶，愛之不釋手。於《周易》的修養，積漸有年，非朝夕之功。自高中時代起，學《易》二十餘年不曾稍輟，如今易學修養的深度，縱然不能說窮神知化，德盛仁熟是當之無愧的。因此他才有膽氣、有資格講出這樣充滿豪情又十分落實的話：「《周易》不僅總結了上古中國人的智慧與經驗，更是歷代中國知識份子聰明才智的結晶。……即使在歐洲被視為各類學問源頭之亞里斯多德著作，也難以望其項背。換言之要認識中國傳統文化，《周易》不可不讀。身為現代中國知識份子，只要肯用心研讀《周易》，對傳統文化就能有基本的掌握，也才能擔當承先啟後、繼往開來的重任。《周易》正是我們認識傳統、批判傳統、超越傳統，進而創新傳統的出發點，也就是重建文化主體意識的基礎。尤其對正處在劇烈變動中的中國社會而言，《周易》更能協助大家對「變」有更高層次的理解與實踐，甚至化被動的「應變」為主動的「求變」，以完成中國的現代化。」[5]

總括言之，《周易六十四卦通解》是不可多得的好書，它思想明晰，語言洗煉，風格清新，沒有傳統經學的那種煩瑣，也沒有當今學院式的呆氣。是我所見二十年來兩岸眾多《周易》詮釋著作中最稱優秀、最富價值、最值得細細品讀的一部好著作。

注釋

❶參閱朱高正著《周易與中國現代化》，朱高正辦公室出版，一九九六年二月，第一四至二五頁和《周易六十四卦通解》自序。

❷《論語．述而》

❸《荀子．大略》

❹嚴靈峰《無求備齋易學論集》，中國社會科學出版社，一九九六

❺朱高正《周易與中國現代化》第二六頁。

（《中國書目季刊》，第三十卷，第四期，一九九七年三月）

國家圖書館出版品預行編目資料

納約自牖

朱高正著. – 初版. – 臺北市：臺灣學生，1997
面；公分 –（朱高正作品精選集；第 4 卷）（當代叢書；7）

ISBN 978-957-15-0832-0(平裝)

1. 論叢與雜著

078 86007987

納約自牖

著 作 者 朱高正
出 版 者 臺灣學生書局有限公司
發 行 人 楊雲龍
發 行 所 臺灣學生書局有限公司
地 址 臺北市和平東路一段 75 巷 11 號
劃撥帳號 00024668
電 話 (02)23928185
傳 真 (02)23928105
E-mail student.book@msa.hinet.net
網 址 www.studentbook.com.tw
登記證字號 行政院新聞局局版北市業字第玖捌壹號
定 價 新臺幣六〇〇元

一九九七年八月初版
二〇二二年六月初版二刷

57311

ISBN 978-957-15-0832-2 (平裝)